诡案组 外传

WAI ZHUAN

GUIANZU

求无欲／著

湖南文艺出版社
HUNAN LITERATURE AND ART PUBLISHING HOUSE

博集天卷
CS-BOOKY

目录
Contents

诡案组
外传

第一卷
泛滥的邪恶

很多时候，这个世界充满谎言及恶意，我们或许能
让自己的心灵保持纯洁与善良，却无法阻止邪恶侵
蚀别人的灵魂……

第二卷
您的故事

我不知道您的名字、年龄及职业，我甚至不知道您的
性别。
但是，我知道您的故事。
以下是属于您的故事，或许昨天已经发生，或许今天
就会发生，或许明天将要发生。
我不知道具体时间，但我知道必定会发生在您身上。

目录
Contents

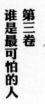

诡案组
外传

Deception case group
Rumor

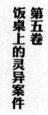

第五卷
饭桌上的灵异案件

中国人能在饭桌上解决一切问题，红白二事要设宴，有事相求要请客，商谈业务要饭局，就连相亲也离不开饭桌。

如何在饭桌上与不太熟识的人找到合适的话题，乃人际关系中一门必修的学问。

而在饭桌最受欢迎的话题，莫过于各种离奇诡异的案件……

Deception case group
Rumor

第一卷
泛滥的邪恶

很多时候，这个世界充满谎言及恶
意，我们或许能让自己的心灵保持
纯洁与善良，却无法阻止邪恶侵蚀
别人的灵魂⋯⋯

Chapter ① 李总选妃

1. 百万征婚

李总今年四十有三，虽然腰缠万贯，但仍是孤家寡人。当然，以他的家财及地位，不愁没有女人，只是他心里明白，那些投怀送抱的美女，都是冲他的钱财而来。

李总心想，既然所有女人都是为钱而"爱"自己，何不多花点儿钱挑个最好的？于是他让自己最为信任的助手赵刚到各大报刊刊登"百万征婚"广告。广告上称，符合条件并最终与李总结成夫妻者，可获得一百万元礼金。要求很"简单"，只有三个：美女、淑女、处女。

广告一出马上掀起风波，舆论纷纷批评李总的行为无异于帝皇选妃，大有侮辱女性之嫌，不但无耻而且无聊。然而，金钱拥有令人难以抗拒的魔力，虽然骂声四起，但应征者却多达千余人。不过，其中多为不自量力之辈，赵刚单凭应征者寄来的简历及照片就刷掉九成，初次面试又刷掉余下一成中的九成。最终，有幸到李家豪宅等候与李总见面的只有十二位国色天香的美女。

李总没有直接与这些美女会面，而是坐在舒适的房间里，先通过闭路电视欣赏这些在客厅中等候的佳人，然后再决定接见谁。赵刚拿着一沓简历，逐一讲述美女们提供的资料，但李总显然心不在焉，他的注意力全都集中在十二位环肥燕瘦的美女身上了。众美女虽然容貌不俗，但心情似乎皆忐忑不安，或频频整理服饰，或持镜补妆，最可笑的是一个身材稍微丰满的女孩，在不到五分钟的时间内便上了两趟洗手间。

在窥视群芳的过程中，李总突然眼前一亮，他发现其中两名美女怡然自若，而且相貌极其出众，让人有鹤立鸡群之感。二人皆沉鱼落雁，但各有一番风味。一位长发飘逸，瓜子脸型，肤白欺霜，身材修长又不失丰满，配合一袭曳地长裙，有一种大家闺秀独有的贤淑。一举手，一投足，皆散发出高雅的气质。

另一位亦毫不逊色，发长及耳，身材略为娇小，肤色虽不如前者白皙，但亦如凝脂般细嫩。最要命的是她拥有一张娃娃脸，樱唇如有露水流转，双眼更自然地流露出天真无邪的神色，仿佛是个永远不会长大的小女孩，让李总恨不得立刻抱着她亲上百遍。

看见李总口水直流的色狼相，赵刚微微一笑，翻了翻手中简历："短发的叫张思琪，本地人，在校学生，家中独女。父亲早年于交通意外中丧生，母亲多年来母兼父职，最终积劳成疾卧病在床……"接下来的是一些无关痛痒的个人资料，但是相当详细。

"原来已经二十一岁了，我还以为她只有十七八岁呢。"李总咽了咽口水，"长发那位呢？"

"长发的叫游惠仪，外地人，刚从本地大学毕业……"面对李总期待的目光，赵刚不禁皱眉，"没了。"

"就这些？家庭背景之类的呢？"

"她在简历上写着'个人资料请当面询问'，附带的资料也只有身份证和大学毕业证的复印件，要不是看她长得这么漂亮，早就把她淘汰了。"赵刚一脸无奈地把简历递上。

李总接过简历随意翻阅，翻到身份证复印件时，发现一个奇怪的地方。一般十几二十来岁的人，身份证的有效期为十年，但惠仪的却是长期有效。他不禁感到疑惑："她的身份证怎么会是长期有效的？初试时问过吗？其他资料问过吗？"

赵刚耸耸肩，说："我的身份证也是长期有效的，也许是办的时候出了点儿问题吧！至于背景之类的资料，她说只告诉你一个人，说完就很有礼貌地对着我微笑，让我问不下去。不过，我已经让郭卫去调查她了。"郭卫是李总另一名信任的助手。

李总满意地点头，伸手往荧光屏一指："除了这两个，其他的每人发个红包打发她们走……"

2. 谁是落选者

虽然清纯可人的张思琪让李总心痒难耐，但游惠仪谜一般的身世更令他感兴趣，于是他决定先接见后者。

面对浑身散发着高雅气质的美女，在商场摸爬滚打十几载的李总也心猿意马起来，经赵刚提醒才回过神来，问："你的简历上写着个人资料需当面询问，现在能先说说你的家庭背景吗？譬如你父母的情况……"

惠仪露出优雅的笑容，静静地看着李总，使这位风月场所的常客也不禁脸颊发烫。良久，她才以动人的声音说："我没有父母……"她说自己是个孤儿，在孤儿院中长大，其后在善心人的资助下来到本地上大学。毕业后本想在本地找份工作，求职期间无意中看见李总的征婚广告，于是前来应征。她说会把那一百万元礼金全数捐赠给将她抚养成人的孤儿院，因为那里是她的娘家，而且那里现在也很需要这笔钱。

眼前的美人不但美丽、高贵、善良，而且谈吐优雅，吐气如兰，实在难以相信她是个孤儿院出身的女孩。短短半小时的面谈，李总就已被她深深吸引住，当即拍板迎娶她，连另一位美女也不想见了，让赵刚给她一个大红包就是了。

赵刚皱着眉在李总耳边细语："耳听七分假，眼见未为真。不能单凭她三言两语就完全相信她。"这也不无道理，但是李总已被对方迷得神魂颠倒，恨不得立即举行婚礼，马上洞房花烛。

赵刚又在李总耳边细语："婚礼准备需要时间，何不先让她留下，等郭卫的调查有结果再做决定也不迟。"

李总点了下头，示意赵刚就按照他的意思去办，心想有这个称职的助手在身边，自己还真是省心多了。别看他年纪轻，却脑筋灵活心思细密，而且对自己忠心耿耿，就连那些不能见光的事情也能放心交给他办。

赵刚安排惠仪入住李宅的客房，并吩咐用人以上宾对待，不得有丝毫怠慢。其实，就算他不说，也没有人敢怠慢这位未来的女主人。然后，他到客厅给仍在等候的思琪递上一个略厚的红包，亲自送她到门口并在其耳边细语两句，后者微笑点头。

整个过程中，思琪没有表现出落选者应有的失落。

3. 1931 年

十余天后，郭卫那边仍然没有传来消息，李总已经等不及了，一名宛如天仙的美女就住在自己家中，却只能看不能动，能不着急吗？更何况一切都已经准备好。而且相士说三天后是个难得的好日子，若过了那一天就得等下个月才能举办婚礼。于是，他决定不等了，马上洞房花烛。

赵刚虽然不赞成，但是总不能逆老板的意思，便提出建议："游小姐身世未明，难保不是冲你的家财而来。你无亲无故，若婚后有什么意外，全部家财就会落入其手中，不如先立一份遗嘱……"

　　忠言逆耳，赵刚的话虽然不中听，但细想之下亦有其道理。于是，李总招来律师立下遗嘱，婚后如不幸离世，在未有子女的情况下，其名下生意均交由赵刚等几位助手代为打理，收益则以他的名义成立慈善基金。惠仪亦应李总要求签下同意书，同意婚后除了能得到一百万元礼金外，每月还能从丈夫身上得到巨额零花钱，但若丈夫不幸离世，则不能从遗产中得到分毫……

　　了却后顾之忧后，婚礼随即举行。李总虽然没有近亲，但商政界朋友数不胜数，婚宴连开百余席，到场宾客非富则贵，酒店的停车场里，奔驰、宝马已是最低档次。

　　春宵一刻值千金，李总好不容易才逃离酒桌，于新房中亲吻怀里佳人。此刻，盛装的惠仪在已有三分醉意的新郎眼中，其美艳犹如仙女下凡，举世无双。就在他欲火焚身，准备与美艳新娘云雨之时，座机竟然不合时宜地响起。

　　在逃离酒桌时，李总已经把手机关掉，为的就是享受这春宵一刻，而知道新房座机号码的就只有赵刚、郭卫等几名得力助手，此刻来电定非等闲事情。所以，他虽然极不愿意，但还是按下免提键："喂，啥事？"

　　座机传出郭卫不安的声音："李总，我找到了游小姐所说的孤儿院，但这里在三十多年前就已经被一场大火烧毁，现在只是一片荒地，听说那场火灾把院内所有的人都烧死了。而且我发现游小姐的身份证复印件有点儿问题，出生年份有更改过的痕迹，她实际上应该是 1931 年出生的。我查询过当地的户籍记录后，发现游小姐在三十多年前那场火灾中就已经……"

　　惠仪轻轻摁掉电话，脸上露出诡异的笑容："怎么了？征婚广告上好像没说有年龄限制啊！"

　　征婚广告上没有年龄限制是为了不漏掉像林志玲这样的成熟美女，但李总做梦也没想到竟然招来了一个七八十岁的美艳女鬼。

　　惠仪带着优雅的笑容靠近，用如玉般的纤手轻抚夫君粗糙的脸庞。不知道是不是喝过酒的缘故，李总觉得对方的手冰凉透骨，他哇一声跳起来，连滚带爬地往门外冲。

"老公，你去哪儿啊？"惠仪紧随其后追来，并伸出纤手欲把出逃的丈夫抓住。昨日仍悦耳动人的声音，如今犹如厉鬼狞叫，欺霜胜雪的肌肤此刻亦似失血般苍白，葱白般的纤指更与白骨鬼爪无异。

为尽情享受鱼水之欢，李总把所有用人都轰出豪宅，现在可好了，占地千余平方米的大宅之内，就只有他和一个女鬼。他跌跌撞撞地往外逃，不管走得多快，身后总是传来可怕的呼唤："老公，别走……"把他吓得滚下楼梯，撞了个头破血流。但他还是硬撑着爬起来，往大门狂奔。

李总一打开大门就看见赵刚带着几个道士装束的男人跑过来。赵刚上前扶着他迅速离开，几名道士则冲入屋内抓鬼……

4.鬼　脸

李总在酒店住了一个星期。这个星期内李宅天天都在做法事，道士、和尚、神婆，几乎能请来的都请过了，这样他才敢回家住。但他还是终日提心吊胆，甚至经常杯弓蛇影，好不容易才恢复过来，又开始盘算自己的婚事。

李总花了百万礼金娶得鬼妻的事情已经街知巷闻了，这让他觉得很丢脸，所以才想尽快"再婚"。人选已有了，就是上次落选的张思琪，因为她是本地人，而且提供的资料非常详细，所以郭卫没花多少时间便一一核实清楚了。

李总对这位未婚妻的背景不太感兴趣，只要知道她是人而不是鬼就行了。当然，和之前那位一样，思琪也签了一份放弃遗产的同意书。

为了挽回面子，这次婚宴比之前的更奢华。婚宴过后，李总仍是带着三分醉意回家。不同的是，这次全部用人都得在李宅中待命，一有什么风吹草动就得冲入新房护主。

新房中，让人垂涎三尺的新娘羞答答地坐在床尾，等待夫君为她完成从女孩到女人的蜕变。而身经百战的李总可不像娇妻这般羞涩，他抓掉上身的西装衬衫就跳上床，抱着对方亲个没完。

思琪开始时略做闪避，但很快就无奈地接受了丈夫的粗鲁。李总越亲越兴奋，从额头亲到脸蛋，从脸蛋亲到脖子，再粗暴地撕开妻子胸前的衣服，欲一亲娇妻酥胸，但一见娇妻尚算丰满的胸部他就愣住了。他之所以愣住，并非娇妻的胸部过于美艳，更美更丰满的胸部他也见过。他愣住的原因是对方胸脯上有一张拳头大小的人脸，仔细看清楚后，发现竟然是惠仪那张美艳的脸。

思琪双手搂住压在她身上的李总的脖子，脸上一扫刚才的羞涩，娇媚地说："我们最终还是能在一起了。你好狠心哦，竟然让那些臭道士、臭和尚来整我，幸好他们都是些没真本事的神棍。不过，说不定你下一次找来的会有真本领，所以……"搂住李总脖子的双手突然变成轻轻地掐："所以，我要你和我一样变成鬼！"娇媚的双目怒睁，掐着脖子的双手稍微增加力道。

李总的心脏疯狂跳动，胸口随即传来一阵闷痛……

5. 青春永驻的秘诀

李总死了，死于洞房花烛夜，死于心肌梗死。坊间传言他是因为之前娶的鬼妻作祟而死的，警方也将他的死以自然死亡定案。

医院病房里，张思琪坐在床边看着母亲安然入睡，突然，敲门声响起。门外的是赵刚，两人一同到外面散步。

"你的画功真不错呀，画仪姐的脸画得像真的一样，以前学过吗？"想起赵刚在自己胸前作画的一幕，思琪不禁脸红心跳。

"雕虫小技而已，"赵刚递上一张一百万元的支票，"这是你应得的报酬。"

"谢谢！"张思琪收好支票后，随意问道，"仪姐现在怎么样？要是让警察找到她就麻烦了。"

"你不用担心她，她拿了钱自然会有她要去的地方，她这大半个世纪不是白活的。"

"仪姐真的有七十多岁吗？她怎么看也不像年纪那么大啊！"思琪吃惊地睁大双眼。

赵刚不怀好意地笑着："你想知道她是用什么方法使自己保持容颜不老的吗？"

思琪拼命点头，没有一个女性不想知道永葆青春的秘诀。

"方法很简单，长期饮用以未满月的婴儿炮制的药酒就行了。"看见张思琪浑身颤抖的样子，赵刚哧哧地笑，"你知道那间孤儿院为什么会发生火灾吗？惠仪当时是那里的院长，因为被人发现了她用婴儿泡酒，所以她就一把火把所有人都烧死了。"

"你怎么会认识这么可怕的人啊？"

"嘿嘿，你靠过来，我小声告诉你。"赵刚在思琪耳边细语，"她是我的老同学……"

[完]

Chapter ② 财神咒

1. 中五百万元大奖的方法

泽谦每天下班都会到家附近的彩票销售点遛上一圈，研究一下彩票的走势，而且每期必定会买百来块的彩票，风雨无阻。他总是幻想着有一天会获得五百万元的大奖，并盘算着该怎样花这笔天降横财。然而，虽然他的彩龄日深，对彩票的"投资"也相当惊人，但得到的回报却少得可怜，只是偶尔会中个十块八块的小奖，更多的时候是一无所获。虽然如此，他还是坚持每期必买，以至销售点的张老板也和他混熟了。

看见老顾客又在埋头钻研彩票走势，张老板上前说："你这样买彩票是不会中大奖的。"

虽然泽谦对自己选号的功夫充满自信，但事实却不容否定，他的确从没中过一次像样的奖。因此，他便虚心地向在这方面较为"专业"的张老板讨教心得。

"虽然我每天都和彩票打交道，但其实也没什么心得。不过，我知道有个方法能提高中奖的概率。"张老板神秘地说。

"是什么方法，能告诉我吗？"泽谦把张老板拉到一旁，小声问道，生怕会被别人听见。

张老板在泽谦耳边小声地说："我见你是老顾客才告诉你，你可千万别告诉其他人。要不然，大家都用这招，中奖的人多了，会把奖金分薄的。"

泽谦拼命点头，同时又做贼般东张西望，生怕其他人会溜过来偷听。张老板也往四周看了看，确定没有人留意他们才小声说："我现在教你'财神咒'，方法很简单，只要在钞票上写上自己的愿望，然后把这张钞票花出去，要是这张钞票通过正常途径回到你的手中，那你的愿望就能达成了。"

"就这么简单？"泽谦疑惑地问。

"说起来容易，但做起来可难了。首先，使用的钞票面值不能太小，一定要百元大钞，不然愿望是不可能达成的。其次，这咒虽然叫财神咒，但实际上并非求财神帮忙，而是求不能投胎转世的厉鬼帮忙。如果钞票不是通过正常途径回到你手中，而是莫名其妙地出现在你身上，那麻烦可就大了。"张老板神色凝重地说。

"会有什么麻烦呢？"泽谦紧张地问。

"如果钞票莫名其妙地出现在你身上，那就是说，你的愿望太过分了，帮助你的厉鬼力有不及。要知道，如果帮你把愿望达成了，它就能转世投胎，相反则要下地狱受刑。所以，当它无力为你达成愿望的时候，就会迁怒于你，弄不好会把你的命也要了。"张老板顿了顿，严肃地说，"方法已经告诉你了，用不用你可要考虑清楚，出了事可别来找我麻烦啊！"

泽谦只是犹豫了片刻，就从钱包中取出一张百元钞票，在正面写上"我要中五百万大奖"。然后，他就把这张钞票和之前选好的号码递给张老板，买了十张彩票。

2. 麻烦来了

泽谦坐在客厅的电视机前，把用施了财神咒的钞票买来的十张彩票在茶几上一字排开，心情忐忑地观看开奖过程。

"中了一个……这个也中了……"泽谦兴奋地叫嚷着。

中了，真的中了，七个号码全中了。

可是，中奖的号码并非在同一组号码中。也就是说，泽谦中五百万元大奖的美梦又破灭了。虽然如此，但他并没有气馁，他从茶几下层取出一个笔记本，记下这期的中奖号码，再对照之前的中奖号码，认真地研究彩票的走势。

"还不过来吃饭？"妻子淑清已准备好晚饭，不悦地叫着沉醉于五百万美梦当中的丈夫。

"你先吃，我马上就来。"泽谦随意回应，目光依旧停留在笔记本密密麻麻的数字上。

"整天就只知道买彩票，又不见你中过什么奖。要是把你买彩票的钱存起来，恐怕已经有好几万了……"淑清不停地唠叨着。

泽谦抬头一吼，叫道："你懂什么？哪天我中了五百万，马上就把你给休了！"

"我就怕自己等不到那天。哼！"淑清说罢就自顾自吃饭，不再理会丈夫。

泽谦也不理会妻子，继续研究彩票的走势。

翌日，泽谦又来到彩票销售点买彩票，当他从钱包取出一张百元钞票准备递给张老板的时候，却惊奇地发现钞票上有字。他立刻把钞票拿到面前仔细查看，上面写着"我要中五百万大奖"，是他的字迹。

泽谦惊呼一声，心想这次中奖有望了。然而站在他对面的张老板却脸色一沉，担忧地问道："这张一百块，你是怎样得来的？"

怎样得来的？这是个问题，非常严重的问题。

百元钞票不像十元、五十元等钞票能通过找零获得，对于泽谦来说，除了发工资之外，基本上就没有其他途径能获得。那么，这张一百元的为什么会出现在自己的钱包里呢？他弄不清楚是怎么一回事，他的脑海中只想着五百万元大奖。

张老板当然也不能给出什么答案，他只是说为了让泽谦能快些达成愿望，早把那张一百元的花出去了。

"现在这张一百元的一定不是之前那一张。"泽谦仿佛自我安慰地对张老板说，随即拿起笔，颤抖地在钞票的背面又写上"我要中五百万大奖"，还特意签上自己的名字，再次买了十张彩票。

3. 厉鬼夜袭

"你今晚最好小心了，要是有开光的玉器，一定要戴在身上。"张老板的话萦绕在泽谦的脑海中，所以他回家后，马上就走进卧室翻箱倒柜，希望能找到一件玉器护身。

"你把东西都翻出来干吗？"淑清看见丈夫把卧室弄得一片狼藉，便不悦地问道。

"家里有已经开光的玉器吗？"泽谦说。

"有啊，妈前段时间去拜佛时，不是给你请了个玉吊坠吗？"淑清说着，走到梳妆桌前，取出一个碧绿的玉佛吊坠。

泽谦迫不及待地用红绳穿好吊坠，挂在脖子上，他的心情稍微平复了些，问道："妈什么时候给我请这个吊坠了，我怎么一点儿印象也没有？"

"你啊，脑子里就只有彩票，别的事情还会记在心里吗？"淑清冷嘲热讽地说。

妻子的话虽然难听，但也是事实，除了彩票，泽谦的确不会把别的事情放在心上。

"给我一百块。"睡前，淑清突然说。

"为什么？"泽谦大感莫名其妙，妻子平时很少向他要钱，或者说他平时很少会给妻子钱。

"家里的水电费全都是我交的，跟你要点儿买菜钱也不行吗？"淑清理直气壮地说。

"自己去我钱包拿吧。"泽谦说着就上床睡觉。

淑清走到梳妆台前拿起泽谦的钱包，片刻后笑道："哟，你还真是想中奖想疯了，竟然在钱上写着要中大奖。"说着，拿起一张一百元的泽谦展示。

泽谦整个人从床上弹起来，快步冲到妻子身前，夺下她手中的钞票仔细查看。没错，就是那张两面都写着"我要中五百万大奖"并有他签名的一百元的钞票，它为什么再次莫名其妙地回到自己的钱包里了呢？

深夜，泽谦辗转难眠，他的脑海被那张诡异的一百元所占据，明明花出去了，为什么还会在钱包里？难道，真的像张老板所说的那样，自己的愿望太过分，无法达成？那么，自己会受到厉鬼的报复吗？

可怕的念头整夜煎熬着泽谦忐忑不安的心，使他无法入睡。睡不着的人特别容易感到有尿意，于是他就起床去卫生间。当他回来的时候，发现原本已熟睡的妻子，竟然坐在床上。

"你也睡不着吗？"泽谦问。

"她已经睡着了。"淑清冷漠地回答。

泽谦突然如堕冰窖，遍体生寒，颤抖着说："你是谁？"

"我是帮你实现愿望的……鬼！"淑清的声音依旧冷漠，仿佛没有任何感情。

"你想怎么样？"泽谦浑身颤抖，好不容易才挤出一句话。

"我来帮你实现愿望啊！你命中注定不会有任何横财，却异想天开要中五百万大奖，在人世间我是无能为力了，但在阴间，别说五百万，五百亿我也能马上给你……"说着，淑清从床上跳起，五指作爪往泽谦胸前抓去。

当如爪般的五指往泽谦胸前一抓，立刻就响起一声清脆的断裂声，淑清随即应声倒下。

4. 赌性难改

泽谦胸前的玉佛吊坠破成两半，也许它为主人挡了一劫，完成了它的使命。

翌日清晨，泽谦便把那张满载欲望和贪念的一百元烧掉，并在妻子面前发誓，以后绝对不会再买彩票，不会再做不切实际的横财梦。

丈夫虽然没有说清楚事情的因由，但对淑清来说，这并不重要，正所谓"浪子回头金不换"，没有比赌徒戒赌更让家人高兴的事情了。

然而好景不长，中"毒"已深的泽谦没过几天又开始做起横财梦来。他想，五百万元可能太过分了，但中个二三十万元的二等奖应该没问题吧，好歹也买了几万块彩票，就当是捞回一点儿本钱好了。

正所谓"人为财死，鸟为食亡"，财迷心窍的泽谦特意选了一张编号尾数为八的崭新百元钞票，在正面写上"我要中二等奖"并签上大名后，就直奔张老板的彩票销售点。

"你怎么又来了？"看见老顾客到来，张老板竟然一脸不悦之色。

"怎么了，不欢迎我吗？"泽谦挤出牵强的笑容。

"老实说，的确不太欢迎你。听说前几天你家闹鬼了，是因为财神咒的缘故吧？"张老板忧虑地说。

泽谦心想，一定是淑清那长舌妇在外面乱说话。他一脸不以为然地说："没事，没事，是我老婆胆子小，捕风捉影而已。来，我买十张。"说着就递上写好号码的字条和施了财神咒的钞票。

虽然张老板不太愿意做这宗生意，但总不能把顾客拒之门外，只是一再叫泽谦晚上要多加留神，要是出了什么乱子，他可就作孽了。

泽谦表面上不在乎，但心里还是有点儿紧张，前几天差点儿就丢了命，能不紧张吗？

晚饭后，泽谦很早就洗澡上床了，他想，只要一觉睡到天亮，就什么事情也不会发生。然而，他这美梦还没来得及做就幻灭了。妻子刚把他换下来的衣服拿出去洗，马上又走回来了，手里拿着一张崭新的一百元轻轻摇晃，说："你什么时候变得这么好啊，把钱放在衣服里是想给我花吗？"

泽谦闻言如猛虎扑羊般从床上跳起来扑向妻子，一把夺下对方手中的钞票，仔细一看立刻就呆住了，因为钞票上写着"我要中二等奖"和他的签名。

"不想给我也不用……"淑清话没说完就突然倒在地上，莫名其妙地晕倒了。

泽谦惊慌失措地把妻子扶起，不停叫着她的名字。良久，淑清猛然睁开双眼，冷漠地说："你是叫不醒她的。"

泽谦被吓得往后一跳，颤抖着说："又是你？"

"哈哈哈……"淑清放声大笑，但笑得十分诡异，说，"不是我还有谁会帮你达成心愿啊！"

"你、你、你要杀死我吗？"泽谦害怕得结巴起来。

"我怎么会杀你呢？你死了，我就不能帮你达成心愿了啊！"淑清露出阴险的笑容。

"那你想怎样？"知道对方不会把自己杀死，泽谦稍微心安。

"我说过你没有横财命，要中奖就只能拿命来换。只要你现在点一下头，让我把你妻子的魂儿带走，你的意愿就能实现。"淑清说着双手架在脖子上，似乎准备把自己掐死。

"不要！千万别带走淑清！"泽谦急得跪下来，说，"我不要中什么奖了，求你放过她吧，我不能没有她啊！我给你磕头、磕头……"说着给对方连磕三个响头。

"记住自己说过的话，下次我可没这么好说话……"淑清说着徐徐倒下……

5. 财神咒的奥秘

泽谦这次真的洗心革面不再买彩票了，就连他一直视为宝贝的那个笔记本也被他扔到垃圾桶里去了，而且还跟所有亲朋好友说："要是谁看见我买彩票，就狠狠揍我一拳，我立刻给他五十块钱。"

一个月后，一脸幸福的淑清来到张老板的彩票销售点，把一个装有一千元的信封递给对方，说："张老板，实在太感谢你了！你不但让我家那个死鬼不再买彩票，还让我知道我在他心中原来挺重要的。这点儿小小心意，请你笑纳。"说着露出甜蜜的笑容。

"你拿回去吧，我知道你们现在的日子过得也不太宽裕。"张老板把信封塞回淑清的手里。

"这怎么成呢，你帮了我就等于断了自己的生意，不给你一点儿补偿，怎样也说不过去啊！而且，你给我的玉吊坠应该也花了不少钱吧！"淑清一脸为难。

张老板笑道："君子爱财，取之有道。像你先生那样，每个月把一大半工资拿来买彩票，害得你连买菜钱也拿不出，这种钱我怎么好意思去赚呢？至于那个玉吊坠，只不过是地摊货，花不了几块钱，要不然也不会一下子就被你弄破了。"顿了顿，他又说，"其实，我经营这家彩票销售点的主要目的不是赚钱，而是想给别人一个希望。买彩票，买的不是奖金，而是希望。不是说买得多就能中大奖，本镇第一个中大奖的人是个清洁工，他当时只花了两元就中奖了。"

淑清惊奇地说："那么厉害吗？人啊，真的很讲运气的。"

张老板笑了笑，说："也不能说全靠运气，因为他当时是用财神咒来买彩票的。但是，他不像你先生那么贪心，他只是在钞票上写了希望能让家人的生活过得好一点儿。"

"原来真的有财神咒这回事，我还以为是你编出来的……"淑清说着，突然想起一件事，又说，"等等，你太太好像说过，你以前是当清洁工的，难道……"

张老板只笑不语。

[完]

Chapter ③ 人皮娃娃

1. 双倍薪金的诱惑

雯娟是个年轻的农村姑娘，因为家境贫困，上完初中就在同乡兰芳的带领下，来到广州这个大都市谋生。

广州是个繁华的地方，不但人均收入高，消费水平亦很高。对一个只有初中文化程度的农村姑娘来说，除非出卖肉体从事色情行业，否则能混个温饱就已经算不错了。不过，雯娟是幸运的，在兰芳的介绍下，她进了嘉信家政公司，经培训后成为一名保姆。

雯娟虽然读书不多，但她很懂事，也很勤劳，而且特别有耐心，最适合照顾调皮捣蛋的小孩子。之前的几名雇主对她的表现都非常满意，尤其是上一名雇主邵太太，几乎见人就夸她。可惜因为要跟随丈夫到香港定居，才无奈地结束这段雇佣关系，若不是政策所限，邵太太一定会把这名称心的保姆也带到香港去。

离开邵太太家后，雯娟本来想回家乡休息一段时间，但家政公司不停地打电话给她，说有好几个雇主想聘请她。来到家政公司后她才知道，原来邵太太担心她在短期内找不到好雇主，所以到处给朋友推荐，以至有四个雇主同时指名要雇用她，其中一位李太太更愿意出双倍薪金。

虽然她很想回家乡探望父母，但双倍薪金可不是一般人能抵制得住的诱惑，于是她决定暂时打消回家的念头。其实，她的薪金原本已经比一般的保姆高出不少，如果再加一倍，更足以让不少白领都忌妒。然而，为何这位李太太会用如此高的薪金，雇用一名只有初中学历的保姆？

这是一个问题，一个她没有考虑的问题。

她按照公司提供的地址来到一个叫丰裕花园的高级住宅小区，这里位于闹市区，却闹中带静，而且安保工作非常严密，必须过五关斩六将才能进入。

她走进一栋名叫聚雅轩的楼，进入电梯后按下十五楼的按键，在电梯门即将关闭的时候，有人在外面急忙叫道"等一下"，她连忙按住"←→"键让电梯门打开。

一名三十来岁的妇女提着几袋东西小跑进来，按下十八楼的按键后转身欲道谢，但当她看清楚对方的相貌时，立刻惊喜地叫道："雯娟，怎么是你啊！"

原来进来的人就是雯娟的同乡兰芳，她和雯娟一样都是保姆。两人一见面就说个不停，时间仿佛过得特别快，不一会儿电梯门就打开了，原来已经到达十五楼。

"你的雇主不会是姓李的那一家吧？"当雯娟刚走出电梯回头准备跟兰芳道别时，对方突然发问。

她愣一下，回应道："是啊，你怎么知道？"

兰芳没有直接回答，只是说："怪不得她会出双倍薪金请你，她家的孩子很古怪，你要小心一点儿！"

她想问兰芳是不是知道些什么，但电梯门已经合上了。

2. 门后的人

雯娟带着满腹疑惑来到李太太家门前，正想按门铃，却听见里面传出激烈的吵闹声。她把已伸出的手收回，集中精神聆听里面传出的声音。她只听见一个女人的声音，似乎很激动，但一墙之隔使她难以听清楚对方在说什么。良久，屋里突然传出摔东西的声音，接着便是令人心寒的死寂。

她犹豫良久，终于还是按下门铃。

开门的是一位年约三十岁、打扮入时的美艳女人，但美丽的脸庞却因为愤怒而带着三分狰狞。一双杏目火星直冒，通过防盗门的镂空花纹，以看待仇人般的目光打量她。

她胆怯地低下头，回避对方不友善的眼神，以蚊子般的声音说："您好，我叫雯娟，是嘉信家政公司的保姆……"

"你就是雯娟啊，太好了，我等你一个早上了。"女人的态度突然转变，变得极其友善，立刻打开防盗门请她进屋。

女人请她坐下，亲自到厨房拿了一罐冰红茶给她，并做自我介绍："我叫倩茹，我先生姓李，你叫我太太就行了。听邵太太说，你对付调皮的小朋友特别有办法，是真的吗？"

"邵太太过奖了，其实我只是和小朋友比较合得来而已。"

当人来到陌生地方的时候，会本能地观察周围的环境，雯娟也一样。虽然她没有失礼地东张西望，但谈话间还是无意中瞥见地上有一部破碎的手机。那是一部带摄像头的滑盖手机，具体型号并不清楚，但应该是价值数千元的高档货。然而，这部高档货现在却高档不起来，因为整个外壳都开了花，电池更落在五步之外。看来，刚才在门外听见的就是这部手机"受刑"的声音。

"她跟谁吵架呢？为何会如此生气，把手机摔成这样？"她想到此处不由得打了个寒战，眼前态度友善的雇主，会不会在下一刻就突然性情大变，让自己落得与地上的手机相同的结果呢？

倩茹注意到她的目光落在那部破碎的手机上，不好意思地说："刚才小区的物业打了好几次电话来催我去交管理费，我一时火起就把手机摔了。"

"这点儿小事就能让她发这么大的火吗？她一定是在撒谎。"她突然觉得倩茹也许并不是一名好雇主，但双倍薪金又让她难以拒绝这份工作。

接下来，她们谈了一些关于工作的事情，其实也没什么好说的，因为之前倩茹已经跟家政公司谈好，现在无非是确认一下。谈好后，倩茹希望雯娟能尽快开始工作，雯娟答应收拾好行李就马上搬过来。

离开的时候，雯娟注意到洗手间旁边的房间门打开了一道小缝，印象中进屋的时候，那房间的门是紧闭的。是什么时候打开的呢？她不知道，但她总觉得有一双眼睛通过门缝盯着她，让她感到一阵阵寒意。

3. 琪　琪

黄昏的时候，雯娟拖着一个行李箱再次来到丰裕花园，她的所有家当全都放在这个不大的箱子里。因为倩茹已经帮她办了出入证，所以这次不用再大费周章。按响门铃后，防盗门后面的木门悄然打开，但里面似乎没有人，起码她没看见有人。

就在她感到心慌的时候，听见一个小女孩的声音："你找妈妈吗？"

她把视线下移，通过防盗门上镂空的花纹，看见一个八岁左右的小女孩。

"她应该是太太的女儿吧！"她心想，马上露出友善的笑容说，"小朋友你好，请问你妈妈在家吗？"

小女孩没说话，只是重重地关上木门，把她晾在外面。片刻之后，木门再次打开，这次开门的是倩茹。

"琪琪从小就被宠坏了，很没礼貌，你别见怪。"倩茹边说边打开防盗门。

"原来她就是琪琪，她应该不会比大宝小宝顽皮吧，怎么说她也是个女孩子啊！"雯娟心里想着，突然有点儿挂念邵太太和她那对以调皮捣蛋出名的双胞胎儿子。

　　进屋后，她并没有看见琪琪的踪影，想必是回房间了。倩茹带她到用人房，这是一间小得不能再小的房间，窗前的单人床就占了一半空间，一个衣柜又占了另一半的三分之一，剩下的地方只能勉强让人转身。不管是多豪华的住宅，用人房都是这个样子，买房者只会关心有没有这个房间，而不会过问其大小。

　　房间里没多少灰尘，之前的保姆应该是在几天前才离开的。她打算把行李放置好后，就马上开始工作。她是个勤劳的人，偷懒对她来说是受罪，也会让她觉得对不起雇主，更何况这是一个给她双倍薪金的雇主。但是，当她把衣服放进衣柜时，发现衣柜下方的抽屉底下有一张银行卡，卡的背后写有持卡人的名字——李英。

　　"难道是上一个保姆留下的？"她疑惑地看着这张银行卡，心想对一个外出打工的人来说，银行卡可是至关重要的东西，怎么可能丢下呢？

　　然而，毫无心机的雯娟并没有多想，把银行卡放回原处，装作没看见就是了。作为一名受雇于人的保姆，多一事不如少一事，这是她这些年来得出的经验。

　　晚饭时间渐近，倩茹原本打算带雯娟和琪琪到附近的饭店就餐，算是给这位新保姆洗尘。但雯娟却不好意思让雇主为自己花钱，推说外面的饭菜都放了味精，吃多了对身体不好。经过一轮翻箱倒柜后，她把房子里所有能用来做饭的东西都翻了出来，做出一桌美味佳肴。

　　席间，倩茹大赞雯娟厨艺了得，让平时经常不肯吃饭的琪琪也狼吞虎咽，怪不得邵太太一再推荐。不过，琪琪虽然吃得很开胃，却一句话也没说过，吃完就马上走回自己的房间，并把门关得紧紧的。

　　或许是小孩子比较害羞吧，雯娟并没有在意。

　　琪琪的房间在洗手间旁边，雯娟上洗手间必须经过她的房间，她突然想起早上的一幕："琪琪今天早上也在家吗？是她躲在房间里偷偷看我？可是，那个时候她不是应该在学校吗？"她突然打了个寒战，虽然不知道偷看她的人是否就是琪琪，但她总觉得那双隐藏于门后的眼睛不怀好意。

4.诡异的房间

翌日，倩茹因为要上班，给雯娟简单交代几句就出门了。送琪琪上学后，雯娟便开始她忙碌的一天。虽然名义上是保姆，但她的工作范畴，并非单单照顾琪琪那么简单，而是要照顾雇主全家的饮食起居。

昨晚一顿饭已把家里能用来做饭的东西都吃光了，所以她今天的首要任务是补充物资。提着大包小袋回家时，她突然想，其实倩茹也算是个不错的雇主，最起码挺信任自己的。对方不但没有跟自己要身份证做抵押，而且还给了自己一千元用来买菜和日用品。

虽然雇主对自己的信任使她感到很温暖，但一想起那部破碎的手机，就不由得心生寒意——倩茹到底是个怎样的人呢？

她边想着倩茹的事情，边走进电梯，完全没有留意到电梯里有人跟她打招呼。

"想什么想得这么入神啊，在想男朋友吗？"对方突然说话把她吓了一跳，回头一看，发现原来是兰芳。

两人叽里呱啦地聊起家常，聊了一会儿，兰芳突然提起琪琪："你有没有觉得李太太的女儿有些奇怪？"

"没有啊，她就是害羞点儿，不怎么和我说话而已，没有什么奇怪的地方啊！"

"那还好。"

"怎么了？"

"没什么——你到了。"

电梯门缓缓打开，雯娟走出电梯向兰芳道别，虽然她知道对方肯定知道某些事情，但作为一名保姆，跟别人议论雇主的是非是最大的忌讳。她认为职业操守比好奇心更重要。

把大包小袋处理好后，雯娟便开始打扫工作。在打扫主人房间的时候，她发现衣柜里有不少男性衣物，但似乎已经有些日子没有动过。这时她才想起，这两天没见过琪琪的父亲李先生。

"也许李先生出差了吧！"她也没有多想，继续做自己的事。

客厅和主人房都打扫好了，该到琪琪的房间了。她提着水桶和拖把，打开琪琪的房门。

门开，门内漆黑一片，但黑暗中似乎闪烁着无数微弱的光点，仿佛隐藏着一群爱恶作剧的小妖精。

"琪琪的房间怎么会这么黑呢？小孩子不是都怕黑的吗？"她在门前呆立片刻后，才鼓起勇气走进这个诡异的房间。

房间之所以黑得不见五指，是因为厚重的窗帘挡住了窗外的光线，只要把窗帘拉开，就能让阳光驱走黑暗。

她摸黑走进房间，想到窗前掀开窗帘，但当她快走到窗前的时候，不知道踩到了什么东西。这东西很柔软，似乎是个靠垫，但她还没来得及把脚抬起来，就听见一个含混不清的女孩声音："滚开，别碰我！"突如其来的声音，把她吓得跳起来，本能地往房外逃，但因为过于慌张，被放在门前的水桶绊倒。

水桶被踢翻了，弄得一地水。她顾不上自己已经半身湿透，连忙爬起来背靠墙壁，面向漆黑的房间。良久，房间里也没有任何动静，她像是害怕里面突然有怪物跳出来似的，以最快的速度把房门关上，待心情稍微平复后，才处理地上的水。

"有人躲在琪琪的房间里吗？应该不会吧，那又是什么东西在说话呢？"雯娟回到用人房，边换衣服边想这个问题。她觉得琪琪的房间很可怕，一点儿也不像小女孩的房间，要再次进入这房间，她心里是千百万个不愿意，但总不能因为害怕而耽误工作。

就在她犹豫着要不要再进入那个诡异的房间时，突然发现时间已经不早了，该去接琪琪放学了。

5. 整个房间都是娃娃

倩茹中午会在外面就餐，但琪琪放学后要回家吃饭，所以雯娟接她回家后，就马上准备饭菜。

正当雯娟在厨房忙着的时候，琪琪突然走进来，以责备的语气说："你进过我的房间！"

雯娟想起房间里那恐怖的一幕，不由得心生寒意，解释道："我刚才是想进去打扫卫生，但是……"

琪琪根本没给对方解释的机会，或者说她并没打算听对方解释，一脸不悦地责问："你是不是没有敲门？"

雯娟大感莫名其妙，房间里没有人为什么要敲门呢？虽然觉得琪琪有点儿不可理喻，但她还是点头承认。

琪琪提高声音骂道："这么大的人还一点儿礼貌也没有，进别人的房间不但不敲门，眼睛也不知道长哪儿了，竟然还踩了小英一脚，哼！"说罢，转身就走回自己的房间，重重地把门关上。

"进没有人的房间也要敲门？踩了小英一脚？谁是小英呢？倩茹说过她只有琪琪这个女儿，房间里还会有别人吗？"一连串问号让雯娟感到头晕，差点儿把菜也烧煳了。

饭后，雯娟送琪琪上学。路上，琪琪突然说："你可以进我的房间打扫，但一定要敲门，而且不能骚扰我的朋友，更不能踩到她们身上。"

广州的初秋还很热，但琪琪的话却让雯娟感到浑身发冷。她突然想起昨天那双隐藏于门后的双眼，怯怯地问道："昨天上午，我过来的时候，你在房间里吗？"

琪琪不屑地瞥了她一眼，不耐烦地回答："我昨天要上学，上午怎么会在家里？"

如果琪琪当时不在家，那在门后的会是谁的眼睛？难道是她的"朋友"？

回家后，雯娟感觉非常困扰，该做的工作都已经做完了，唯独琪琪的房间还没有打扫。可是，一想到琪琪的"朋友"可能躲藏在房间里，她哪儿还敢进去呢？

经过一段漫长的思想斗争后，她最终还是决定进琪琪的房间打扫，她觉得既然收取双倍薪金，工作就不能有半点儿马虎。其实以她一向的工作态度，就算只有一半薪金，做事也绝不会马虎。

为避免再次踢翻水桶，她这次没有准备清洁工具，想先到房间里一探究竟，然后再拿工具来打扫。在开门前的一刻，她突然想起琪琪说要敲门才能进去，虽然觉得怪怪的，但她还是轻轻地敲了门。

她本以为里面会没有任何反应，因为里面根本就没有人。既然没人，那又何来反应呢？然而，她的猜测错了，就在敲门声响起的瞬间，房间里传出一些细微的声音，仿佛是衣服摩擦的声音。声音很轻，也很短暂，在敲门声的掩盖下，并不容易听见。

"难道是琪琪所说的小英？"这个念头只在她的脑海里一闪而过，因为那声音太轻了，以至她以为是自己的错觉。她不敢再想太多，怕再想就没勇气进入这个诡异的房间。

门开，房内跟早上一样，同样是那么黑暗。这一次她并没有直接走进去拉开窗帘，而是借助门外的光线，寻找电灯的开关。

啪，灯亮了，六盏节能灯照亮了整个房间的每一个角落。这是一个粉红色的房间，墙壁、床单、地毯都是粉红色的，让人一眼就能看出房间的主人是个女孩子。不过，虽然整个房间都以粉红色为主色调，但窗帘却是黑色的，又黑又厚，不但隔绝了窗外的光线，还给人一种压抑的感觉。

黑色的窗帘让这间本应非常可爱的房间变得怪模怪样，但这并不值得惊讶，让雯娟几乎要叫出来的是，房间里并不是她想象中那样没有人存在，里面有很多三至十岁的"小朋友"，大概有二十个，它们或坐在床头，或躺在地毯上，或靠着墙壁坐着，原本尚算宽敞的房间都被它们挤满了。它们姿态各异，表情也各不相同，或笑或悲，唯一相同的是，它们都面向房门，二十来双诡异的眼睛死死地盯着雯娟。

6. 诡异的娃娃

被二十来个"小朋友"盯着，雯娟感到头皮发麻，但她很快就冷静下来了，因为她发现这些"小朋友"只不过是洋娃娃而已。

房间里总共有二十三个洋娃娃，清一色都是女孩，几乎均按真人比例的三分之一制作，做工非常精致，不留心看很容易会误以为是活生生的"小朋友"。

雯娟小心地越过躺在地上的洋娃娃，想把窗帘拉开，虽然已经开了灯，但她还是隐隐感到不安。也许因为这些洋娃娃的做工太精致了，让人觉得它们随时都会开口说话，就像早上那样。把窗户打开，沐浴在阳光之下，会让她觉得比较安全。

跨过一个躺在窗前不远处的娃娃时，雯娟突然记起，早上好像就是在这个位置踩到柔软的东西，接着就听见有人说话。现在想起来，也许就是这个洋娃娃在说话。为解开心中的疑团，她迅速拉开窗帘，让阳光洒遍房间的每一个角落。窗帘比想象中还要厚，感觉就像棉被一样，除非是台风来临，否则肯定吹不动。

窗户是向东的，虽然下午的阳光不能直接照射进来，但秋天午后的阳光也挺猛烈的，所以房间里还是非常光亮，与之前的黑暗有着天壤之别。

房间亮了，雯娟的胆子也大了。她走到那个躺在地上，应该是叫作"小英"的洋娃娃前，蹲下用手轻轻地按它的肚子。"滚开，别碰我！"娃娃的嘴巴微微张合，让人觉得这句话真的是从它口中说出来的。她多按了几次，娃娃还是重复这句话。她认真地听着，虽然声音含混不清，但还是勉强能辨认出是琪琪的声音。

"应该是个录音娃娃吧！"虽然是农村出身，但雯娟在广州生活了好几年，还不至于连能录音的玩具也没见过，肯德基不就经常能换购带录音功能的哆啦A梦吗？

解开心中的疑惑后，雯娟就开始打扫房间了。她很认真地把房间打扫得一尘不染，收拾好凌乱的床单被褥和乱放的杂物。但那二十三个娃娃，在打扫之后她就把它们放回原位，让它们继续坐着躺着，继续盯着房门。这时，她发现了一件事情，二十三个娃娃中有二十二是按真人比例的三分之一制作，唯独有一个不是。这个娃娃外表像五岁的女童，比例和真人一样，头发及皮肤的质感也和真人一样，越看越像个活人。

　　她抱起这个娃娃时，感觉要比一般的娃娃重一点儿，做工精致得几可乱真，而且看不见缝口在哪儿。她不禁感到好奇，想找出缝口以证实手中的是个玩具。娃娃身上的衣服有点儿旧，似乎是琪琪以前穿过的，把所有衣服都脱下来后，才发现它背后有一条从后脑勺直达股间的缝口，之前因为头发和衣服掩盖，所以没有发现。

　　她觉得这个娃娃的做工太精细了，根本不像个玩具，说是艺术品也不过分。不过，这跟她也没任何关系，因为她只是个保姆。

　　替娃娃穿回衣服后，已差不多是时候接琪琪放学了。雯娟把窗帘拉上，在房门口准备关灯时，她又觉得所有娃娃都在盯着她，尤其是那个坐在床头、跟真人比例一样的娃娃，她不由得打了个寒战，迅速把门关上了。

　　然而，就在这个时候，漆黑的房间里突然响起一句让人感到毛骨悚然的话："滚开，别碰我！"

7. 夜　袭

　　雯娟被这突如其来的声音吓得跳起来，这句话显然是小英"说"的，但没人触动小英，它又怎么会突然发出声音呢？

　　难道，是因为床头那个酷似真人的洋娃娃？

　　她很害怕，像逃命似的跑出门外，在电梯前待了好一会儿，才平静下来。

"也许，小英坏了，自动发出的声音吧！"她以此安抚自己。

电梯门徐徐打开，她发现兰芳也在里面，原来她也是去接雇主的儿子放学。两人的目的地是同一所小学，于是便结伴同行。

路上，雯娟突然想起刚才那可怕的一幕，以及那个真人大小的娃娃。因为那个娃娃太像活生生的小孩儿，所以她一想起就感到胆寒。兰芳察觉到她的异样，就问："工作怎么样，还好吧？"

雯娟很想问对方是不是知道些什么，但她一直坚持的职业操守使她难以启齿。兰芳见她欲言又止，就说："你进过李太太女儿的房间吗？"

雯娟没开口，只是缓缓点头。

兰芳又说："那你一定看见里面有很多娃娃了？"

雯娟愣了一下，随即问道："你是不是知道些什么？"

兰芳点头回答："其实，在你之前，李太太在两个月内请了三名保姆，其中有一个是我认识的，就是前几天才辞职的小英，她告诉了我一些李家的事情。"

听见"小英"这个名字，雯娟如受电击，她想起藏在衣柜里的银行卡，也想起那个叫小英的录音娃娃。不过，她努力地压抑自己的惊讶，并于心中安慰自己："或许，只是名字相同而已，没什么好大惊小怪的。"

虽然她尽量压抑自己的情绪，兰芳还是看出了端倪，不禁关切地询问："你没事吧？"

"没事，她跟你说过些什么呢？"虽然雯娟一再自我安慰，但心中的不安已让她顾不上职业操守。

"她说，李太太一家都很奇怪，尤其是她的女儿，经常三更半夜抱着洋娃娃走进她的房间，而且那个洋娃娃是用死人皮做的……"

雯娟听到此处，脸色一下子变得像白纸一样，脑海中不禁浮现出那个真人大小，做工精美的娃娃。兰芳似乎没注意到对方的脸色，继续说："她说那个洋娃娃有冤魂附在里面，半夜里就会附到李太太的女儿身上。还有，她离开李家之后……"

"别说了，别说了，求你不要再说了！"雯娟突然尖叫起来，路上的行人都朝她们望过来。

晚饭过后，琪琪又躲在房间里面，雯娟洗完碗后和倩茹一起在客厅看电视。

电视里正播放着无聊的电视剧，倩茹边看边打哈欠，显然她并不是喜欢看电视剧的人。雯娟见状便主动和她聊天，聊着聊着就聊起琪琪来。

"琪琪房间里的窗帘和房间的色调好像不太搭配哦。"雯娟试图套倩茹的话。

倩茹眉头稍皱，无奈地说："是啊，本来窗帘也是粉红色的，可是前阵子放暑假时，琪琪老是说窗帘不挡光，天一亮，阳光就照到床上，想睡晚一点儿也不行。我只好找人把窗帘换掉，做窗帘的布料还是她自己挑的，我想给些意见也不行，所以才弄成现在这副怪模样。不过也没关系，她喜欢就好了。"

"琪琪好像不喜欢看电视？每次吃完饭就马上回房间了。"

"她从小就不怎么看电视，只喜欢玩洋娃娃，她房间里全都是洋娃娃。"

"我今天进琪琪房间打扫时，看见有一个洋娃娃很特别，跟真人似的，我第一眼看见还以为是个小朋友呢，是哪里买的啊？"

倩茹突然脸色一沉，不悦地说："是她爸在日本买的。"

雯娟本来还想趁机问这两天怎么不见李先生，但对方脸色阴沉，使她不敢开口，而且对方也没给她开口的机会，丢下那句话后就去洗澡了。

夜色渐浓，琪琪已经上床睡觉了，倩茹也回到自己的房间。雯娟把明天做早餐的材料准备好后，便梳洗就寝。在邵太太家工作时，她并没有锁上房门的习惯，因为邵先生平时在香港工作，只有星期天才会回来，而且都是早上来晚上走，除了圣诞节和春节假期外，他通常不会在家过夜的。家里平时只有邵太太和两个六岁多的儿子，所以没有必要提防他们。

本来，雯娟也没想过要提防倩茹和琪琪，昨晚她也没有把房门锁上，但是听过兰芳的话后，她又不敢不防，一再确定房门已经锁上后才上床睡觉。

半梦半醒之间，她仿佛听见了开门的声音，随即感觉到有人走进房间。她想睁开眼睛，但身体却不听使唤，眼皮无比沉重。她觉得有人走到床边看着她，或者说，她觉得有两双眼睛在死死地盯着她，让她心里发毛。一个清晰的画面随即于脑海中浮现，画面中是倩茹母女诡异的笑容，把视线稍微往下拉，就能看见她们手上明晃晃的菜刀……

雯娟猛然惊醒，当她以为刚才可怕的一幕只是一场噩梦时，却发现床边真的有人盯着她。

8. 恐怖的答案

雯娟本能地往里边靠，蜷缩在墙角，微弱的星光透过窗户，让狭窄的房间不至于不见五指。

琪琪站在床边一动不动，双眼空洞无神，让人觉得她正被某种可怕的力量所控制。她双手抱着那个用死人皮做的洋娃娃，但洋娃娃并不是面向她，而是面向雯娟。

人皮娃娃的眼睛在星光的映照下，散发出吓人的寒光，犹如拥有生命一般，仿佛在对雯娟说："我要杀死你！"

雯娟突然有种全身麻痹的感觉，恐惧使她不能动弹分毫，惊恐的尖叫也卡在喉咙里，怎样也叫不出来。

双方对视良久，就在雯娟觉得自己快要崩溃的时候，琪琪突然开口，她的双眼仍然空洞无神，语气异常冷漠："滚开，滚出我的家！别碰我，别抢我的爸爸！"说罢便转身走出房间，双脚没发出任何声音。

房门关上之后，雯娟依旧蜷缩在墙角，身体不住地颤抖，眼泪如决堤的洪水，无声地宣泄着内心的恐惧，直到天亮。

天亮后，雯娟也不管倩茹还没有起床，哭着敲开她的房门。看见雯娟一脸泪光，倩茹似乎知道发生了什么事，让雯娟到客厅等她。

片刻之后，稍微梳洗的倩茹坐到雯娟身旁，以柔和的语气说："琪琪昨晚跑到你的房间了吗？"

昨夜恐怖的一幕再次于脑海中浮现，使雯娟一时间说不出话，只好以点头作答。

倩茹叹了口气，说："也许，我早该把这些事告诉你……"

原来，雯娟这几天没见到李先生，并不是因为他出差了，而是因为他已经搬走了。

大概两个月前的某天下午，倩茹上班的公司突然停电了，所以她可以提前下班。回家后，她发现自己的老公竟然和保姆在床上颠鸾倒凤。那天之后，李先生就和保姆一起搬离了这个家。前两天，她之所以把手机摔个稀巴烂，其实是因为李先生打电话给她，跟她说离婚的事情，并希望她能把琪琪交由他照顾。

琪琪只是个八岁女童，对男欢女爱的概念很模糊，倩茹也不知道该怎么跟她解释爸爸为何突然搬走，只好说保姆把爸爸抢走了。没想到这句话给她造成心理暗示，让她认为所有保姆都是坏蛋，都是抢走爸爸的坏蛋。更可怕的是，自此之后本来就有自闭症倾向的琪琪患上了梦游症，只要家里有保姆在，她就经常会发病，梦游到用人房，并说出让保姆滚蛋之类的狠话。

梦游中的琪琪动作出奇地灵敏，不但走路没有声音，而且能在没有钥匙的情况把上锁的门打开。倩茹曾经试图用绳子把她的脚绑在床尾，但被她轻易挣脱。之前的三位保姆都是被她梦游时的怪异行为吓跑的，所以当邵太太说雯娟很会照顾小朋友时，倩茹立刻就打电话给家政公司，提出以双倍薪金聘请她。

至于琪琪房间里的娃娃，大部分都是仿真娃娃，做得与真人很相似，而那个真人大小的娃娃则是货真价实的人皮娃娃，据说是用一个名叫智子的五岁女童的头发和皮肤制造的。这个人皮娃娃是琪琪五岁那年他们全家去日本旅行时买的，当时倩茹并不愿意买下这个价格昂贵又让人心里发毛的恐怖玩具，但琪琪却非常喜欢，不买就赖着不走。最后，疼爱琪琪的李先生还是忍痛掏出信用卡买下了这个贵得离谱的人皮娃娃。

琪琪本来就很喜欢这个人皮娃娃，在李先生搬走后，她更是把它当成爸爸的替代品，每晚都要抱着它睡觉。所以每次梦游时，她都是抱着它，致使之前的保姆都误以为她被智子的冤魂附身了。

得知真相后，雯娟仍然惶恐不安，她提出立刻辞职。但倩茹一再挽留，不但把薪金提高至三倍，还承诺若琪琪再半夜闯入她的房间，便立刻让她辞职，并支付当月的全数薪酬。

人为财死，鸟为食亡。在可观的薪酬诱惑下，雯娟最终还是答应留下。不过她一再强调，如果再发生类似的事情，她便会立刻离开。

9. 新朋友

在随后的一个星期里，琪琪并没做出令雯娟感到不安的举动，也没有半夜闯进她的房间。或许因为她的厨艺了得，又或者因为她对琪琪的照顾无微不至，琪琪已经不再像之前那样对她存有敌意。这让她感到很欣慰，觉得留下来的决定是对的，毕竟一个会给她三倍薪酬的雇主并不容易遇到。

然而，现实并非她想象中那么美好，在一个寂静的深夜，噩梦再一次降临在她身上。

这一晚，琪琪跟往常一样很早就进房间睡觉，倩茹看完夜间新闻后也进房间休息，一切都跟之前的一个星期没任何区别。虽然如此，但雯娟还是谨慎地把房门锁好，并且把一个小风铃系在门把上，然后才安然入睡。

自从琪琪半夜闯入她的房间后，她每晚都会将风铃系在门把上。虽然这并不能阻止琪琪闯入，但起码能让她感到心安。

深夜，清脆的风铃声于黑暗中回荡，使她猛然惊醒。她惊慌地睁开双眼，可是眼前除了黑暗，还是黑暗。印象中，今夜的月色相当明朗，最起码在入睡前，即使是关了灯，她依然能借助窗外的月光，看清楚房间内的一切。可现在，为何突然会陷入可怕的黑暗之中？

她很害怕，挣扎着想爬起来，却好像被一只巨大的手臂压住，不能动弹丝毫。恐惧使她本能地发出尖叫："滚开，别碰我！"

一个细嫩的声音随即于黑暗中响起："小娟乖，别怕，快睡觉。"

寂静再次降临，黑暗吞噬一切……

次日，倩茹在用人房里看着雯娟冰冷的躯体，无奈地叹息一声，随即取出手机，拨打一个熟悉的号码，以责备的语气说："喂，你女儿又闯祸了，快过来把尸体处理掉。"

手机里传来一个男人的声音："又弄死一个？你到底要什么时候才肯罢手？"

"到你离开那个狐狸精的时候！"倩茹恶狠狠地说，"你一天不离开那个狐狸精，就别想有好日子过。"

手机里传出无奈的声音："你这是威胁我，我们总算夫妻一场，就不能好聚好散吗？"

"哼，这还不都是你惹出来的？要不是你给琪琪买了那个该死的人皮娃娃，会惹出这么多麻烦来？"倩茹越说越气，但突然又冷漠地说，"反正把人害死的是你女儿，你要是能眼睁睁看着她被警察带走，大可以不管这事。"

"好吧，我马上过去。"

倩茹挂了后，随即又拨打另一个号码："喂，是家政公司吗？我想请一个保姆，要最好的，薪金不是问题，我可以出双倍甚至三倍的薪酬……"

琪琪把智子、小英以及另外两个洋娃娃放在床头，然后抱着一个脖子系有风铃的洋娃娃，对着它们说："她叫小娟，是你们的新朋友，你们可别欺负她哦！"

"滚开，别碰我！"琪琪怀中的洋娃娃发出含混不清的声音，听上去虽然有些像琪琪的声音，但若仔细聆听便会发现是雯娟的声音。

数日后，兰芳在电梯里遇到李家的新保姆，闲聊几句后，她便故作神秘地说："李家之前的两个保姆我都认识，说来也奇怪，她们都做了没多久就辞职了，而且自此之后就不见踪影，就像人间蒸发了一样。"

对方面露惧色，胆怯地问："她们都去哪儿了？你可别吓我。"

"哈哈，瞧你这么胆小。"兰芳大笑起来，"她们大概是回了老家吧，又或者到其他地方打工去了，总不会是被雇主埋了吧！"

或许，她们的遗体的确被埋了。她们是不幸的，犯罪者也终究会受到法律制裁，但只要家庭破碎的悲剧依然在世间上演，谁也不能保证不幸的事不会再次发生……

［完］

Deception case group
Rumor

第二卷
您的故事

我不知道您的名字、年龄及职业，
我甚至不知道您的性别。
但是，我知道您的故事。
以下是属于您的故事，或许昨天已
经发生，或许今天就会发生，或许
明天将要发生。
我不知道具体时间，但我知道必定
会发生在您身上。

Chapter ① 噩梦四重奏

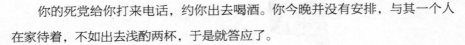

你的死党给你打来电话，约你出去喝酒。你今晚并没有安排，与其一个人在家待着，不如出去浅酌两杯，于是就答应了。

到了后，你发现死党带来了一个染了金毛的小伙子，并给你介绍说是其表亲。虽然只是初次认识，但酒桌上从来就不会有陌生人，几杯入腹之后，你跟金毛也算是混熟了。

金毛个性轻浮，玩骰子也十分张扬，连连向你开盅，害你喝了不少酒。你并不喜欢金毛这种人，但毕竟是死党的表亲，你不好意思当场发难。而且你也不服输，于是便在酒桌上跟金毛对着干。

对于摇骰子，你本来挺有自信的，但是金毛也不是吃素的，接连败阵之后，你开始感到有些醉意。明天还要上班，你不想玩得太晚，跟死党道别后，就在金毛的挽留声中离开。

经过你家对面的便利店时，你觉得喉咙很干，就进去想买瓶水喝。便利店的老板在门口打麻将，你拿了水让他进来收钱，可他却不愿意离开赌桌，只是扬了下手，叫你把钱放在收银台上。你往店里深处瞥了一眼，看见他的儿子就睡在一堆货物上，而且被子已经滑落到地上。你轻轻摇头，把钱放在收银台上，然后往外走。

　　经过老板身旁时，你好心提醒他小心儿子着凉，但你的好意换来的却是他的一顿臭骂："你吵个屁啊，害得老子又输了！也不看看自己醉成什么熊样，把我的好运都赶跑了，快给老子滚远一点儿！"

　　好心不得好报让你觉得很生气，要是平时你肯定会跟他吵起来，但此刻你确实有些醉意了，只想尽快回家休息。所以你没有跟他纠缠，而是快步往家里走。回家后，你已经累得不行了，连澡也懒得洗，脱了衣服就关灯上床睡觉，没一会儿便进入了梦乡。

　　迷糊中你发觉眼前有光，睁眼一看，发现自己竟然在家门前的街道上。一丝疑惑于你脑海中闪现——难道……我梦游了？

　　霎时间的惊惶让你不知所措，深夜的寒风更让只穿着睡衣的你浑身颤抖。

　　此刻，你虽然感到几分迷茫和惊恐，但你更感到疲累，身体甚至有些不听使唤，脑袋也十分迷糊。所以，你没有费神去思考，而是大步流星地往家里走。然而，你刚迈出回家的步伐，就听见一个似曾相识的声音："×，又是你这个瘟神，老子一看见你就知道没有好事！"

　　循声觅去，你看见便利店的老板正在店门前收拾麻将桌，并一边收拾一边对你破口大骂："老子今晚输了八百多，全是你这瘟神害的！本来老子的手气挺好的，一坐下来就连和了三盘，可是一看见你这瘟神就一直输到现在，连一盘也没和过。×你妈的王八蛋，老子肯定是上辈子挖了你妈的墓，这辈子你妈大优惠，老子一时贪小便宜，才生下你这个让老子倒八辈子霉的大瘟神……"

　　不堪入耳的脏话如同箭矢般不停地从老板的嘴里射出，直接射向你的心窝，使你异常愤怒，不由自主地冲他怒吼，并干脆站在大街上跟他对骂。在对骂的过程中，奇怪的事发生了，老板的面容越来越凶恶，不但青筋暴露，而且脸色还渐渐变成了赤红色。更可怕的是，他的头顶长出了一根又一根的尖角，嘴巴里也伸出四颗粗大的獠牙。

　　你突然意识到自己是在做梦，细想也觉得合情合理，毕竟印象中你从来没有过梦游的经历。

"你想干吗?！拿着刀子想戳死老子吗？来呀，老子就站在这里等你!"老板赤红的脸庞越来越狰狞,"老子要是动一下就不是爷们,你要是不敢过来戳就是婊子养的!"

你把目光移到手上,发现自己不知何时握了一把菜刀。愤怒给予你无比的勇气,更加上知晓此刻身处梦境,所以你没做他想,一个箭步冲上去,往老板身上乱砍乱刺。

看着倒在血泊中的老板,你心里涌现一股莫名的兴奋,当然还隐约感到害怕。不过,当想到这只不过是梦境的时候,那一丝惊恐也就消失得无影无踪,你甚至为了回味刚才的刺激,想在还没断气的老板身上再插上几刀。

然而,当你正准备动手时,却被身后传来的一声惊恐的尖叫惊醒。

你的身体颤抖了一下便从梦中惊醒,眼睛没立即睁开,你在回味刚才的梦境,要是刚才能果断一点儿,动作麻利一点儿,应该能赶在醒来之前再给那个惹人讨厌的老板补上几刀。然而,睁开眼睛的那一刻,你就再没有心思去回味刚才的梦境了,因为你发现自己仍然身处街道上。

还好,此刻你并非身处便利店门前,而是在附近一条偏僻的街道上。身体又有些不听使唤,脑袋也有些迷糊,你不想去思考太多,只想尽快回家睡觉。

虽然这条街道就在你家附近,但你平时很少会经过这里,既熟识又陌生的感觉让你隐隐感到不安,忽明忽暗的街灯更加深了你的恐惧。你加快了回家的脚步,想尽快回到你熟悉的房间里,躺在那张最能让你感到舒适的床铺上。可惜,世事往往事与愿违,你一时没看清楚,竟然一脚踏空掉进沟渠里去了。

这是一条刚刚挖出来的沟渠,水泥还没有铺上去,湿冷的泥土沾在你裸露的脚丫上,让你觉得十分不舒服。幸好这条沟渠并不深,只到你的胸口,要爬出去并不难,要不然恐怕得在这里待到天亮。

然而,当你想爬出沟渠时却觉得全身乏力,总觉得还欠缺一丝力气,要是有一块小小的砖块给你当踏脚石,应该就能逃出这条该死的沟渠。可是,你在这条湿冷、阴暗的沟渠里摸索了好一会儿,也没有找到你想要的踏脚石。渠外的工地异常昏暗，街灯仿佛熄灭在你掉落沟渠的瞬间，使你无法看清楚渠外是否有任何能助你脱身的物体。

眼前只不过是一条普通的沟渠，却让你一筹莫展，这使你心中涌现一股莫名的烦躁，双手发泄般伸到渠外乱抓。就在你为连连扑空而抓狂之际，却意外地抓到一只细小而冰冷的脚。

一股冰冷的气息从手心直刺心窝，使你不由得浑身颤抖，连忙放手并后退一步。

你抬头想看清楚这只脚的主人，但只能看见一个矮小的身影，如同鬼魅般的身影。

对方突然举起手，耀眼的银光从他手中绽放，驱走了眼前的黑暗，使你能看清他的相貌——原来是便利店老板的儿子。身陷困境之时能遇到熟识的人，让你有种绝处逢生的感觉，可是当你想向他求助时，却发现发出银光的是他手上那把沾有鲜血的菜刀。

"你这个婊子养的王八蛋，我要宰了你！"你不敢相信这句话竟然会出自一个小孩儿的嘴里，但他凶狠的眼神却让你知道他的确会这么做。就在你为此而惊恐万状时，却发现他凶恶的脸庞暴现一条又一条青筋，随即渐渐变成了赤红色，一根尖角更从头顶朝天伸出……

你意识到自己还没有醒来，这只是另一个梦境。

惊惧瞬间消退，一个邪恶的念头随之于脑海中浮现——既然只不过是梦境，何不让自己过得舒坦一些？

你猛然扑向前，抓住小孩儿的脚踝，在他的惊叫声中把他扯到沟渠里，并夺过他手中的菜刀。你使劲把他按在地上，想以他为踏脚石逃离这条该死的沟渠。可是，他的力气比你想象中大得多，他不断挣扎使你接连跌倒。愤怒再一次充斥你的大脑，反正只是梦境而已，何不干脆一不做，二不休……

你用手上的菜刀让小孩儿"安静"下来，然后踩着他的脑袋，离开这条该死的沟渠。可是你刚爬出沟渠，还没来得及为此而欢呼就脚底一滑，以"饿狗扑屎"的姿态扑倒在地上……

　　脑袋一阵剧痛让你从梦中醒来，睁眼的瞬间你首先做的事情是确定自己身在何方。还好，此刻你并非于街道上游荡，而是舒适地躺在床上，身处自己的最熟悉的房间里。你如释重负地松了一口气，合上双眼继续睡觉。可是，你突然觉得有点儿不对劲，双脚不知为何有一种莫名其妙的湿冷感。

　　你猛然掀开被子，发现双脚竟然沾满了湿润的泥土。一股恶寒从心底扩散，恐惧于瞬间爆发，如梦魇般可怕的念头在你的脑海中萦绕不散——难道刚才并不是做梦，我真的梦游了？

　　一阵冰凉的夜风从窗外吹进来，使你浑身颤抖，刚才在梦中那股杀人的快感，此刻已全部转化为恐惧。

　　"血！"你突然想起这个关键的证据，便立刻查看双手。还好，你的双手一如入睡前般洁净，没有被血迹污染。你继续查看身体及床铺，同样没有发现血迹。既然没有血迹，那就能证明刚才只不过是做梦而已。

　　或许，你确实是梦游了，但并没有杀人。

　　心念至此你大松一口气，于是下床去洗澡，清洗身上那些莫名其妙的泥土。洗澡后你感到非常疲累，仿佛刚做过剧烈运动，连灯也没关就上床睡觉。眼皮突然变得无比沉重，重得难以睁开，你想接下来应该能睡个好觉，不会再做那些可怕的噩梦。

　　然而，当你合上双眼的刹那，一个似曾相识的声音便于耳际回荡："你这婊子养的，竟然还真的敢戳老子，老子做鬼也不会放过你！"

　　你心中一慌，想睁开眼睛看清楚是谁在说话，但沉重的眼皮却遮挡住眼前的一切景象。未知犹如星星之火，点燃你心中的恐惧，瞬间化作燎原之势煎熬你的心灵。

　　你就像一只受惊的兔子，挣扎着想逃离这个既熟识又充满危机的房间。可是你却突然发现自己的身体竟然不听使唤，甚至连眼皮也难以睁开，别说离开房间，就连离开床铺你也做不到。

　　越是动不了，你就越想挣扎着爬起来。你觉得对方的声音非常熟识，虽然一时间想不起是谁，但单凭对方的语气就知道来者不善。然而，你的梦魇并未止于此，因为还有另一个声音在你耳际响起："我要宰了你，你这婊子养的王八蛋，我要宰了你……"

源于心底的惊骇使你不听使唤的身体猛然抽搐了一下，未知的恐惧给予你战胜疲累的力量，稍微抬起了沉重的眼皮。虽然你只能从眼缝中窥视周围的事物，但这已经足以让你心胆俱裂，因为你看见的是便利店老板父子——或者说，是他们的鬼魂！

便利店老板一脸血污，鲜血还不断从他身上多个伤口中涌出。他儿子更可怕，身上沾满污秽的泥土，歪到一边的脖子上是一张扭曲的脸庞，被鲜血染红的泥土在这张脸上勾画出一幅诡异的图画。

便利店老板淌血的双手缓缓伸向你的脖子，你知道一旦被他掐住就必死无疑，所以你拼命地挣扎，希望能够尽快逃离险境。可是，即使已经大难临头，你的身体却依然不听使唤，就像被施了法术一样，连一根手指头也动不了。眼看老板的双手已经伸到你的脖子前，你无力挽救自己的性命，只能祈求神仙搭救。然而，这情况并不算最糟糕，还有更糟糕的在后头。

当老板冰冷的双手牢牢地掐着你的脖子时，一道银光在你眼前掠过，使你顿感头皮发麻，因为银光是从老板儿子的手上发出的。他高举着菜刀朝着你狠狠地砍来，并高声叫道："受死吧，王八蛋！"

一阵剧烈的头痛使你从噩梦中醒来，刚才的种种都只是梦魇而已。你没有梦游，没有杀人，也没有鬼魂前来索命，有的只是欲裂般的头痛，以及喉咙的干燥难忍。

你爬起床想去喝水，但下床那一刻却觉得有点儿不对劲——灯为何亮起来了？你明明记得上床前把灯关了，可是现在房间内的灯光却是那么明亮。

你怀疑自己又在做梦，使劲在大腿上捏了一把，痛感让你知道自己并非做梦，但剧烈的头痛又让你的感觉变得模糊。你不想再动用脑袋去思考，只是下床给自己倒了杯水，一饮而尽以解喉咙之苦。

你关了灯准备上床继续睡觉，但窗外传来的嘈杂的声音却引起你的注意，你于是便走到窗旁看外面发生了什么事。你看见几辆警车停在便利店门前，几名警察围着一具倒卧于血泊中的尸体交头接耳，因为角度的问题，你并没能看清楚尸体的相貌。

其中一名警察突然走到一旁，向面露惊惧的便利店老板娘低声问话，但是老板娘只是不停地颤抖，似乎并没有回答任何问题。

一名高大的警察从远处跑来，并带来一个可怕的消息："这边沟渠里还有一具小孩儿的尸体！"

老板娘如同受到电击一般，整个人跳起来，一直低着的头缓缓抬起，目光投向你所在的方向。当她悲伤且愤怒的目光跟你的目光接触时，一阵莫名的恐惧在你脑海深处爆发。

你再次怀疑自己仍然身处梦境之中，什么也不敢再想，立刻跳上床紧闭双眼，祈求噩梦尽快过去。

突如其来的响声让你心惊胆战，细听之下原来是你手机的铃声。这么晚还有谁会给你打电话呢？你带着疑惑赤脚下床拿起手机，屏幕上显示来电的是你的死党。你略松一口气，接通电话准备向死党诉说刚才接二连三的噩梦，然而死党并没有给你说话的机会，电话一接通就莫名其妙地不断向你道歉："不好意思，真不好意思……"

你询问到底发生了什么事，死党支吾了好一会儿才说："刚才那个金毛你还记得吧，这浑蛋竟然给我们下药了……"

死党说金毛以前有嗑药的习惯，虽然后来戒掉了，但今晚又从朋友手中弄来了几颗新药。刚才你们喝酒的时候，金毛因为一时贪玩，趁你们上洗手间，把药下到了你们的酒里。

"金毛说这种药偶尔嗑一两颗没什么大问题，只是会不停地做梦，而且很容易把梦境跟现实混淆，不过醒过来后就没事了。"死党突然心有余悸地说，"我刚才还真的分不清自己到底是不是在做梦，竟然把我妈当成了妖怪，还差点儿把她掐死。幸好我爸醒过来及时阻止，要不然我就死定了……你应该没闹出大乱子吧？"

你心中一颤，不由自主地后退了一步，脚底传来的冰凉感觉让你整个人跳起来。借助窗外的灯光，你发现自己踩到的原来是一把沾满血的菜刀。手机从你手中滑落，死党焦急的叫声不断从中传出，你却没有心情去理会。

此刻，你已经不再感到头痛，因为你的脑海一片空白。你走到窗前，看着对面的便利店，这次你能看清楚躺在血泊中的是便利店的老板，你还看见老板娘正以悲伤且愤怒的目光注视着你。你不由自主地喃喃自语："这只是一个梦，这只是一个梦……"

嘭、嘭、嘭，急促的敲门声响起，门外随即传来一个严肃而洪亮的声音："警察，快开门！"

"人说人生如梦，我说梦如人生……"窗外传来似有若无的歌声，一种若梦若真的茫然从你心底涌现。此刻你已经分不清梦境与现实，或许，何为梦境、何为现实，于你而言已经不再重要，因为你知道自己的噩梦还没结束，现在才刚刚开始……

[完]

Chapter ② 一元旅行团

Deception case group
Rumor

1. 天掉馅儿饼

"想去旅行吗？团费只要一元哦！"

在回家的路上，你被一名派发传单的女生拦住。

这名女生自称"依玲"，是旅行社职员，向你推销一条全新的优惠旅游路线："仅需支付一元团费，你就能参加两天两夜的周末温泉之旅。"

只要一元？天底下哪儿有这样的好事，是骗人的吧？！

依玲信誓旦旦："我们是正规旅行社，绝不骗人。不信你来我们门店看看，就在对面街口。"

你将信将疑地跟依玲来到对面街口，这里果然有一家新开业的旅行社，而且门面装修得像模像样。你跟随依玲走进店内，发现这里人头攒动，有近十人在向职员咨询详情，似乎都是冲着一元旅行团而来。

你留意到店内显眼处挂有工商执照、税务登记证等，这家旅行社似乎是正规经营。毕竟有门店在，就算出了问题也能到此索赔，你开始对这个仅需一元的旅行团感兴趣。

不过，你知道天下没有免费的午餐，所以你还是很谨慎，向依玲询问旅行团的行程安排，譬如是否有收费景点，是否需要购物等。

"在参加旅行团期间，团友无须支付一分一毫。你大可以连钱包也不带，带上到本店的来回车费就行了。出发时就在店门口上车，回来时也在这里下车。"依玲拍着胸口向你保证。

两天两夜才一块钱，这也太划算了吧！旅行社老板不怕亏得连内裤都没了？

"这个周末温泉之旅原价九百八十八元，但我们现在开业大酬宾，老板说亏本也要赚口碑，所以才会推出一元旅行团。仅需一元团费，你就能在这个周末入住五星级温泉酒店，不但能无限次使用酒店内的皇室温泉，还能享用豪华自助餐……"依玲向你展示制作精美的行程简介，并滔滔不绝地为你讲解，"因为每有一位团友报名，我们老板就得亏近千元，所以这个一元旅行团仅限二十人报名，而且仅限本周，下周就会调回原价。"

难道真的是天下掉下的大馅儿饼？

你仍在犹豫的时候，依玲丢下一句"先到先得哦"，便去招待不断从店外涌入的其他顾客。

这么大的便宜，不捡白不捡。

你向依玲招手，在对方的指导下填写相关资料，办理报名手续并当场支付全部费用——一元。

2. 好事多磨

你在星期五黄昏来到旅行社门前，这里已有一辆豪华大巴在路边等候。出于谨慎，你记下了大巴的车牌号码，以防在半路上出问题。另外十九名团友陆续前来，你们一起乘坐大巴按时出发，前往此行的目的地——一家远离市区的五星级温泉酒店。

　　这一切都十分顺利。在大巴发动之前，你还担心旅行社会用各种名目让你再掏钱，现在想来，这些担心是多余的。

　　乘车的过程通常十分沉闷，但这个名叫丽莎的女导游很会活跃气氛。她在讲解行程时，经常讲些有趣的笑话，还跟大家玩接龙、猜谜等游戏，没一会儿就跟大家打成一片。

　　然而，愉快的气氛只维持了约一小时，大巴离开市区没多久就出了问题，停在路边发动不了了。司机下车检查后，说可能是发动机出问题，需要拖到附近的汽修厂检查。

　　大家因此而烦躁，坐你前面的胖子更是从座位上站起来，指着丽莎叫骂："我就知道你们是骗子，什么一元旅行团，其实是坑爹旅行团，你快他妈的给大家赔钱！"

　　"大家少安毋躁，我刚给老板打过电话，他已经安排了另一辆大巴过来载我们去酒店。"丽莎面带微笑地安抚众人，"这是我们旅行社初次出团，因经验不足而延误大家的旅程，我们也很抱歉。老板为表示歉意，在本次旅程结束后，会给大家每人送一张优惠券。凭这张优惠券，大家可在下次参加本旅行社的旅行团时获五折优惠……"

　　胖子朝她大吼："这次还没弄好，谁还会再参加你们的旅行团？"

　　"少安毋躁，少安毋躁，我还没把话说完呢！"丽莎虽然十分尴尬，但仍保持笑容，"除了送大家优惠券，我们还会将本次旅行团的档次提升，将原来的双人酒店套房，升级为价值一千五百八十八元的单人豪华套房。"

　　其他团友对这个安排很满意，你也乐于接受旅行社的升级服务。毕竟只花了一元团费，只要接来下的旅程不再出问题就行了。胖子虽然仍稍有微词，但也没再继续叫嚣，他坐下来玩手机打发时间。

　　大概过了半小时，丽莎便告诉大家，旅行社安排的大巴马上就到了。你对旅行社的办事效率感到惊讶，毕竟你们已在路上行驶了一小时，对方竟能在半小时内调来另一辆大巴。

然而，当大巴驶到跟前时，你却感到非常失望，甚至有点儿愤怒。因为这辆大巴不但破旧不堪，而且还没有车牌，显然是辆报废车。

尽管对此非常不满，但你跟其他团友一样，若不想步行到公交站，乘坐公交车回家，就只有上车这个选择。听丽莎说，距离这里最近的公交站，也要步行两个小时才能到达。而且现在已经入夜，要等很久才有一辆公交车经过。此外，这段路的治安不太好，晚上经常有贼人飞车抢劫。

乘坐报废车实在难以令人安心，幸好一路上也没出意外，只是路途颠簸，而且车速缓慢。丽莎告诉大家快要到达酒店时，已比原定行程晚了近两个小时。

按行程安排，大家本应早已到达酒店，并享用美味的自助餐。因此，你跟其他团友全都饥肠辘辘。丽莎说已通知酒店准备食物，大家下车就能享用美食。你在团友的欢呼声中下车，但马上就皱起眉头，因为眼前的根本不是五星级酒店，充其量只能算是个三流的度假村。

"我 ×，这是哪门子的五星级酒店呀？"刚才指着丽莎骂的胖子，又再带头起哄，怒气冲冲地叫骂道，"才十来二十间茅草房，连招牌也没一个。如果这样也能评上星级，我家厕所也是五星级。"

"大家少安毋躁。"丽莎通过扩音器安抚大家，"实在抱歉，我们原定入住的酒店已经爆满，只好让大家在这里委屈一晚。我们老板跟酒店交涉过后，对方保证明天早上给我们腾出二十个单人豪华套间，而且每个房间还附赠价值二百三十八元的贵宾餐券6张。"

"我们连今晚的晚饭还没吃，你让我们留肚子吃明天的贵宾餐吗？"胖子高声叫骂，其他团友随之附和。

"当然不能让大家饿肚子了。"丽莎挥着小旗子，示意大家跟随，"这里的餐厅已经为大家准备好食物，虽然比不上五星级酒店，但希望大家能将就一顿。明天到酒店，我保证给大家吃的都是美味佳肴，过一个毕生难忘的周末。"

你和其他团友一起，跟随丽莎来到与露天大排档无异的餐厅，服务员在丽莎的示意下，立刻给大家端来饭菜。尽管这些饭菜不比猪食好多少，但你跟其他团友都饿坏了，三两下就将所有饭菜吃光。

饭后，丽莎给大家安排房间。这里的房间不多，就二十来间，全都是单独的平房，房间与房间之间的距离较宽，加上附近是荒山野岭，所以十分安静。令你感到欣慰的是，房间比想象中干净，似乎不是经常有人入住。

放下行李后，你本想给手机充电，却发现房间里竟然没有一个可以用的插座。好在手机电池的电量还充足，应该能应付一两天。

你躺在洁白的床上，脑海里突然闪现一个念头——这里才二十来个房间，竟能给大家每人安排一个，旅行社岂不是包场了？

路上的颠簸让你感到十分疲惫，已没有精力去思考这个无聊的问题，只想好好地休息一下。

可是，你才刚合上眼，手机便不合时宜地响起……

3. 将信将疑

你感到非常疲累，很想好好地睡一觉，但手机却响个不停，要么是垃圾短信，要么是保险投资之类的骚扰电话，甚至是高尔夫球会推介。

平时也偶尔会收到类似的短信及电话，但今晚却出奇地繁密。你觉得很奇怪，不过疲累让你无暇深究原因。你只想安心休息，便关掉手机蒙头大睡。

尽管已经关机，但你仍没能一觉睡到天亮。你睡得最舒服的时候，急促的敲门声突然把你吵醒。你恼火地爬起来，想开门把门外的浑蛋臭骂一顿，但突然想起自己置身于陌生的环境中，说不定一开门就有十个八个的蒙面匪徒冲进来。

因此，你谨慎地隔着房门，询问门外的是何人，因何事半夜敲门。

"我是导游，你怎么把手机关了？"门外传来丽莎焦急的声音，"你家人出事了，给你打了整晚电话也没打通，只好通过旅行社跟我联系。"

你一下子睡意全无，立刻开门向对方了解详情。

"你家人出车祸了，正在医院抢救。"丽莎焦虑万分地说，"你赶紧给家里打电话，要是有什么闪失，旅行社可担不起这个责任。"

你惊慌失措地开启手机，并往家里拨电话。可是，不管是家里的座机，还是家人的手机全都占线，没一个能够接通。你急得六神无主，连忙问丽莎该怎么办，能不能立刻送你回去？

"最快也要明天早上才有车，现在没办法送你回去。"丽莎也十分焦急，皱眉思索片刻又道，"你先给医院打个电话吧，刚才旅行社打来的电话说，你家人的情况非常危急，必须立刻动手术。"

你按照丽莎提供的座机号码，致电医院了解情况，等了很长时间才有一位自称是值班护士的女人接听电话。从手机里传来的背景声音十分嘈杂，对方似乎正忙得不可开交，一个劲儿地催促你有话快说。

你报上家人的名字，护士立刻跟你说："原来是你的家属啊！我们整晚都在忙着抢救这个病人，几乎所有值班的医生护士都挤进抢救室去了。我也是刚好要拿药，才顺道听你的电话。"她还告诉你，你的家人急需动手术，但整晚都无法联系到病人亲属前来医院签字，所以迟迟未能做手术。

"赶紧做手术，人命关天，亲属签字可以事后补回来！"

你几乎失去理智地冲手机大吼，但护士的反应却比料想中要冷漠得多，以一副事不关己的语调回答你："话可不能这么说。要是出了问题，又没有亲属签字，医院可是要负责任的，值班医生甚至要掉饭碗。我们跟你非亲非故，谁愿意替你冒这个险？"

你忍不住大骂对方毫无医德，可是才骂了两句，护士便以抢救你的家人为由匆匆挂线。你按下重拨，接连拨了三次才再次有人接听，而这次接电话的是值班医生。

在得知你是病人家属后，医生便冲你破口大骂："你神经病啊！怎么还不过来医院签字？病人快撑不住了，必须在一个小时内动手术，不然就算是华佗再世也救不回来。"

你跟医生说，救人要紧，签字可以事后补上。

"这怎么成？没家属签字，出了问题可是由我来负责。"医生冷漠地说，"我们医院之前就曾遇上类似的情况，当时亲属也是没能赶过来签字，主治医生觉得救人要紧，就立刻给病人动手术。病人虽然救回来了，但事后亲属不认账，拒绝支付手术费。医院也拿亲属没办法，这笔账最后落到主治医生头上。"

你说自己不是那种人，不管有没有签字，也会支付所有治疗费用。

"人心隔肚皮，我连你长什么样子也不知道，谁知道你会不会骗我？"医生推托道，"这手术得花多少钱，现在也不好说，但起码也要好几万。我跟你素未谋面，你要是赖账，我岂不是亏大了？"

你很生气，但又不敢痛骂对方，怕对方会像护士那样挂你电话。你低声下气地跟对方说，实在没办法及时赶到医院，问对方要怎样才能立刻动手术。

"你立刻给医院的账户汇一笔押金吧！这样就算你在事后想赖账，医院也不会找我的麻烦。"医生顿顿又补充一句，"你可别汇太少啊！病人需要输血，这手术至少要好几万，你要是只汇一两千过来，连住院的押金也不够。"对方让你记下医院的银行账号后，便匆匆挂线，说是要继续抢救你的家人。

丽莎说附近没有银行，只能用电话汇款，并将操作方法告诉你。你盯着记下医院银行账号的便条，正准备拨打电话汇款时，突然觉得有点儿不对劲。

这怎么跟平时听说的骗局那么相似？

4. 辗转难眠

为防上当受骗，你再给家人打电话，可是仍然无法接通。钱财本乃身外之物，花光了还能赚回来，但家人的生命却没有第二次，你不想因为自己的多疑，而让家人的性命承受风险。

故此，你按照丽莎的指示，通过电话将部分存款汇到医院的账号上。之后，你立刻给医院打电话，这次接听的是刚才那位护士。

"你汇钱过来了？"护士不知就里地问道。你解释这是医生的要求，对方才恍然道："原来是这样，给医院交了押金，医生就不用背黑锅了。我马上告诉医生，立刻对病人做手术。"

"等等！"护士在你准备挂电话时叫道，"你汇了多少钱过来？"

你将金额告诉对方，护士随即为难地说："病人失血过多，需要大量输血，你这点儿钱恐怕不够。要是手术在半途中断，病人的情况会更危险。"

那该怎么办？

"你再汇一笔钱过来吧，不然还是救不回你的家人。"护士说罢便匆匆挂了。

怎么越来越像骗局？

你一再给家人打电话，但依旧无法接通。心急火燎的你，一时间不知道该怎么办。继续给对方汇款，还是置之不理？

就在你为此烦恼不已时，手机突然响起，是医院打来的电话。

"你怎么还不汇钱过来？"电话彼端传来护士责怪的声音，"病人在手术中途大量出血，光输血就把你之前汇过来的钱用光了。你必须在十分钟内再汇一笔钱过来，不然你的家人会因为失血过多而死。"

事态危急，已不容你考虑了。你立刻通过电话再次向对方汇款，这一次几乎把你剩下的积蓄，全都给对方汇了过去。然后，你再次拨通医院的电话，这次接电话的是医生。

"钱都汇过来了？"电话彼端除了医生的声音，还有响亮的键盘声，"那行，我们一定会把你家人救回来，你放心吧！我现在要进手术室，手术结束后，我会把病人的情况告诉你，所以你就别再打电话过来了。我们都忙得团团转，你不停地打电话过来，只会耽误我们做手术。"

得知手术继续进行，丽莎大松一口气，向你安慰几句便准备告辞。她在离开之前告诉你，老板已经安排了专车，明天早上就会来接你回去，让你多忍耐一晚。

这是你有生以来最难熬的一个晚上，你于床上辗转反侧，直到快要天亮才进入梦乡……

5. 溜之大吉

你从噩梦中惊醒，回想刚才于梦中目睹家人离世的一幕，你心有余悸。你查看时间，发现自己并没睡多久，现在才早上七点多。

医院怎么没打电话过来？

你惊慌地拿起手机拨打医院的电话，生怕梦中所见会成为事实。可是，尽管你心急火燎，但连续拨了四五次均无人接听。你有种不祥的预感，或许你的家人已经离开了这个世界，刚才的噩梦是他们在向你道别。

去找丽莎！

你想起丽莎说会安排专车送你回去，稍微整理了一下衣饰，连脸也没洗便冲出房间。你本来要找丽莎询问专车何时到达，可是刚走出房门，便看见胖子跟几个团友，正与度假村的工作人员吵得面红耳赤。

你走上前了解情况，得知度假村无法联系到丽莎及旅行社，因此要求团友自行支付昨夜的住宿及餐饮费。你立刻拨打丽莎的手机，发现对方竟然关机了。再拨打旅行社的电话，不是占线就是无人接听。

"× 他妈的，那个该死的婊子把我们骗了！"

胖子的怒吼使你从迷茫中惊醒，你担心的事终于变成事实——你受骗了。

你立刻拿出手机，打算给家人拨电话，以确认对方车祸入院是否属实。可是手机竟然在这时候没电，你只好向其他团友借手机。

"不用打了，我们昨晚被那个臭婊子挨个儿忽悠了一遍。"

胖子愤慨地告诉你，丽莎昨夜走遍所有团友的房间，并以相同的方式蒙骗大家，让大家往所谓的医院账号汇款。也就是说，你的所有积蓄都被骗光了。

"钱财身外物，家人没事就好。"

你不知道这句话是安慰团友，还是安慰自己，抑或只是在团友面前，给自己挽回一点儿颜面。其实，你在心里不停地骂自己，怎么会这么笨，竟然被这种老土的骗局骗到。

昨晚为家人担心了一整夜，今天一早又得知自己受骗，让你感到身心疲惫。此刻，你只想尽快回家跟家人见面，以确定对方安好，然后再好好地睡上一觉。

可是，要回家并不容易。

你身处的度假村不但没有名字，还处于荒郊野外，附近别说公交车，就连一户人家甚至一个路标也没有。你跟其他团友一样，都是第一次来这个地方。而且昨晚大巴把你们送过来时，早就已经天黑，哪怕记性再好也认不了路。

你们根本不知道自己在什么地方，因此无法让朋友或亲属前来接人。要离开这里，除了向度假村的服务员求助，别无选择。可是，昨晚尚算礼貌友善的服务员，现在全都变得凶神恶煞，要求你跟其他团友立刻支付昨晚的食宿费。

一个脖子上有文身、自称是度假村老板的光头男子，冲你和团友大吼："房间每人每晚九千九百八十八元，昨晚那顿饭每人九百八十八元。现在老子给你们打个折，每人一万块。你们有二十个人，一共二十万，少一分钱也别想离开这里！"

你一看就知道对方是个混混儿，而且他要求的金额犹如天价，根本就是敲诈。

胖子想跟光头理论，但刚走到对方跟前，就被对方一拳打倒在地。其他团友见状，纷纷上前帮忙，要么想跟对方理论，要么准备跟对方大打出手。

6. 风雨同舟

"都不想回家了？！"

光头大喝一声，大家都愣住了。他露出奸猾的笑容，奚落道："你们不想给钱，大可以把这笔账给赖掉。但我少收一分钱，也不会叫车来送你们回家。我不怕告诉你们，这里方圆三十里都是荒山野岭，连鬼影也没一个，蛇虫鼠蚁倒是有一大堆，飞禽走兽也多的是。你们当中要是有谁觉得自己命大，能够活着回家就尽管走，老子绝不会挡你们的路。"

他点根烟，爱理不理地补充一句："要么自己滚蛋，要么爽快付钱。一共二十万，少一分钱也别想回家。"

胖子挨揍后就像只斗败的公鸡，之前的气焰已荡然无存。他垂头丧气地跟大家商量，要不要向光头妥协。

"好汉不吃眼前亏，先离开这个鬼地方，之后再带人来讨回公道。"

连火气最大的胖子也认栽了，你跟其他团友也只好妥协，纷纷以现金或银行卡支付光头的敲诈。

部分团友昨晚被丽莎骗光了所有积蓄，现在拿不出这么多钱。但不凑够二十万元，光头又不肯送大家离开。最后在胖子带头下，尚有余款的团友，要么掏空钱包里的现金，要么再次刷卡，好不容易才凑齐光头要求的金额。

光头乐滋滋地数钞票，确认加上刷卡的部分刚好二十万元后，便打电话叫车，并让大家回房间收拾行李。在大家准备回房间时，他突然凶巴巴地吼道："今晚还要招待另一群冤大头，你们要是敢把房间弄脏，老子就让你们吃不了兜着走！"

这显然是家黑店，无奈人地生不熟，只能任人宰割。你感到十分气愤，发誓要让光头受到应得的教训。但在此之前，你必须先离开这个鬼地方。

你跟团友收拾好行李，便在光头的指示下来到度假村入口，等到快要接近中午，才看见一辆大巴从远处驶过来。然而，你还没来得及为此高兴，便发现驶来的竟然是昨晚那辆无牌大巴，就连司机也还是昨晚那个中年大汉。

你觉得很可疑，其他团友也一样，甚至有几位激动的团友，想把司机从车上拉下来，质问对方为何跟旅行社合谋诈骗大家的钱财。

"关我鸟事！"司机反驳道，"我就一个开车的，有人给钱我就出车，哪儿有空闲管你们谁骗谁！你们谁要上车就先给三百块，认钱不认人。"

这不是抢劫吗？

"抢你们又怎样！"司机趾高气扬地回应道，"这里就只有老子这辆车，你们爱上不上。老子只等十分钟，有钱给钱，没钱刷卡。时候一到，老子就开车走人。"

昨晚才被丽莎骗光积蓄，刚才又被光头敲一笔，你跟团友已山穷水尽，大部分团友身上都没有现金。还好，在胖子牵头下，你们同舟共济，好不容易凑来了六千元车费，没让任何一个团友落下。

上车那一刻，你还庆幸这可怕的旅程马上就要结束。但事实上，真正的噩梦才刚刚开始……

7. 一波三折

无牌大巴的车速很慢，行驶了个把小时，窗外仍是荒山野岭，而且行驶的道路越来越颠簸。你隐约觉得有点儿不对劲，虽然昨晚在车上也颠簸了一段不短的路程，但现在是往城里走，路应该越来越平坦才对呀！

你正想将心中疑惑向团友道出，却听见胖子向司机高声喊道："师傅，还有多久才到啊？"

"还早着呢！"司机不耐烦地答道，"昨晚走的那条路，今天有交警查车。我得给你们绕一大圈，要多烧不少汽油呢！"

"到底还要走多久呀？"胖子有气无力地说，"现在已经是中午了，我们连早饭也没吃，都快饿晕了，附近有餐馆吗？"

"在这种鸟不下蛋的地方，你还想到餐馆吃顿好的？"司机讥讽道，"前面有间杂货铺，你们要吃东西，我就在那里停一会儿，顺便撒泡尿。"

团友纷纷点头同意，你也不例外。昨晚整夜没睡好，今天又滴水未沾，大家都饿透了。所以，大巴刚在杂货铺门前停下，大家便一窝蜂地冲下车。

说是杂货铺，其实只是一个在路边搭建的简陋草棚，附近别说是民居，就连鬼影也没一个。这里出售的商品也十分少，唯一能吃的就只有桶装方便面，而且数量不多，刚好只有二十桶。

这种通常卖三四块的方便面，店家竟然要价二十块一桶，要开水还得加收十块钱。如此一来，每桶方便面要三十块，二十桶就是六百块，几乎是正常价钱的十倍。

对方摆明了就是宰客，无奈过了这村没这店，现在不填饱肚子，也不知道撑到什么时候才有吃的。你跟团友将身上仅余的现金都掏出来，发现还差一点儿才够。

当你们正为此苦恼时，刚在草丛里方便完的司机走过来，大方地替你们支付余下的部分。你觉得很奇怪，但饥饿让你无暇细想，或许司机只是不想耽误时间，毕竟他已从你们身上赚了一大笔。

这个问题刚解决，另一个问题又来了。店家准备的开水不够供应给所有人，轮到胖子去倒水时，开水已经用完了。你跟其他团友纷纷想将自己的开水分他一点儿，但他却婉拒大家的好意，往面桶里倒入冷水凑合吃了一顿。

大家狼吞虎咽地将方便面吃掉，随即上车继续回家的路途。

或许因为刚吃饱，又或许因为昨晚没睡好，刚上车你就感到一阵睡意袭来。反正身上已没有现金，而且现在又跟大伙儿一起，你不由得放松警惕，于不知不觉间进入梦乡……

8. 草木皆兵

一觉醒来，你发现自己跟其他团友置身于荒野之中，且大家都一丝不挂。别说财物，你们连衣服都被扒光了。你们乘坐的无牌大巴，早就不知道去向，甚至连胖子也不见了。

你突然想起胖子没用开水泡方便面，不由得怀疑店家在开水里下了安眠药。也就是说，杂货铺老板、司机以及胖子，他们三个是一伙的。

回想胖子之前的种种表现，虽然他一再为团友出头，但在关键时刻却主张妥协，不禁令人怀疑他是内奸。这么说，他跟度假村、丽莎、旅行社，全都是一伙的。你跟团友自旅行社门口出发后，所遇到的每一个人都是骗子！

或许，现在你身边的另外十八名团友当中还有骗子存在，甚至可能全都是骗子！

你已不能相信任何人，其他团友的想法大概也跟你差不多。大家都刻意地互相保持距离，并在寻找到市区的路时，将这个距离越拉越远。当找到公路时，你在视线范围内已看不见其他团友。

你身无分文，且赤身裸体，来往的车辆都没因为你的拦阻而停下来。终于，你好不容易才拦下一辆汽车，并在对方异样的目光下，诉说你这两天的离奇遭遇，恳求对方载你一程。

"不是我不想帮你，你的遭遇也太扯了吧！而且在这种荒郊野外，让一个陌生人上车也挺危险的。我可不想像你这样，被扒光后扔到山沟里。"汽车司机将车窗渐渐关上，"你沿着公路往前走吧，天黑之前应该能找到人替你报案。"

看着远去的汽车，你在气愤地咒骂对方之余，不禁思考一个问题——若你跟对方的身份调换，你会让一个全身赤裸的陌生人上自己的车吗？

你赤着脚沿着公路步行，走到脚板生疼时，终于看到民居。你的心情十分激动，同时亦非常尴尬。因为你仍裸露着身体，而且必须于众目睽睽下，向附近的居民求助。

大家像看动物园的猴子般围观你，且不时指指点点、低声议论。你庆幸自己没被这场面逼疯，而且有善良的居民替你报警。

民警到场时，你忍不住落下眼泪，向对方哭诉自己这两天的遭遇，要求对方严惩这群毫无良知的骗子。可是，你无法向民警提供度假村及杂货铺的位置，也不知道丽莎、胖子、大巴司机等人的真实姓名。

你唯一能向民警提供的，就是旅行社的地址。

"这不在我们的管辖范围内。"

民警告诉你，你现在身处的地方，距离你的居住地十分遥远。他们无法为你讨回公道，只能协助你回家。

9. 瞒天过海

经过漫长的折腾后，你终于回到家里，你做的第一件事就是确认家人是否安好。

幸好，家人毫发未损。

可是，家人却告诉你一个噩耗。

在你出发去旅行当晚，家人接到旅行社打来的电话，说你出了车祸，正在医院抢救，且必须立刻动手术。旅行社说医院要求交齐押金，且数额巨大。家人一再给你打电话，但始终没能接通。

家人在情急之下，只好按旅行社的指示，将大部分积蓄汇进所谓的医院账号。并且在天亮之前，家人一直与旅行社及所谓的医生、护士保持通话，以了解你的最新情况。

你突然想起两件事：一是办理报名手续时，依玲让你填写的相关资料中，有家属及紧急联系人等栏目。你在这些栏目中，填写了家人的联系电话。此外，还有职业、收入等栏目，骗子很可能以此推断你及家人的财务状况。

另一件事是，你出发当晚曾收到大量垃圾短信及骚扰电话。这很可能是骗子通过将你的手机号码卖给广告商，以及利用短信轰炸机等软件迫使你关机，使家人无法与你取得联系，因而轻信骗子的谎言。随后，你被丽莎叫醒并重新开机，但家人却一直与骗子通话，导致你无法联系到对方。

骗子的手法并不高明，却把你跟家人玩弄于股掌之上，这使你感到非常愤怒。你立刻带着家人到旅行社，打算讨回公道，但到达后却发现旅行社早已人去楼空。你只好在家人的陪同下，到本地的派出所报案。

其后，你接到银行打来的电话，说你存款清空了，而且信用卡严重透支。你这才想起，光头及无牌大巴司机，一再让你跟团友刷卡，而且你的银行卡亦都连同其他财物及衣服被抢走了。

这群骗子要将你的钱全部榨取干净。

经过连日的调查，办案民警告诉你，旅行社根本没办理任何执照，挂在店面上的执照均为伪造。而且开业时间不足一星期，只办了一个旅行团，并且出发的第二天便将所有东西搬走，连一张纸也没落下。

民警向房东了解情况后，得知用于租赁铺位的身份证也是假的。而且房东见对方在装修方面下足了功夫，以为对方会长期租用，所以只收了一点儿诚意金。谁知道连正式租约还没弄好，对方便已席卷而走。

虽然你向警方提供了第一辆大巴的车牌号码，但民警调查后发现，大巴司机也是受害者。他承接这个旅行团，不但没收到全款，而且把车送到汽修厂时，竟然发现发动机被人动了手脚，所以才会在半路熄火。

而你和家人提供的医院座机，其实都是旅行社的号码，丽莎、依玲等人也全是化名。至于度假村及杂货铺，由于你无法提供具体位置，民警也无能为力，那辆无牌大巴就更不用说了。

民警最终也没能找到任何线索，将这群骗子揪出来，因此也无法为你讨回公道，追讨你及家人的损失。

　　至此，你终于明白天上不会掉下馅儿饼，"一元旅行团"的团费并非一元，而是你跟家人的所有积蓄。

[完]

第三卷
谁是最可怕的人

谁是最可怕的人？

是恶贯满盈的毒贩，是穷凶极恶的悍匪，还
是满手鲜血的杀人狂魔？

统统都不是，最可怕的人就在您身边，他
（她）可能是您最亲密的朋友，可能是您的兄
弟姐妹，甚至是您的爱人！

您注意到他（她）的异常举止了吗？您是否
觉得他（她）似乎隐瞒着某个秘密吗？

或许，当您知道他（她）真实的一面后，您会
发现平日熟识的他（她）竟然是如此可怕……

Chapter ① 现代巫术

1. 诡异的喜帖

润军收到一张诡异的喜帖。

这是一张弥月喜帖,跟一般喜帖没什么区别,怪异之处只在于发帖人是润军的同乡马林及其媳妇方莹。

润军跟马林只属泛泛之交,但好歹也是同乡,而且又在同一个城市生活,给他发喜帖亦很正常,怪异的是方莹早在去年就死于车祸。

喜帖是振宇送来的,他在马林的公司附近工作。润军不好意思直接问马林,只好给振宇打电话,对方的回复是:"可能马老板后来又讨了个名字一样的老婆吧!"

振宇也是马林的同乡,而且跟润军一样平日亦不常跟马林来往,不清楚也在情理之中。

如果马林再婚,怎会没邀请自己?这个问题让润军疑惑了一阵子,但这是别人的事情,也许对方因为太忙而将自己遗漏,也许对方根本没为再婚设宴。

要想知道真正的答案,就只能等赴宴当天了。

2. 没有家属的满月酒

马林这些年生意做得不错，所以选了一家颇为气派的饭店设宴，还阔气地连开三十席。润军摸着口袋里那个只装有百元的红包，心里觉得蛮不好意思。要知道在这家饭店设宴，最便宜的酒席也在三千元之上。还好，马林没有在意红包的厚薄，抱着贪睡的儿子跟他客套几句，便忙着去招呼其他朋友。

润军好不容易才在人群中找到振宇，并在对方身旁坐下，随即举头张望是否有家乡的亲友在场。眼见宾客大多已经入席，他的眉头越皱越紧，因为他发现到场宾客当中，竟然没有主人家的亲属，招呼客人的亦只有马林和他的下属。虽然家乡距离本地甚远，但也不至于连一个亲戚也不来吧？

"怎么没看见马林家里的人呢？"润军低声向振宇问道。

"你也发现了？我就奇怪怎么没看见马大爷和马大妈。"振宇同样一脸疑惑。

马林跟方莹结婚时，他们亦在宾客之列，当时除了马林的父母外，还有不少亲属前来祝贺。虽说弥月不及婚礼重要，但孩子的祖父母也总该在场吧？而且马林是独子，他的儿子就是长孙，哪有当爷爷奶奶的不想第一时间抱起自己的子孙呢？

两人低声地议论着此事，其间又发现另一个问题——怎么迟迟未见马林的媳妇？

终于到了敬酒的时候，他们好不容易才逮住马林，趁机问及对方的父母和媳妇。马林跟他们干了一杯才说："爹娘都老了，身体又不好，我不想他们太操劳，就让他们在家里设宴招呼亲友。至于我女人，她见不惯世面，在家里待着。"

儿子弥月之喜亦不露面，这当妈的也太奇怪了吧？虽然觉得不可思议，但人家正在办喜事，润军也不好意思追问，脑筋一转便笑说："你也太不够朋友了，老是将嫂子藏起来，也不让我们看一眼，该不会是怕我们把嫂子抢走吧！"

"就是嘛，我们都没见过嫂子呢！"振宇会意地附和。

马林笑道："哈，瞧你们这点儿酒量，多喝两杯就连自己姓啥也给忘了。我结婚的时候，你们不就见过我女人吗？润军还笑她长得像林心如呢！"

马林结婚当日的情景，润军仍记得很清楚，振宇亦一样。可是，那个长得像林心如的方莹，去年不就已经去世了？

3. 悦耳的铃声

从宴会回来后，润军接连三晚都没睡好，总是想着马林和他媳妇的事。一个离世多时的女人怎么可能生儿育女呢？马林又怎么又好像完全不知道自己媳妇已经去世？

好奇心最让人煎熬，为解开心中的疑团，润军决定当一回福尔摩斯，查清楚到底是怎么一回事。他知道一个人的能力十分有限，所以想找个人帮忙，这个人当然就是他的好兄弟振宇。

他给振宇打电话，聊起马林媳妇的事情，然而对方却为此感到莫名其妙："你发什么神经啊！老马的媳妇一直都活得好好的，什么时候死掉了？"

就在三天前，振宇还在宴席中跟自己议论方莹的事，怎么现在却像毫不知情一样？对方是跟自己一起长大的铁哥们儿，润军便直言追问，可是振宇却像失忆似的，竟然对此事毫无印象。

这可怪了，一个健壮的年轻人，就算再糊涂也不至于把三天前的事情忘个一干二净吧？更奇怪的是，别的事情他都记得清清楚楚，唯独与方莹有关的事却怎么也想不起，只记得对方是马林的媳妇，刚给马林生了个儿子。

润军觉得这件事极不寻常，感觉振宇似乎被人施了巫术，就问他这几天去过哪里。振宇想了好一会儿才回答："这两三天也没去什么特别的地方，不过有件事情很奇怪，昨天下班后我买了些水果准备去串门子，但现在却怎么也想不起到谁家去了。"

振宇到底去过谁家呢？答案很明显，他一定是到马林家去了，也许在他串门子的过程中，被马林或者那个已离世多时的方莹施了巫术，使他忘记这一切。当然，这只是润军的猜测，事实是否如此，也许只有亲自到马林家走一趟才能得到答案。

虽然平日与马林来往不多，但润军还是知道他工作繁忙，每天都早出晚归，白天通常不会在家。他打算趁马林不在家的时候查明真相。为此，他特意请了一天假，买了些婴儿衣服和玩具去串门子。

马林居住的兰苑小区是个十分幽静的地方，在此之前润军只来过一次，就是闹洞房那天晚上，所以他花了点儿时间才确定自己没找错地方。

按下门铃后，过了好一会儿才有一个抱着婴儿的女人给他开门。他认得对方怀中的婴儿是马林的儿子，因为他长得很像父亲。可是开门的女人却不是方莹，虽然她的长相不俗，但并不像林心如，倒有几分像苍井空。

"你好，请问老马在家吗？"

"他到公司里去了。"

"那真不巧啊。"润军一脸窘相，一时不知道该怎样混进这道门，继续当他的福尔摩斯。还好，对方为他解决了这个难题："你是马林的同学吧，要进来坐一会儿吗？"

润军不但是马林的同乡，也是其小学及中学的同学，或许对方看过马林的毕业照，因而认得出自己。

进屋后，女人先请润军到客厅的沙发坐下，然后小心翼翼地把刚入睡的儿子放在沙发旁的婴儿床里，给他倒了杯茶。

"请问，你是老马的媳妇方莹吗？"润军捧起茶杯装作喝茶，但嘴唇并未沾上一滴茶水。

"是啊。"女人坐在他对面的沙发上泰然自若地回答。

润军跟对方随意地闲聊了几句，便切入正题："你跟老马结婚的时候，我正好要出差，没有前来祝贺真不好意思。"

女人没有答话，只是露出能让人放松戒备的亲切笑容，起身走到婴儿床前，轻轻拨弄挂在床头的风铃，随之响起阵阵悦耳的铃声，叮当……叮当……

"这声音好听吗？"女人柔声问道。

"好听。"润军随意回答。

"你再仔细听听……"

叮当……叮当……

润军认真聆听，并未发觉有何特别之处。女人继续拨弄风铃，轻柔地说："你不觉得铃声越来越小，但越来越清晰吗？"

润军更专注地聆听，经对方一说，的确好像有这么一回事，铃声越来越小，却越来越清晰，仿佛就在脑海里响起。

"你听到的是催眠曲，它让你觉得很舒服，很轻松。它让你合上双眼，放松身体……"铃声夹杂着女人温柔的声音，但两者都异常清晰。

润军的意识在不知不觉间变得模糊，铃声渐渐消失，女人的声音又再次响起，在他脑海深处响起："告诉我，你来干什么？"

"调查马林的媳妇。"

"为什么要调查她？"

"因为她不是方莹，真正的方莹去年就已经死了。"

"你记错了，方莹没有死，她一直在马林身边，最近还为他生了个儿子……"

"咿呀……咿呀……"急促的婴儿啼哭将润军拉回现实世界，他觉得刚才好像打了个盹儿，做了个梦，但又没能记起梦的内容。对方正忙于照顾孩子，他不好意思继续打扰人家，便跟对方道别匆匆离开。

刚走出门口，他就开始想：我为啥会跑到马林家呢？

4. 一切都是为了爱

润军有写日记的习惯，正所谓好记性不如烂笔头，人的脑袋永远不如白纸黑字可靠。因为怎么也记不起自己为什么特意请了一天假跑到马林家，所以他一回家就翻开日记。

然而，翻看日记不但没能让他记起到马林家的目的，反而让思绪变得更为混乱——马林的媳妇明明还活着，自己怎么会在日记中写着她在去年就已经去世了呢？她明明长得不像林心如，为何日记中会提及她的长相跟林心如相似？

直到看完昨天的日记，他才察觉出一些端倪，因为日记中提及振宇忘记自己上哪儿串门子一事。一定是假方莹用巫术抹除了自己的记忆，她肯定有某些不可告人的秘密。马林好歹也是自己同乡，他身边有一个如此可怕的女巫，岂能坐视不理！

可是，要怎样才能让马林相信呢？

证据，必须掌握证据才能拆穿谎言。要得到证据，也许只有再往马林家跑一趟，会一会那个懂巫术的假方莹。当然，这次他可不想单枪匹马去冒险，至少也得多拉个人壮胆。为此，他打电话给振宇，死活要拉上对方一起去。

振宇这两天一直为记不起到谁家串门而苦恼，经润军一说，的确有可能被人用不可思议的方法消除了部分记忆，于是答应一起去弄个明白。

翌日，两人一同到马林家，还是那个女人开门。女人看见他们的时候，先是感到愕然，但很快就平静下来，友善地请他们到客厅坐下。

"我知道你一定会再来。"女人平静地对润军说。

润军警惕地盯着眼前这个女人，时刻提醒自己不要被对方的巫术迷惑，并琢磨着该怎样将事情弄清楚。对方似乎已看透他的心思，叹息道："让我把事情的始末告诉你们吧……"

原来这个假方莹真名叫杜丽仪，原本是马林的秘书，一直暗恋英俊且事业有成的上司，无奈对方眼中只有贤惠的妻子。方莹死后，她本以为自己终于守得云开见月明，可是马林仍对亡妻痴心一片，甚至一度想跟对方共赴黄泉。

丽仪曾学习催眠术，经马林父母同意后，用催眠术将他催眠，使自己成为他心中的方莹，以解其思念亡妻之苦。为了让这个美丽的谎言不被揭穿，她尽量不与马林的亲友接触，甚至连儿子弥月之喜亦不敢露面。还将振宇这种有可能拆穿谎言的人催眠，使他们忘记方莹早已逝世的事实。她本想也将润军彻底催眠，可惜儿子在关键时刻啼哭，以致催眠术未能有效施展。

坦言实情后，她希望润军跟振宇能为她保守秘密，因为一旦让马林知晓真相，不但会使美满的家庭遇到破坏，马林亦可能承受不了这个残酷的打击。尽管她的做法略有不妥，但毕竟是出于善意，而且得到了马林父母的同意，所以润军他们答应为其保密。

5. 不择手段

离开马林家后，润军心里总觉得有点儿不对劲，但一时间又想不到是什么。直至接到母亲从家乡打来电话，他才想起马林的父母，便问马大爷是否有请母亲参加孙子的弥月宴。

"马大爷两口子去年莫名其妙地昏迷了，直到现在还没醒过来呢，医生还说他们可能熬不了多久了，怎么可能突然跳起来办喜事呢？"母亲的回答犹如惊雷，在润军的脑海中炸开。

难道丽仪所说的全是谎言？

一个更加可怕的念头在他脑海中浮现——或许方莹的意外也是丽仪在暗中搞鬼！

听说，方莹是因为自己突然冲出马路，才被货车撞倒酿成惨剧。该不会是丽仪将她催眠，让她稀里糊涂地当了车下鬼吧？

他越想越害怕。在某种意义上，催眠术可以说是一种可怕的现代巫术，懂得使用这种巫术的人就是巫师，他们既可以运用这种神奇的力量治疗他人的心灵创伤，亦能以此杀人于无形。也许丽仪为了得到马林的爱而加害方莹，其后又让碍事的马大爷夫妇昏迷不醒，并且为了圆谎而一再滥用这种可怕的巫术。如果他不是与振宇一同前往质问，并且心存戒心，使她难以同时催眠两人，谁能保证他们能安全回到家中，而不是死于"交通意外"？

　　润军拿着电话犹豫了很久，但最终还是拨通了110……

[完]

Chapter ② 枕边的亡夫

在昏暗的房间里，一对男女正在行周公之礼，香薰与汗水交融，化作独特的香气，让人全身酥软。云雨过后，男人带着幸福的微笑入睡，他睡得很踏实，很安稳，毫无防备。然而，他枕边的女人却辗转反侧难以入睡，身体也在不住地颤抖。她之所以颤抖，是因为她害怕；她之所以害怕，是因为躺在她身旁的男人在一年前就已经去世。

1. 你老公早就死了

婉碧的好姐妹依玲被公司派往国外工作已经快一年了，一回来就立即打电话给她，约她到星巴克叙旧聊天。两人一见面就有聊不完的话题，其中当然少不了男女之事。

"打算什么时候结婚啊，女强人？"婉碧故意取笑这位好姐妹。

"快了，这次要求调回来就是为了早点儿把自己嫁掉，我对老外可没什么兴趣。"

"不会是他们太大了，让你受不了吧？"

"找死呀你，敢笑我。"依玲往姐妹手臂上轻捏了一把后，马上就转移话题，"别说我了，你怎么样？现在有没有男朋友啊？要不要我给你介绍个帅哥，我公司的帅哥可多得海了去了。"

婉碧白了她一眼："你想死啊！要是让沛贤听见，你就惨了。"

"人都死了一年多了，你怎么还老是把他挂在嘴边啊？"依玲露出怜惜的目光。

"你这是什么话啊？我老公没病没痛，你怎么咒人家死呢？"婉碧一脸不悦，心想就算关系再好，对方也不该开这种玩笑。

依玲的脸色突然沉下来，看着眼前的闺密好一会儿才认真地说："你没事吧？沛贤已经离开一年多了，你怎么好像不知道似的。他出殡那天，我也去送他了啊，我还记得你当时哭得死去活来……"

经对方一说，婉碧好像有那么一点儿模糊的印象：那天下着小雨，很冷，很冷……可是，如果沛贤已经死了，那么这一年来每晚搂着自己入睡的人是谁？

2. 大家都在隐瞒

每当婉碧认真回想一些关于沛贤的过去的事情时，总是会感到头痛，尤其是关于他出殡前后的事情，一想就会头痛欲裂。她隐约记得自己的确曾为丈夫办过丧礼，但再想下去，头就痛得要命，仿佛有一把无形的利刃在脑海深处捍卫着一个可怕的秘密。

依玲认真的表情不像在开玩笑，她也相信对方不会拿这种严肃的事情开玩笑，对方的确参加过沛贤的丧礼。可是昨夜还与自己同床共枕、今早还与自己通过电话的丈夫，怎么可能在一年前就已经去世了呢？

婉碧的思绪很乱，她开始怀疑依玲，甚至怀疑自己的记忆，她需要有人告诉她到底是怎么回事。她取出手机给母亲打电话，她认为这世上只有母亲才是最值得信任的，甚至比自己更值得信任。

"女儿，怎么了？"知女莫若母，女儿有心事怎能瞒得过母亲呢？

"妈，我觉得沛贤最近好像有点儿奇怪。"

电话的彼端沉默了良久才开口："是你多心了，沛贤不是一直都对你很好吗？"

是的，沛贤的确对自己很好，但这并非问题所在。问题是什么？她没有说出口，而母亲似乎也在回避。母女连心，她隐约感觉到母亲在刻意隐瞒某些事情。

随后她又打了几个电话给姨妈、舅舅等至亲，想从他们口中套话。可是亲戚们都像母亲那样，似乎都想隐瞒某些关于沛贤的事情。姨妈的回答更是明显："他对你好就行了，其他事情最好别想那么多。"

她突然觉得很害怕，所有至亲仿佛都在隐瞒某些事情，她有种被亲友遗弃在荒岛上的无助的感觉。

3. 与陌生人合照的婚纱照

婉碧从未像今天这样害怕回家，过去温暖的小窝，此刻在她心中犹如午夜的坟场般让人生畏。她独自在街道上徘徊，直至夜幕降临。她想过回娘家或者到其他亲戚家暂住，但一想起他们都在隐瞒自己，她就觉得毛骨悚然。

夜已深，沛贤打来电话，问她怎么还不回家。她撒谎说正与朋友叙旧聊天，要晚一点儿才能回来。丈夫体贴地说："要是太晚了，就打电话给我，我开车过去接你。"

逃避并不能解决问题，毕竟她不能永远不回家。经过一番思想挣扎后，她终于下决心回家把事情弄个明白，哪怕丈夫是鬼、僵尸甚至是一只吸血鬼，她也要知道真相。

　　走进家门，客厅空无一人，十分安静。正当她心中大感不安的时候，一双强而有力的手臂从后伸出把她抱住，吓得她放声尖叫。

　　"嘻嘻，被我吓到了吧？"沛贤调皮地亲吻怀中的妻子。

　　丈夫温暖的躯体，使婉碧暂时忘却了恐惧，依偎在对方结实的胸膛前，平日的点点滴滴一下子涌现在脑海之中，泪水不自觉地落下。丈夫为了给自己买名牌手提包，能一个月也不沾烟酒，婉拒所有应酬；他在情人节前夜彻夜不眠，偷偷摸摸地躲在书房亲手把巧克力粘制成大扎花束，只为次日给自己一个惊喜；在日常生活上他对自己也是无微不至，事事为自己着想……要不是依玲的一句话，她还会像之前一样，认为自己是世上最幸福的女人。

　　"怎么了，真的吓到你了？对不起，我只是跟你开个玩笑……"沛贤的话还没说完，婉碧火热的双唇就已经把他的嘴巴封上，四唇相接，久久不分。她不想给对方说话的机会，只想丈夫再次给予她令人回味的温柔，哪怕这是最后一次。

　　动情的男女从客厅一直吻到卧室，宽衣解带，尽享鱼水之欢。激情过后，沛贤带着幸福的微笑入睡，他睡得很安稳，没有发出一点儿声音，就像一具尸体一样。婉碧突然感到害怕，身体微微颤抖。与一具尸体同床共枕能不害怕吗？

　　婉碧悄悄下床，但她细微的动作还是把沛贤惊醒了，他迷迷糊糊地问："你要去哪儿啊？"

　　她全身一颤，好不容易才挤出一句话："我去洗澡。"是的，她的确还没洗澡，但这并非她起床的目的。她心中只想着立刻远离这具能说话、能活动、能令她享受鱼水之欢的尸体。

　　她走到客厅，犹豫着是否该离开这个可怕的地方。可是半夜三更，她一个弱女子能去什么地方呢？她在客厅呆坐了很久很久，直至卧室传来沛贤那听似温柔，却犹如厉鬼狞叫般的叫唤。她知道丈夫醒来了，当他发现自己不在枕边，一定会出来找自己。她很害怕，很想逃，但却不知道该往哪里逃。情急之下，她躲进了满布灰尘的杂物房，她希望能在这里熬到天亮。她天真地认为只要能熬到天亮，这场噩梦或许就会结束。

杂物房里相当凌乱，不擅长做家务的婉碧从来不会走进这个房间，因此沛贤应该不会到这里找她。为免被发现，她甚至不敢开灯，凭借窗外微弱的光线蜷缩在墙角。

沛贤的声音忽远忽近，不断在房子里回荡，犹如厉鬼索命一般让人心惊胆战。婉碧知道他在找自己，如果让他找到会怎样呢？是会把自己杀死，还是会让自己像他那样，变成一具活尸？恐惧让她遍体生寒，身体剧烈地颤抖。

沛贤的声音渐渐变得慌张，脚步越来越急促，他似乎在满房子乱跑，不停地叫唤妻子的名字。他越是激动，婉碧就越觉得害怕，越受煎熬。

然而，最不想发生的事情终究还是发生了，脚步声在杂物房门外停止。婉碧突然有种世界末日的感觉，她知道沛贤一定是找遍了其他地方也没找到自己，所以准备到这里找她。杂物房就只有巴掌大的地方，不管她怎样躲藏，丈夫只要一进来就能发现她。她不知道该怎么办，该如何才能逃出丈夫的魔掌！

然而，福无双至，祸不单行，就在她不知所措之际，竟然不小心碰翻了一个装满杂物的纸箱。纸箱弄出的声音在这夜阑人静之时犹如惊雷，使她陷入崩溃的边缘，被发现已经是无可避免的事情。可是就在此刻，一个从纸箱中掉出的相框却让她暂时忘却了恐惧，所有思绪全被此吸引住。

这是一个精美的相框，精美得稍微夸张。不过在现在这情况下，就算是砌金镶玉的相框她也不会在意，把她吸引住的是相框中的照片。那是一张婚纱照，照片中穿着华丽婚纱的女主角就是她自己，但男主角却不是沛贤，而是一个陌生的男人。

房门被悄然打开，但她已经忘记了危险正在逼近，浑然不知已去世一年多的沛贤就在身后。此刻她的脑子已经完全被这个诡异的婚纱照占据，到底照片中的男人是谁？怎么自己完全没有印象？

4. 为爱而"死"

沛贤走进杂物房并打开电灯，看见婉碧呆呆地看着他刻意藏起来的婚纱照，不由得摇头叹气，一滴眼泪滑过坚强的脸庞。

"让我把一切都告诉你吧！"他扶起心爱的妻子，与她一同走到客厅才哀伤地说，"婚纱照中的男人才是沛贤，我其实是作毅……"

一年前，一场突如其来的车祸夺走了沛贤年轻的生命。丈夫突然离世使婉碧伤心欲绝，因为无法承受如此巨变，她患上了妄想症，坚信亡夫依然在世。因为她的病情日渐严重，父母只好把她送到医院治疗，而为她治疗的医生恰巧就是她的前男友作毅。

作毅至今仍然深爱着她，当初之所以分手，只不过是因为一点儿小误会。如今为了使至爱摆脱妄想症的困扰，他决定使用顺水推舟的方式，在经婉碧的父母同意后，他利用催眠术把她催眠，使她把自己当成沛贤。

作毅把此事告知了所有能联系上、认识婉碧的人，大家都感动于他甘愿为至爱而"死"的痴情，纷纷表示将会配合。然而，他百密一疏，漏掉了身处国外的依玲，致使这个美丽的谎言最终被揭穿。

知道事情的真相后，婉碧泣不成声，不知是为沛贤的离去而哭，还是为作毅的痴情而哭。

"你已经知道一切了，你会恨我骗你吗？"作毅的神情忐忑不安，他虽然是个精通心理学的心理治疗师，但在至爱面前，那些书本里的知识、临床上的经验全都飞到九霄云外，此刻的他犹如一个羞涩的小男孩。

"恨，当然恨了。"婉碧坚定的语气让他如坠深渊。

他如漏气的气球般瘫坐在沙发上，用哀求的语气说："你会赶我走吗？毕竟，这里是你和沛贤的房子。"

"那当然，我现在就要赶你走。"刚才还与自己在床上缠绵的爱侣，此刻却变得冷酷无情。

　　作毅缓缓站起来垂头丧气地往门外走，快走到门口的时候，婉碧忽然把他叫回来："明天记得约爸妈出来谈我们的婚事，我可不想无名无分地跟你过一辈子。"

　　作毅愣了半晌才呆呆地说："约你爸妈还是我爸妈啊？"

　　"我们现在还用分你我吗？笨蛋！"婉碧露出甜蜜的笑容。

　　沛贤的离世曾经给婉碧带来难以磨灭的伤痕，但在作毅的温柔慰藉下，再深的创伤也能彻底痊愈。

[完]

Deception case group
Rumor

Chapter ③ 邪鬼仔

1. 引鬼入室

　　万江把离婚协议书放到晓芝面前，后者看也没看就在上面签了字。收好协议书后，万江轻吻法律意义上已经不是他妻子的晓芝，温柔地说："我把事情办好，马上就回来。"晓芝露出甜蜜的笑容，把已成为她"前夫"的万江送到家门口，才依依不舍地吻别。

　　一小时前，这两人是夫妻；一小时后，他们还是夫妻，只是法律意义上他们已经离婚了。

　　假离婚的主意是万江提出的，近两年他的生意越来越不景气，今年的情况更加恶劣，已经三个月没给工人发工资了，再这样下去，恐怕会因为债务的问题而坐牢。为了摆脱困境，他想出了假离婚这个主意。离婚后，他包揽了一切债务，而所有资产则转移到"前妻"名下。接着他就会人间蒸发，晓芝在变卖所有资产后，也会离开本地。他们打算带着变卖资产所得的现金远走他乡，在没有人认识他们的地方开始新生活。

　　只要把这件事办好，丈夫就不用再为债主登门而苦恼，不用再为工人讨薪闹事而心烦，虽然远走他乡会失去所有亲友，但这也是无可奈何的事情。晓芝将要离开这个生活了二十多年的故乡，多少会有点儿不舍，但为了丈夫，她愿意放弃一切。

当晓芝准备好一桌丰盛晚餐的时候，万江兴奋地走进家门。他双手捧着一个精致的木盒子，对晓芝说："太好了，我们可以不用离婚，也不用离开这里了。"

晓芝不知道万江的葫芦里卖的是什么药，就问道："怎么回事？"

万江没有立刻回答，而是径直走到佛龛前，很不敬地把观音像拿下来放到地上。接着，从木盒子里取出一个巴掌大、丑陋至极的铜像，放在观音像原来的位置上，并虔诚地上香，然后才对晓芝说："你知道我带回来的是什么吗？"

晓芝看了佛龛上的铜像一眼，就不想再看了。这是一个非常丑陋的铜像，看上去像个不足一岁的婴儿，但脸上的五官扭作一团，表情三分痛苦七分狰狞，让人感到无比厌恶。

见晓芝一脸不解之色，万江得意地说："你听说过养鬼仔吗？这就是鬼仔像，而且是鬼仔中最厉害的邪鬼仔。"

对于养鬼仔，晓芝虽然所知甚少，但从一些影视作品中也曾听闻一二，供奉这玩意儿能使人财源滚滚、事事如意，可是供奉者最后通常会落得家破人亡的下场。所以，她不由得颤抖起来，说："把这玩意儿带回家干吗？快把它带走吧，求你了。"

万江闻言脸色一沉，不悦地说："我能不能翻身就全靠它了，难道你真的想让我一辈子都像老鼠似的东躲西藏吗？"

万江说得没错，如果按照原定的计划，他这辈子就得隐姓埋名、东逃西窜，每天都担心会被债主发现。为了丈夫往后的日子里能挺起胸膛做人，晓芝只好强忍心中的恐惧。

2. 我要喝你的血

万江饭也没吃就出去了，他说去谈生意，可能要很晚才能回来。晓芝自己花了一个下午做出来的一桌丰盛的晚餐，吃了几口，就觉得没有胃口了，没有丈夫陪伴，山珍海味也食之无味。

佛龛在电视机的左侧，所以晓芝看电视的时候，总是有意无意地朝那个丑陋的铜像瞥上两眼。万江说铜像是他托人从马来西亚带回来的，是巫师用婴儿的尸体制成的。

一想到薄薄的铜皮之下是一具婴儿的干尸，晓芝就立刻觉得头皮发麻，不停地在心里祈祷丈夫能快点儿回家陪她。然而，时间一分一秒地过去，空荡荡的房子里还是只有她和一具婴儿尸体。

已经十二点了，晓芝终于按捺不住拨通了丈夫的手机。手机里传来万江兴奋的声音，他说生意谈成了，邪鬼仔真的很有效，还一再叮嘱晓芝睡前记得给邪鬼仔上香。至于何时回家，这个晓芝最关心的问题，他只是敷衍地说晚一点儿就回来。

根据过往的经验，丈夫所说的晚一点儿，也许是快天亮的时候。晓芝虽然很想丈夫立刻就回到自己身旁，但为了不影响他的生意，也只能无奈接受。

上床之前，晓芝没忘记丈夫的叮嘱，走到佛龛前给丑陋的鬼仔像上香，虽然她很不愿意这么做。当她颤抖着往香炉里插上三支已点燃的檀香时，诡异的事情发生了，包裹着尸体的铜像竟然发出声音，是奶声奶气的幼儿声音："我要喝你的血！"

晓芝如触电般弹开数步，大脑还没来得及弄明白是怎么回事，铜像又开腔了："我要喝你的血！"

铜像不断传出相同的一句话——"我要喝你的血"。这句话如同厉鬼狞叫般刺激着晓芝全身每一根神经，把她吓得魂飞魄散。她发疯似的冲进卧室，大被蒙头，双手死死地捂住耳朵，心中不断祈求丈夫能马上回来救她。

虽然躲在被窝里的晓芝已听不见那奶声奶气却无比恐怖的声音，可是那声音还在她心中回荡，挥之不去。

3. 我要吃你的心

深夜两点，万江终于回到家里，晓芝一看见他就立刻扑进他怀中，双手紧紧地把他搂住，生怕他会突然消失似的。

在得知晓芝的可怕经历后，万江不但没有感到惊慌，反而兴奋万分，大呼邪鬼仔显灵了。他随即从厨房取出菜刀，走到佛龛前上香，然后用菜刀划破指尖，把鲜血滴在鬼仔像上。

看见沾满鲜血的丑陋铜像，再看丈夫那不知道是因为酒精还是因为别的原因而布满血丝的双眼，晓芝顿感毛骨悚然，身体不住地颤抖。然而，万江对妻子的惊慌视若无睹，吩咐她按时给邪鬼仔上香，并必须满足其一切要求，之后，就去了卫生间。

万江刚走进卫生间并关上门后，奶声奶气的幼童声音再次从铜像中传出，这一次晓芝几要崩溃了，因为铜像传出的声音是"我要吃你的心"！

晓芝惊叫一声当场就瘫倒在地。万江拉着裤链从卫生间冲出来问她发生了什么事，得知缘由后，他露出复杂的眼神，先看看鬼仔像，再看看晓芝，然后看着那把有血迹的菜刀。

晓芝在地上挣扎着爬到万江身前，抱着他的脚，惊恐地哭道："江，快把它送走，我什么都可以不要，只要你在我身边，就算日子过得再苦，我也不在乎。"

万江沉默不语，良久才轻抚妻子的秀发，平静地说："你先睡，这事我会处理。"

在万江的一再安抚下，晓芝才勉强入睡，可是刚睡着不久，就被一阵霍霍之声惊醒。她醒来第一时间就想搂住丈夫，可是床上只有她一个人，丈夫并不在她身旁。她很害怕，她害怕丈夫会出事，于是立刻下床去找他。

霍霍之声从厨房传出，万江在厨房里背对房门，双手缓缓前推，不知道在做什么。晓芝站在厨房门口，看见丈夫安然无恙，稍微心安，关切地问："江，你还不睡，在做什么呢？"

万江停下双手的动作，霍霍之声立刻消失，他缓缓转过身来，脸上露出诡异的笑容，阴冷地说："我在磨刀，邪鬼仔要吃你的心……"说着举起已被他磨得闪亮的菜刀扑向晓芝。

"啊——"晓芝被吓得尖叫，拔腿就往房外逃，她不停地跑，不知疲惫地跑。不管跑得多快，她都觉得万江正举着寒光闪闪的菜刀在身后追着她，所以她不能停下来，一直在跑……

4. 谁是最可怕的人

晓芝疯了，她总是说万江要杀死她，要把她的心脏挖出来给邪鬼仔吃。她的前夫——也就是万江，把她送到精神病院后，就对她不闻不问了。这也无可厚非，因为他们已经离婚了。

万江给晓芝签的离婚协议书并非如他之前所承诺的那样，而是完全相反，协议书的内容是离婚后，晓芝将要承担一切债务，而所有资产则归万江所有。

这是一场阴谋，万江一手策划的阴谋。那个所谓的鬼仔像也不过是一个普通的铜像，只是里面藏着一部手机。他把手机的铃声设置成两句可怕的幼童声音，只要有来电，铜像就会按顺序"说出"这两句恐怖的话。

那晚，万江并不是出去谈生意，他只是与几个酒肉朋友喝酒，晓芝给他打电话时，他一再叮嘱对方要给邪鬼仔上香，然后算好时间拨通电话，让铜像"说出"第一句话。回家后，他又利用上卫生间的时间，再次拨通电话，让铜像"说出"第二句话……

其实，晓芝只要仔细地观察一下铜像就能拆穿这场阴谋，可是万江深知她非常胆小，故意说铜像是由婴尸制成，让她连看也不敢多看一眼。

一切都在万江的算计之内，他成功甩掉一切债务，而且不用再过东躲西藏的日子了。可是，任他机关算尽，还是百密一疏，他竟然忘掉在众多债主当中，有一个是黑道人物，而且是暴脾气。在得知他把全部债务转移到已经疯掉、毫无还债能力的前妻身上后，这个黑道大哥就让几个小混混儿把他送上了黄泉路。

　　谁是最可怕的人？

　　是同床异梦的枕边人。

　　也许，他或者她，今夜就会在您的枕边磨刀霍霍。

[完]

Chapter ④ 最可怕的地方

什么地方最安全?

是家,因为家里的一切都是那么熟悉。

什么地方最可怕?

也是家,正因为家里的一切都是那么熟悉,任何细微的异常之处都足以让人感到毛骨悚然。

1. 下班回家

"喂,淑华,今天怎么样,宝宝踢过你吗?外面雨很大,你要多穿衣服别着凉了。"

"浩文,今晚能回来吗?你已经快一个星期没回家了,现在外面又下雨又打雷,我一个人很害怕。"

"今晚应该能回来,工作还有一点点就能完成了。我答应你,十一点之前一定到家。"

"那我等你，你不回来我睡不着。而且……这几天家里好像有点儿怪怪的。"

"不说了，我把工作完成就马上回来。"

"好，我等你……"

刚放下电话，浩文又埋头于工作之中。他是个软件工程师，任职于一家规模不大但非常有潜力的软件公司。因为公司刚刚起步，所以他的工作非常繁忙，平时吃喝拉撒睡基本上都是在公司里，十天半个月不回家也是家常便饭。

工作虽然辛苦，但一想起已怀孕七个月的妻子，浩文就立刻精神大振。为了给予妻儿最优越的生活条件，他必须努力工作，努力赚钱。

晚上十点左右，终于把工作完成了，归心似箭的浩文恨不得立刻坐火箭回家。然而，倾盆大雨使路况甚为恶劣，使他不敢把车开得太快，毕竟安全是最重要的，家里还有妻儿等着他养呢。

浩文在裕丰花园买了一栋别墅，两层高，带前后花园，占地约两百平方米，只有他们小两口住，地方显得很宽阔。这里什么都好，就是安保工作过于严密，每次出入都要登记身份让他觉得很不方便。不过，仔细回想，当初之所以决定在这里买房，优良的安保系统也是考虑因素之一。

把车子驶到家门前的时候，浩文发现有一辆面包车停在不远处。他觉得很奇怪，因为小区里虽然每户都拥有汽车，但都是些中高档的轿车，面包车还是第一次看见。不过他并没有在意，此刻没有比回家亲吻至爱的妻子更重要的事情。

终于到家了，可是刚把门打开，浩文就犯愁了，因为家里一片漆黑。淑华怕黑怕打雷，像今晚这种雷雨之夜，她一定会把所有灯都亮着，除非是停电了。

按下电灯开关，整个客厅亮起来的同时，推翻了停电的猜测。

"淑华，淑华……"浩文不断呼唤妻子的名字，却得不到任何回应。他想妻子一定是先睡了，随手把钥匙放在茶几上，就走上二楼，到卧室里找她。然而，卧室里空无一人。他边返回一楼的客厅，边拨打她的手机。

"若我还有一点时间，我一定要把你找到……"经典的诺基亚铃声旋律，搭配甜美的少女歌声于客厅中回荡，是淑华手机的铃声。随声而觅，浩文在沙发上找到了妻子的手机。他拿起一看，屏幕上显示有十四个未接来电，查看后发现，竟然全是他打来的。

"这是怎么回事？全是我打来的电话，那这几天我到底是跟谁在通电话啊？"浩文随手把妻子的手机放进裤兜，一股恶寒从心底升起，他突然觉得整座房子都被诡异的气息笼罩。妻子一定出了什么意外，必须立刻找到她，带她逃离这座房子。

"浩文……"厨房里突然传来淑华的呼唤，浩文毫不犹豫地冲进去。

2. 杀机处处

一推开厨房门，浩文就察觉头上光芒一闪，似乎有什么东西要掉下来。他本能地往后退了一步，可是慢了半拍，被掉下来的东西砸中了手臂，同时他因为退得太急而失去平衡，跌坐在地。当他看清楚掉下来的东西后，不由得遍身生寒，那是一把菜刀，刀身上满是血迹。

浩文立刻查看自己的手臂，也许因为外套较厚的关系，又或者菜刀是刀背朝下掉下来，手臂只是被砸得瘀青，并没有流血。那刀上的血迹是怎么回事？

浩文突然觉得妻子会有危险，奋不顾身地扑进厨房。然而厨房里空无一人，除了一锅沸腾的汤外，并无特别之处。

面对空荡荡的厨房，浩文顿感诡异莫名。苦恼中，他的目光落在汤锅上，他伸手揭开锅盖，希望能从中得到线索。

"啊——"看见汤锅里的情景，浩文不禁把锅盖甩掉，大叫着逃离厨房，因为汤锅里翻腾着一只手掌。虽然只是看了一眼，但他清楚地看见那是一只白皙的女性手掌，无名指上还戴有一枚钻石戒指，那是他亲手给淑华戴上的结婚戒指。

浩文强忍着呕吐的欲望，希望能尽快找到妻子，带她逃离这个可怕的鬼域。

可是，她此刻到底在哪儿呢？

浩文歇斯底里地不断叫着妻子的名字，良久，储物室传来淑华柔弱的声音："浩文，救我……"

3. 鬼火幽幽

浩文捡起那把满是血迹的菜刀，背贴着墙，一步一惊心地走近储物室。

储物室的门像厨房那样虚掩着，浩文生怕会再掉下一把菜刀，使劲把门推开，立刻就把手缩回来。然而，这次并没有任何东西掉下来。虽然如此，他并没有放松警惕，对着漆黑的储物室叫了几遍妻子的名字，可是回应他的只有死寂。打开电灯开关后，他在狭小的储物室里希望能找到深爱的妻子，但仍然一无所获。

心中有千万个疑问，但浩文还没理出头绪就眼前一黑——灯灭了！不但储物室的灯熄灭了，整座房子的灯都熄灭了。

浩文如惊之鸟般蜷缩在墙角，双手紧握菜刀不住地颤抖。他知道这不是普通的停电，一定是有人在作怪——又或者作怪的根本就不是人。

身前的一堆杂物突然出现一点光芒，一声巨响迅速传入耳朵，那堆杂物竟然爆炸了。爆炸的强度虽然不大，却把周围的杂物都烧起来了。然而让浩文感到万分恐惧的是，那熊熊的火焰竟然是鬼火般的幽绿色，储物室瞬间化作幽冥鬼狱。

置身于诡异的烈焰之中，浩文哆嗦不止，那幽绿的火焰一点儿热量也没有，此刻的储物室犹如冰窖一般。如此诡异的景象把他吓得魂飞魄散，把菜刀胡乱一甩，大叫着冲出了这个可怕的地方。

4. 厉鬼索命

这房子一定是闹鬼了，必须立刻离开这里。在漆黑的客厅中，浩文连爬带跑地来到茶几前，伸手往茶几上一摸，什么也没摸到。钥匙，钥匙怎么不见了？

没有钥匙就发动不了汽车，但问题不大，大不了冒雨跑出去，只要能跑到小区的保安室就能找人来救妻子了。想到此处，浩文立刻往大门跑，虽然只是短短的一段距离，但四周黑得不见五指，而且他心里极度惊慌，因此接连被杂物绊倒，最后几乎是爬到大门前的。

在他以为终于能逃离这个可怕的鬼域了时，浩文发现大门竟然被锁上了。他清楚地记得，进来的时候只是随手把门关上并未上锁。幽绿的鬼火、汤锅中的手掌、沾血的菜刀……一幕幕可怕的景象在他的脑海中不断涌现，使他无法运转一直引以为豪的大脑。

手机突然响起，几乎把浩文的心脏引爆。他颤抖着掏出手机，屏幕上显示的竟然是妻子的来电，可是妻子的手机明明在自己的裤袋里啊！

"浩文，救我，快来救我……"手机中传来淑华惊恐的叫声。

"你在哪里啊，到底发生什么事了？"浩文慌乱地说。

"我在卧室，快来救我……"通话突然中断。

刚回来的时候，浩文就进过卧室了，里面明明没有人，但既然妻子说在卧室，就必须再去一趟。他于黑暗中贴着墙壁摸索到二楼，昔日熟悉的家，此刻却暗藏着无数未知的危险。终于来到卧室门前，他很害怕开门后又会看见可怕的景象，但为了拯救妻子，他豁出去了。

卧室依旧空无一人，和刚才进来时没多大变化，唯一不同的是比刚才要冷一些。仔细查看，原来阳台的门不知何时被打开了。浩文走到阳台上，这里并没有妻子的身影，只有倾盆大雨。

返回卧室后，浩文的目光便落在衣柜上，他对着衣柜轻呼妻子的名字，里面没有传出任何回应，整个房间安静得像午夜的坟地，除了自己疯狂的心跳外，他再也听不见任何声音。

不断冒出的冷汗，使浩文全身湿透，身体不住地哆嗦。心理承受能力已近极限，任何风吹草动都能把他吓倒，就算此刻衣柜里跳出一只老鼠，也足以把他吓得晕死过去。虽然如此，他还是伸出颤抖得比帕金森病患者还厉害数倍的手，打开了身前这个充满未知的恐惧的衣柜。

打开衣柜的那一刻，浩文吓得跌坐在地，他的大脑突然停止了运转，犹如电脑死机一样。借助从阳台透过来的微弱光线，他看见自己所担心的妻子就蜷缩在衣柜里，双目紧闭，一动不动，浑身尽是早已干涸凝固的血迹，左手手掌不见了，一把匕首插在胸口上。

浩文愣了好一会儿还不能回过神来，眼前的一幕足以让他明白妻子早已离世的事实，那么刚才跟他通电话的是谁？是人还是鬼？就在他觉得脑袋快要爆炸的时候，更可怕的事情发生了。

淑华的身体突然抖了一下，双眼猛然睁开，以尖锐的声音叫道："你为什么不回来救我？你为什么这样狠心让我和还没出生的孩子死去……"

逃，此刻浩文心中就只有这个念头。妻子怨恨的尖叫，使他勉强能猜出事情的始末——因为他忙于工作，数夜不归，妻子被入屋的贼人杀害，现在妻子冤魂不散，要取他性命。

大门被莫名其妙地锁上，钥匙又不知所终，要逃离这房子，唯一的方法就是从阳台跳下后花园。阳台距离地面不到四米，而且后花园的地面是草坪，绝对摔不死人。

浩文惊恐地挣扎着爬起来，手脚并用往阳台冲去，背后响起淑华那厉鬼般的尖叫，似乎要追上了，吓得他恨不得多长几只脚。衣柜与阳台只有咫尺之遥，他却觉得比万里长城还长。

好不容易才爬上阳台的栏杆，当头洒落的暴雨使浩文的双眼变得模糊，看不清楚眼前的事物，但他已顾不上这些，双腿发力往前一跳。他本以为这一跳能让自己逃离鬼域，但万万没想到，这一跳让他跳进了地狱。

正如浩文所想，后花园的地面是草坪，但他没想到的是，草坪上横七竖八地堆放着数十根细长的不锈钢钢管，这些钢管大多被人刻意地竖起来，而且末端异常尖锐。他这么一跳，犹如从虎口跳往刀尖……

5. 天网恢恢

淑华打着雨伞走到后花园，怜惜地看了一眼犹如被万箭穿心的丈夫，轻声叹息："谁让你不多抽点儿时间陪我。"

一个脸色白净的男人为淑华披上外套，温柔地说："雨很大，很容易着凉的。你先回房间洗个澡，其他的事情让我来处理。明天一早，你就打电话报警，说你本来打算买些钢管让人加装防盗栏，可是这个胆小鬼却无缘无故地从阳台跳下来自杀。"

"子丰，你今晚不留下来陪我吗？"淑华紧紧地依偎在男人怀中。

被称为子丰的男人轻抚淑华的秀发，柔声道："以后我每晚都陪你，但今晚你得先忍耐一下，就当是为了我们的宝宝。"

"嗯。"淑华无奈点头，与子丰一同返回屋内……

这是一场策划已久的杀夫阴谋。

浩文因为忙于工作而无暇照顾妻子，淑华寂寞难耐，就想起前男友子丰，并与其旧情复燃，不但红杏出墙，更珠胎暗结。她心知纸包不住火，此事总有东窗事发的一日，于是便在子丰的提议下，狠下杀手。

子丰在电视台从事剧务工作，主要是为拍摄准备道具，沾血的菜刀、汤锅里的手掌以及淑华的化装，对他来说只是小菜一碟。

浩文回家时看见的那辆面包车其实就是子丰开来的，他一直躲在车里等待猎物出现。浩文回家后就到二楼卧室找淑华，他则尾随其后，偷走放在茶几上的钥匙，并锁上大门。然后返回车子里，通过安装在房子各个隐蔽角落的偷拍设备，监视浩文的一举一动，并遥控声效设备，把浩文引到厨房和储物室，伺机启动隐藏于杂物中的爆破装置，以低温火焰造出鬼火的效果。

淑华那部把浩文吓得遍体生寒的手机，其实是子丰利用能任意修改号码的网络电话弄出来的小把戏。之后，他又利用网络电话配合淑华的录音把浩文引到卧室。

尽管子丰机关算尽，但还是百密一疏，他这近乎完美的布局就败在小区的出入记录上。裕丰花园的安保工作非常严密，所有人员出入都会记录在册，而警方在接到淑华的报案后，认为自杀的可能性较大，但毕竟出了人命，自然要翻阅一下出入记录。

警方从出入记录中得知子丰经常在淑华的陪同下进出小区，并且在事发当晚的凌晨时分独自离开。而淑华在报案时却对他只字不提，这不禁让人生疑。

在警方的不断盘问下，淑华的口供渐渐前后矛盾，最终承认与子丰合谋杀夫的犯罪事实。美梦未成，恶果先尝，二人最终受到了法律严厉的制裁。

什么地方最可怕？

是家！因为家里也许有一个与您同床异梦的人正与情人商量如何加害于您。

［完］

Deception case group
Rumor

Chapter ⑤ 老三

1. "老三" 的困惑

　　黄祥是家中唯一的男孩，而且是老幺，所以自小就娇生惯养，享尽家人疼爱。虽然，母亲在他出生时就死于难产，但父亲把他当作掌上明珠，不但给他吃好的穿好的，还向亲友举债供他上大学。要知道，在他们村子里，他是仅有的三名大学生之一。

　　"老三" 是黄祥的小名，也是家人对他的昵称。他有两个姐姐，大姐黄福，二姐黄禄。

　　黄家并不富裕，而黄祥又是个超生儿，为了不让他成为黑户，父亲不但向亲友举债，还跟包工头签下长达十年的合约，才筹到足够的钱缴所谓的 "社会抚养费"。

　　为此，他母亲的丧事只能草草办理。

　　正所谓穷人的孩子早当家，虽然父亲长年在外打工，但黄祥的两个姐姐都很有本事。

　　大姐虽然读书不多，但能把家里的大小事务都打理得井井有条，而且还下田干活儿。现如今，干农活儿虽然赚不了几个钱，但至少能让他们三姐弟吃个饱饭，用不着吃那些用农药泡出来的农作物。也许因为农活儿做多了，大姐的身体很强壮，力气不见得比男人小，黄祥跟她掰手腕总是输。

二姐不像大姐那么强壮，但她比大姐聪明。本来她上完小学后就得跟大姐那样，要帮家里做事而不能再上学了，然而她的成绩很好，每次都能考到第一名并拿到奖学金，还经常给一些报刊投稿，赚来一点儿补贴家用的稿费，所以父亲才让她念完高中。

有了这两个姐姐，黄祥的童年几乎是饭来张口衣来伸手，每天都是二姐叫他起床，一睁开眼睛衣服就已经放在床头，大姐亦已为他准备好了早饭，甚至连牙膏也已经帮他挤好了。因为大姐是个大块头，所以小时候没有人敢欺负他；也因为二姐的成绩好，在学习上遇到什么问题都能向她讨教。不过，这所谓的讨教，实际上只是把作业本丢给二姐，让她帮忙做作业罢了。他之所以能考上大学，也是因为二姐在他高考前，给他进行了长达两年的地狱式"特训"。

虽然在两个姐姐的照顾下，黄祥几乎是过着无忧无虑的生活，但有一个问题多年来一直困扰着他，那就是他到底是不是家里的老三。

他之所以有这个想法，是因为大姐跟二姐的年龄只相差两年，但他跟二姐却相差四年。而且，随着年纪的增长，他渐渐了解了"延续香火"这个传统思想，也开始明白父亲对自己特别好，全因重男轻女的思想。

他想，父亲既然这么想要一个儿子，为何在二姐出生后不马上再生一个，而是四年之后才把自己生出来？

还有，父亲是个识字不多的农民工，他们三姐弟的名字是以"福禄祯祥"中的福、禄、祥取的，中间好像缺了一个"祯"字。他曾经就这个问题问过父亲，父亲当时回答得有点儿支吾："叫黄祯有什么好听的，像个女娃一样，叫黄祥才像个男子汉的名字。"

所以，他怀疑在二姐出生之后，自己出生之前，父母还生了个孩子。这个孩子的名字应该是"黄祯"，她才是黄家的老三，而自己应该是老四。

2. 树下的土包

黄祥的怀疑并非凭空想象出来的，还有一个重要的证据支持他这个想法，那就是房子后面的土包。

他家后面是一片杂草丛生的空地，空地上有四棵槐树，其中三棵半死不活，唯独靠近房子的那棵长得特别翠绿茂盛。他小时候最喜欢的就是爬到这棵槐树上玩，但是每次被大姐发现后都会被大骂一顿，大姐总是这样说："这棵槐树之所以长得比其他三棵茂盛，是因为树里面住着树鬼，如果你再爬到树上就会被树鬼吃掉！"

这种吓唬小孩儿的谎言只能敷衍年幼的黄祥，十来岁的时候，他再次爬到这棵槐树上玩时，大姐这套谎言不但不起效，反而引来他的反讽："这世上哪里有鬼？要是有你去抓一只给我看。"

大姐被他气得脸都红了，好一会儿也没说出话来，良久才吐了一口气，平静地说："好啊，你要是再敢到那棵槐树上玩，以后你的衣服就自己去洗。"

大姐这一招比什么都管用，因为他们家没有洗衣机，衣服都是用手洗，就算黄祥后来到镇里念中学，衣服也是周末带回家让大姐洗。可以这么说，在上大学之前他没有自己洗过衣服，甚至在上大学之后也没怎么洗过。

虽然大姐以不洗衣服要挟，不让黄祥接近那棵茂盛的槐树，但人总是有好奇心的，越是不让靠近，就越想去了解。虽然他不敢再明目张胆地爬到树上玩，却特别留意这棵槐树。他发现槐树下有一个土包，一个毫不起眼的土包，但是每逢过年过节，大姐都会在土包前插上三炷香。

他曾经多次询问大姐，为何要在土包前上香，但大姐每次都支支吾吾，后来他问多了，大姐便说土包里埋着她小时候养的兔子。

在他的印象中，小时候家里的确养过几只白兔，但后来父亲回家过年时，便把它们宰了做年夜饭。他依稀记得，当时大姐把兔腿夹给他吃，还骗他说是鸡腿。那顿年夜饭大姐好像也吃了不少兔肉，毕竟当时他们没太多机会吃上如此丰盛的晚餐。

或许因为时间太长，或许因为他当时的年纪太小，这些记忆并不一定可靠。但是，就算大姐真的对这些兔子有感情，安葬了它们的骨头就已经足够，还给它们上香似乎有点儿说不过去。毕竟他从来没听说过，有人居然会给自己吃掉的食物上香。

他怀疑大姐不让他靠近槐树的原因是，埋葬在土包里面的并非兔子，而是真正的"老三"黄祯。

3. 黄祥的衣服

黄祥自小娇生惯养，多少会有些少爷脾气，在家里还好，因为两位姐姐几乎事事都迁就他。但是，自从上了中学，他这个缺点就暴露无遗了。虽然在宿舍里或多或少都会跟室友产生摩擦，不过这也只是小问题，物以类聚、人以群分，时间长了总能找到臭味相投的朋友。他遇到的最大的问题，是他不懂得照顾自己，尤其是，他不会洗衣服，或者说他不愿意自己洗衣服。

幸好，他每个周末都能回家一趟，把换下来的衣服打包带回家让大姐洗就行了。然而，当他读大学之后，因为学校离家很远，只能在寒暑假回家，洗衣服就成了他的一大难题。

广东有句方言叫"马死落地行"，意思是骑马赶路时，马在途中死了，只好下马依靠双脚步行。虽然十分无奈，但也是没办法的事。用这句话来形容他此时的状况最合适不过了。没有姐姐们的帮助，也花不起钱去洗衣店，他只好硬着头皮自己动手洗衣服。

其实洗衣服并不难，虽然黄祥在家里被宠惯了，但经历了中学的寄宿生活，生活并非完全不能自理，衣服他也算会洗，只是懒得去洗。他通常是等到没有衣服替换时，迫不得已才抱着一大堆脏衣服到水房。洗一件衣服很轻松，但十几件堆在一起洗却挺累人的，对于本来就不愿意洗衣服的人来说更是个噩梦。所以，他每次洗衣服都是草草了事，几乎只是让衣服湿一下水就算完成任务了。

因此，他的衣服总是脏兮兮的，而且越接近学期末越严重。在第一个学期结束的时候，他提着装满脏衣服的大包小袋赶火车，那模样哪里像个大学生，说他是个流浪汉还差不多。

然而，从第二个学期开始，他的衣服就不再脏兮兮的了，因为他在这次回家的火车上遇到一位同乡。

4. 善良的学姐

黄祥之所以会认识许悦，全因他那大包小袋的脏衣服。

在第一个学期结束的时候，黄祥把所有脏衣服都打包带回家，理由很可笑但也很实在——带回家就不用自己洗了。这本来是个偷懒的想法，可是实行起来却比自己洗衣服还要费劲，因为他得带着这堆脏衣服挤十多个小时的火车才能回到家里。

春运期间的火车站人潮汹涌，带着一大堆行李的黄祥，好不容易才穿过拥挤的人群钻进火车里。可是，火车关门的时候问题出现了——他背后那个胀鼓鼓的背包被车门夹住，使车门关不上。

火车里人群拥挤，而且黄祥双手都提着行李，所以他要往里面挤并不容易，如果这时候能有人拉他一把，那么车门就能顺利关上。可是，当他向众人投去求助的目光时，得到的并非友善的帮助，而是粗暴的推阻。这也怪不得别人，因为火车里本来就挤得像沙丁鱼罐头，谁愿意让这拥挤的罐头瓶里再添一条沙丁鱼呢？然而，就在黄祥快要被挤出车门时，一只白皙纤细的手臂出现在他眼前，抓住他的手臂把他拉进车厢里。

车门关上的那一刻，黄祥心中有种绝处逢生的感觉，这种感觉让他又惊又喜，以至呆了好一会儿也没想到要感谢在关键时刻拉他一把的人。

"你还好吧？"拉黄祥一把的人是个文弱的女生，她样子长得很清秀，也很漂亮，给黄祥一种十分亲切的感觉，以至他又呆了好一会儿。"你没事吧？"对方关切的问候终于使他回过神来，傻乎乎地笑着："没事，没事……"

这就是黄祥跟许悦认识的过程，虽然非常狼狈，但绝对难忘。

也许因为无聊，也许因为其他原因，初次相识的两个人，在火车开启后就几乎没合过嘴，天南地北无所不谈，其中当然包括他们各自的状况。交谈中，黄祥发现许悦原来是他学姐，正在他念的那所大学里读大三。其实，这是很容易理解的，因为在这个火车站上车的学生基本上都是念同一所大学。然而，巧合的是，他们的目的地也一样。

老乡见老乡，两眼泪汪汪，两个人当然会有说之不尽的话题。从校园里的趣事到家乡的风土人情，他们的话题一个接一个从不间断，不过当话题落在黄祥那大包小袋的行李上时，他不由得羞愧地沉默起来。

黄祥的沉默令许悦不自觉地上下打量他，思索片刻便问道："你不会是不愿意洗衣服，所以打包带回家让家人帮你洗吧？"

许悦的话令黄祥目瞪口呆，因为对方发现了自己的糗事。他尴尬得想找个洞钻，可是火车上唯一能当作洞的洗手间，早就被人"占领"了，在到达目的地之前，里面的人大概是不会出来的。因此，他只好随便说句话，转移自己的尴尬："你怎么知道的？"

许悦掩嘴笑着，伸出纤细的手指指向他的衣袖："这里有酱油的痕迹……"随后又指向他衣服上其他位置，"这里有巧克力的痕迹、这里有笔的痕迹、这里有油迹、这里有……"

黄祥本来是想换个话题使自己不这么尴尬，没想到反而使自己越来越窘，脸红得像个番茄，头更是低得快要砸到地板上。

许悦在黄祥尴尬的沉默中忍不住捂嘴偷笑，过了好一会儿才忍住笑声："这样吧，从下个学期开始，我帮你洗衣服。"

黄祥再次呆住了，不过这一次他是因为突如其来的幸福而呆住。一名初相识的美女竟然说以后帮自己洗衣服，哪怕对方只是开玩笑，他也觉得自己很幸福。

然而，许悦并非信口开河，第二个学期她真的兑现了自己的承诺，主动帮黄祥洗衣服。

有女生主动为自己洗衣服，黄祥自然欣喜若狂，而且许悦虽然身材稍微有些瘦弱，但长相并不差。她在学校里可是药剂系的系花，追求者并非只有一个两个，如果全都跑到篮球场上去，球员、裁判、记分员都会有，还能多出几个观众。

反观黄祥，不但长相不怎么样，身高也不怎么样，家世当然也不怎么样，如果不是有许悦帮他洗衣服，他跟流浪汉也没两样。或许，他连流浪汉也比不上，最起码"犀利哥"要比他有品位得多。

总体来说，在正常情况下黄祥要追求许悦，无异于癞蛤蟆想吃天鹅肉。正因如此，虽然许悦对自己关怀备至，但他却始终不敢追求对方，就连主动提出约会也不敢，每次都是许悦主动去找他。

改变这种状况的事发生在某个风和日丽的下午。因为这天是周末，所以寝室里的室友都外出了，有女朋友的忙着谈恋爱，没女朋友的大多跑到篮球场上打球去了，唯独黄祥独自待在寝室里看书。

"你在看什么书呢？"

"啊！"许悦的突然出现，把黄祥吓了一大跳，慌忙地把手中的色情小说往被子里面塞，并岔开话题："小说而已，我又不像你，老是看那些让人头晕眼花的心理学书籍，我只喜欢看些轻松点儿的课外书。你来找我出去玩吗？"

说来也奇怪，许悦虽然念药剂系，但他们每次去图书馆，她都会挑些心理学的书来看。

"是啊，整天待在宿舍里挺无聊的。走，我们出去逛逛。"许悦主动牵住他的手，拉他往门外走。

两人刚走出寝室，就有四个人迎面而来。他们是黄祥的室友和同学，刚刚从篮球场上回来。

精力过盛的年轻人，看见美女很自然就活跃起来。这四名同学看见许悦牵着黄祥的手，捧着篮球的高个子便调笑道："黄祥，你姐姐又来喊你回家吃饭了！哈哈！"有人带头了，其他三人自然不会保持沉默，你一言我一语地取笑他们："回家吃饭还好，就怕不是吃饭那么简单。""×，不吃饭就不吃饭呗，有啥好奇怪的，现在挺流行姐弟恋的。""为什么我就这么命苦，没有姐姐来疼我……"

平时也经常会有人挖苦黄祥跟许悦的关系，但都只是在黄祥面前说，在许悦面前说还是第一次。她虽然是个大方的女生，但当众被人取笑也会感到害羞。

黄祥看见她绯红的脸颊，一股无名火直冲脑门，冲对方吼道："我就是喜欢姐弟恋，就是喜欢跟能照顾我的姐姐谈恋爱，你们要是羡慕，不会自己去找一个啊？！"他这么做本来是想为许悦解围，但得到的似乎是相反的效果——许悦的脸颊变得更红了。不过，那四个同学倒是被他镇住了，讪笑着散去了。

众人离去了，正当他以为自己说错了什么，忐忑不安地想向许悦道歉时，对方却低着头羞怯地问："你刚才算是当众向我表白吗？"

5. 姐姐的反应

自从黄祥"当众表白"之后，他跟许悦的关系就变得更加密切，两人几乎形影不离。

时间流转，眨眼间已经是学期末了，在漫长的暑假里不跟对方见面，对刚开始恋爱的情侣而言，确实是一种难以承受的痛苦。虽然两人的家乡在同一个省份，但也相隔近两个小时的车程，要经常见面并不容易。

"我跟你回家好了。"

许悦淡淡的一句话，在黄祥脑海中犹如惊雷炸响，他做梦也没想到对方竟然会说出这样的话。虽然他们确定恋爱关系已经是三个月前的事，但这三个月里，他们的关系还停留在牵手的阶段。黄祥曾经想一亲许悦的芳泽，虽然这在校园里是随处可见的事情，却被对方娇嗔婉拒："我不是那种随便的女孩子。"

所以，当许悦主动提出要跟自己回家时，黄祥愣住了，直到对方在他眼前扬了扬手，问他是不是不方便时，他才慌忙回答："方便，方便。我父亲在外面打工，而且大姐已经嫁人了，家里就只有我跟二姐，没什么不方便的。"

"那就好了，我这个暑假就在你家里过。"许悦露出会心的微笑。

然而，黄祥却略感不妥，犹豫地问："你暑假不回家，你父母不会生气吗？"

许悦脸上的笑容突然消失了，换上的是淡淡的哀伤："他们已经不在了……"原来，她十四岁那年，父母在一场车祸中双双离世，现在的她从某种程度来说算是个孤儿。

知道许悦原来是因为"无家可归"才想跟自己回家过暑假后，黄祥便把她搂入怀中，怜惜地说："以后我的家就是你的家……"这是他们第一次拥抱。

坐了十多个小时的火车和汽车，好一番舟车劳顿之后，热恋中的小情侣终于到达了目的地。黄祥的两个姐姐就在家门前迎接他们，因为事前已经给家里打过电话，告知会带女朋友回家过暑假，所以姐姐们并没有感到意外，只是二姐对黄祥带回来的女朋友如此漂亮感到十分惊讶："老三你这臭小子还真有一套，竟然拐来一个这么漂亮的姑娘！"

"哦，来了？"向来好客的大姐不知为何，对许悦的到来表现得十分冷漠，让黄祥觉得非常奇怪，难道大姐不喜欢她吗？

平时较为文静的二姐却对许悦特别热情，或许因为年纪相近的关系。她一手提着行李，一手拉许悦进屋："来，别站在门外，进来坐。"

农村流行早婚，黄祥的大姐早在他上中学时就已经嫁给同村的一个青年，只因丈夫外出打工，她才会经常回娘家。不过毕竟已嫁作他人妇，所以晚饭过后她就返回夫家了。

二姐虽然已到适婚年龄，可她不像大姐那样是标准的农村妇女。她虽然没有外出工作，但她通过网络了解到外面的花花世界，并且知道一旦像大姐那样随便找个同村的男人结婚，那么她这辈子就得留在农村了。她一直都有个心愿，就是离开这个偏僻的小乡村，到外面的世界闯荡。可惜父亲是思想保守的人，认为身为女儿的她应该安分地待在村里，不能到外面乱跑。

其实，早在五年前，二姐就有机会去见识外面的花花世界，可惜最终却因父亲的一句话，一切的希望都于瞬间幻灭……她并不急于结婚，因为她仍然心存希望，希望某天会有一个温柔善良的男人带她离开这个偏僻的小乡村。

或许是出于对花花世界的好奇，饭后二姐就把许悦扯进房间里问这问那。虽然这些问题都能从黄祥口中得到答案，但毕竟男女有别，有些问题只能向女生开口。譬如一夜情在城市里是否很平常，学校里是否真的如网上说的那样，处女都是恐龙级的罕有物种。

虽然当中有不少这类令人尴尬的问题，但大家同是女生，再怎么尴尬也能一笑了之。只是关于网上流传的不少女大学生被有钱人包养是否真有其事的问题，却让许悦一阵面红耳赤，她怯生生地问道："你不会怀疑我是那种不三不四的女孩子吧？"

二姐只不过是好奇而已，当然不会认为弟弟带回来的女朋友会是那种人尽可夫的坏女孩，于是赶紧向对方道歉，请对方不要误会。随后，两人又再谈天说地，简直把黄祥当作不存在。

黄祥本来是为了不受相思之苦，才带许悦回家，没想到现在竟然被二姐"霸占"了。乡村的生活不像城市那么多姿多彩，而且大姐又已经回了夫家，他想找个人聊天也没有，百无聊赖之下，只好到外面散步。

6. 讨债的怨魂

村子里的男性大多在外打工，留下来的不是妇女就是老人小孩儿，黄祥在附近想找个有相同话题的人聊天也没找着，只好在周围漫无目的地游荡，走着走着，就走到房子后面那片空地。

空地上那棵槐树依旧非常茂盛，在夕阳的余晖映照下，犹如一座诡异的堡垒，茂盛的枝叶背后仿佛暗藏着能勾人魂魄的鬼魅。

黄祥突然童心大发，想爬到树上寻找童年的快乐感觉，于是便快步走向槐树。然而，他刚迈出脚步，便看见远处有一个人影同样正走向槐树。他猛然后退，退到房子边上，以墙壁遮住自己的身体。他不知道自己为什么要这么做，但下意识地觉得这样自己会安全一点儿。

随着远处的人影逐渐靠近，其容貌亦渐渐展现在黄祥眼前——是大姐！

"大姐刚才不是说要回夫家吗？怎么会跑到这里来？她跑过来干什么呢？"一连串问题在黄祥脑海中闪现，还没弄明白是怎么一回事，大姐已经走到槐树前徐徐蹲下，把带来的三炷香点燃，插在槐树下的土包前。

黄祥之前也见过大姐在土包前奉上清香，不过每次都是在过节的时候，而今天不是什么节日，她怎么突然跑过来上香呢？

没有根据的猜测并不能得到答案，但静心聆听或许能发现什么，因为此时大姐正对着土包喃喃自语："你既然已经转世投胎，为什么还要回来缠着我们家老三呢？没错，当年爹妈那样对你是很过分，但看在我经常给你上香的分儿上，你就放过我们家老三吧！怎么说他跟你也是一个娘生的……"

黄祥虽然没有完全听懂大姐的意思，但大姐最后一句话至少让他明白，埋在土包里的才是真正的老三。

"大姐，"他不再躲在墙旁，径直走向大姐，并以颤抖的声音询问，"你刚才的话到底是什么意思？"

大姐万万没想到黄祥会突然冒出来，脸色因为瞬间的惊吓而变得苍白，她含糊其词地说："老、老三，你怎么会在这儿，我刚才没说什么……"

"有，我听见了，你刚才对着土包说什么他跟你也是一个娘生的……"黄祥已经走到大姐面前。

"没有，我什么都没说。"大姐站起来拼命摇头。

黄祥上前一步，略显激动地追问："大姐，我已经不是小孩子了，你别再跟我说土包里埋藏的是兔子！这里面到底埋了什么，你为什么老是来这里上香？还有你刚才说什么投胎，什么回来缠着我，到底是什么意思？"

大姐看着激动的黄祥不自觉地后退了一步，沉默良久才开口："老三，你就别再问了，大姐什么也不会说。大姐只想告诉你一件事，别跟那个女孩子走得太近，她是回来讨债的。"

"什么女孩子？你说的是小悦吗？"黄祥露出疑惑的神色。

大姐轻轻点头："你最好明天就让她走，不然她早晚会害你。"

"怎么可能，她对我这么好，怎么会害我呢？"黄祥不敢相信大姐竟然会说出这种话。

"小祥，原来你在这里呀！"许悦的声音从身后传来，黄祥转头望去，看见她跟二姐正从房子那边走过来。

"该说的我都已说了，你好自为之吧！"大姐说罢便转身离开，留下三炷点燃的香。

二姐走到黄祥身旁问道："老三，大姐怎么了？"

黄祥看了看正挽着二姐手臂的许悦，再看着土包前的三炷香，一脸茫然地说："我也不知道……"

7. 异常的大姐

黄祥家的房子并不大，只有两个房间，一间是他跟父亲睡的，另一间则是大姐和二姐睡。父亲长年在外打工，而大姐亦已经出嫁，所以他们姐弟俩可以各自拥有一个房间。

二姐本来想叫许悦到她的房间里睡，以便能跟她秉烛夜谈，但突然想起自己还要赶稿，只好作罢。她虽然是个很少出门的"宅女"，但这并不代表她是个无业游民。其实她是一名职业写手，专门给一些少女杂志写短篇爱情小说。虽然她的作品加起来有近百万字，但是她的写作水平并不高，所以只能在一些三流杂志上发表，赚取微薄的稿费，至今也未能结集出版一本属于自己的书。她一直把这个遗憾归咎于父亲当年的偏心……

因为二姐要专心赶稿，许悦当然不能到她房间打扰她，所以就只能到黄祥的房间里跟他一起睡。

乡村地区的晚上，并没有什么娱乐，看了一会儿无聊的电视剧，黄祥就开始打哈欠。他其实并非真的觉得困，只是跟看电视相比，上床"睡觉"更让他感兴趣。

然而，平日不怎么看电视的许悦，今晚却对无聊的电视剧特别感兴趣，一直看到深夜也没有休息的意思。或许，她并非想看电视剧，而是她猜到了黄祥心里在想什么。不过，能躲过初一，也躲不过十五。她总不能让黄祥陪她一直看到天亮吧！既然都已经跟对方回家了，有些事情是无法避免的。

黄祥的房间虽然是跟父亲同用，但他俩一个长年在外打工，一个大部分时间都在学校里寄宿，只有春节期间才会一同挤在这房间里，所以房间里只有一张床。也就是说，许悦今晚得跟黄祥同床共枕。

虽说他们两人是情侣，睡在一起也无所谓，但是他们的关系至今也只发展到拥抱的阶段，连亲吻都没试过。刚开始的时候，许悦挺抗拒跟黄祥同睡一床，但这里怎么说也是人家的地方，总不能让主人家睡地板吧！所以，最终她还是害羞地点头了。

与热恋中的情人共睡一张床，盖着同一床被子，对还是童子身的黄祥来说是梦寐以求的事情。然而，当这事真的发生在他身上时，却是一种煎熬。因为每当他有不安分的动作时，许悦总是义正词严地拒绝："别把我当成那些不三不四的女孩子！"

屡次求爱不成后，黄祥终于放弃了，安分地闭上双眼，没过多久就进入了梦乡。

在梦中，黄祥看见许悦坐在床边，缓缓地脱掉身上的衣服，一丝不挂地走到窗前，于月色下翩翩起舞。由窗外照进来的月光，犹如贪婪的鬼魅，肆无忌惮地亲吻她每一寸肌肤。在银光的映衬下，她的身体宛若玉琢冰雕，美丽得令人窒息。

黄祥突然觉得下身传来一股令人既兴奋又烦躁的冲动，这股冲动支配了他的思想，使他猛然扑向许悦诱人的身体，立刻进入快乐的源头……

畅快淋漓的春梦虽然让黄祥非常舒服，但随即他就感到一阵寒意，哆嗦一下便睡意全无。下体湿黏黏的感觉让他知道自己梦遗了，但莫名其妙的寒意却让他不解，不过他很快就发现被子并没有盖在自己身上。

又冷又黏的感觉让他很不舒服，很想起床把内裤换掉，然后再钻进被窝，可是他又怕会被枕边的许悦发现。如果被对方知道自己这糗事，恐怕自己这辈子都得背负着一个色狼的罪名。为了不让对方发现自己梦遗，他不但没有下床，就连睁开眼睛也没有，亦没有伸手去摸索被子。

他本来想先不管这事，继续睡觉，等天亮再说，但湿黏黏的感觉尚且能忍受，而寒冷却让人难以入睡。不过，这些不适很快就被紧张兴奋的心跳所取代，因为他突然想起许悦现在已经睡着了。

"她都已经睡着了，就算我对她做奇怪的事，只要动作轻一点儿，她应该也不会知道吧！就算被发现了，我也可以说只是想拉被子而已。"心念至此，黄祥下体的小家伙便不安分地再次抬起头来。然而，当他一边闭着眼睛装睡，一边既紧张又兴奋地把手伸向梦寐以求的女性躯体时，却什么也没摸到。

他猛然睁开双眼，借助窗外的月光，他发现刚才许悦睡的位置此刻空空如也，而被子则掉落在地上，不过用手触摸她睡的位置尚能感觉到她留下的余温。他想她可能是起床上厕所吧，心念至此突然感到一阵莫名的失落，拾起地上的被子又躺回了床上。

黄祥本以为许悦很快就会回来，但是实际上他等了好一会儿也没看见她的身影，这不由得使他感到担忧。他家的房子是在他出生之前盖的旧式房子，厕所建在房子外面，虽然这个偏僻的小乡村向来都很太平，但他还是担心许悦会出意外。

反正在床上也是辗转反侧不能安睡，何不下床去找许悦？

黄祥悄然下床。

虽然是在自己家里，但在这夜阑人静的时候，人总是会不自觉地放轻手脚。他蹑手蹑脚地走向房门，想直接去房子外的厕所找许悦，但经过窗户眼角瞥见窗外那棵茂盛的槐树时，他立刻停了下来。

月下的槐树，有一种妖娆的美艳，宛若一名娇媚的少妇，艳丽中带有几分令人不安的妖冶。然而，吸引黄祥的并非妖冶的槐树，而是站在槐树下的许悦。

许悦独自站在槐树下，站在埋藏"老三"的土包前。她一言不发，默默地凝视着脚下的土包，仿佛着了魔一样。

一个念头在黄祥脑海中闪现，随即感到一阵寒意从心底升起。"难道她跟土包里的'老三'有着某些关联？"联想到黄昏时大姐在土包前所说的话，他便觉得许悦很可能就是转世投胎后的"老三"。

然而，这个想法很快就消失了，因为他在夜色中看见了另外一个身影——是大姐！

许悦似乎是在等大姐过来，因为黄祥看见她对着大姐点点头，而且她们像是在谈些什么。因为距离较远，黄祥并没能听清楚她们谈话的内容，仅能听见大姐那极不友善的语气，似乎是在骂许悦是婊子之类的，甚至还有暴力的肢体行为。

从白天大姐对许悦的态度可以看出，大姐并不喜欢她，说不定她会对许悦大打出手。黄祥当然不愿意看见她们任何一方受到伤害，所以立刻就跑出门，希望能够及时阻止她们。

可惜的是，当黄祥跑到槐树前时，大姐已经抓住许悦秀丽的长发，冲她大吼："你这臭婊子马上给老娘有多远滚多远，别再缠着我们家老三！"

"大姐，你干吗？！"黄祥冲上前想保护许悦，不让大姐伤害她，却在慌乱中顾此失彼，竟然一下把大姐推倒在地。

黄祥突然出现，令大姐感到意外，而他一上来就把大姐推倒，难免会使她感到气愤。所以她一爬起来，就愤怒地冲黄祥叫道："老三！你竟然为了这个臭婊子，连大姐也不要了！"

"大姐，你怎么会这么不讲理呢？明明是你先向小悦动手的。"黄祥让许悦站到自己身后，免得大姐再对她动粗。

"我不讲理？"大姐瞪大双眼看着黄祥，气得全身发抖，良久才从牙缝挤出一句话，"好啊，就当大姐不讲理！现在大姐让你选，要么立刻把这个臭婊子赶走，要么从今以后不要再叫我大姐！"

除了"不可理喻"之外，黄祥此刻实在找不到其他任何字眼形容大姐。大姐的外表虽然给人非常强悍的感觉，但她的脾气其实并不坏，也不是不讲道理的人。可是，此刻的她，为何会变得如此不可理喻呢？

黄祥虽然一时半刻想不明白到底是怎么回事，但作为一个男人，他认为必须先保护自己的女朋友，所以他就像平时对大姐发脾气那般冲其叫道："你发什么神经啊！不叫就不叫了，你以为我很想叫你大姐吗？"

此话一出，大姐的怒容立刻消失，呆若木鸡地看着黄祥，良久才把目光移动到脚下的土包上，摇头叹息："你竟然为了这个臭婊子，连大姐也不要，冤孽啊，冤孽……"她缓缓转身，边走边摇着头并喃喃自语："冤孽啊，冤孽啊……"

看着大姐远去的身影消失于夜色之中，黄祥与许悦面面相觑。

"大姐到底怎么了？"

没有人给他答案。

8. 莫名的憎恨

第二天，大姐并没有像平时那样过来给黄祥他们做饭。

虽然黄祥觉得昨晚对大姐说的话有些过分，可是这些年来他已经被大姐宠坏了，所以并不懂得如何向大姐道歉。而且他也并不想去道歉，一来他认为大姐很快就会消了这口气，二来大姐突然性情大变让他感到害怕。一起相处了近二十年的大姐，突然令他觉得异常陌生，仿佛变成了另外一个人。

他问许悦昨晚为何会半夜三更跑到槐树下去，她说："昨天晚饭前，大姐趁你跟二姐不注意时，偷偷跟我说，叫我等你睡下后到房子后的槐树那里等她，说有很重要的事情要跟我说。"

"那她跟你说了些什么呢？她为什么突然打你？"这是黄祥最关心的问题。

"我也不知道她为什么会这么恨我……"许悦突然落下委屈的泪水，经过黄祥不知所措的安慰后，她断断续续地讲述昨夜的情况——

因为大姐一再强调不要让你知道，所以昨晚我没有跟你提起这件事。可能你会觉得，昨晚我之所以这么晚才睡，是因为我不想跟你一起睡。其实，我这样做是怕你半夜会醒来，发现我出去跟大姐见面。毕竟大姐不想让你知道我跟她见面，我当然不能逆她的意思了。要是她对我有意见，我们在一起就会多很多不必要的麻烦。

只是万万没想到，她竟然会这么恨我……

昨晚，我等你睡着后，就轻轻地下床，走到房子后面的槐树下等大姐过来。

我本以为大姐是想跟我说，介意我的年纪比你大之类的事，但没想到她一上来就说："你这个臭婊子，竟然敢打我们家老三的主意！"

之后，她说了很多莫名其妙的话，还说什么只要有她一天，就不会让我接近你。我听不明白她在说什么，而且她越说越凶，我心里害怕就想离开。可是她却不让我走，冲上来抓住我的头发，还动手打我……

听完许悦的叙述后，黄祥不禁心中一寒，心想：这是平时的大姐吗？她怎么会说这些奇怪的话呢？

如果是昨天，黄祥绝对不会相信许悦所说的话，但是昨晚他可是亲眼见到大姐性情大变。而且黄昏的时候，大姐还在槐树下跟他说了些奇怪的话。再联想到大姐这些年来，每逢过年过节都会给槐树下的土包上香，一个可怕的念头在他脑海中出现了——大姐会不会被土包里的"老三"缠上了？

虽然时值盛夏，但黄祥却顿感遍体生寒，紧紧地搂住许悦的身体，不住地颤抖。

9. 二姐的怪梦

到了晚饭时间，大姐还是没有过来，还好二姐跟许悦都会做饭，而且厨艺都不错。有她们两人下厨，黄祥当然不会饿肚子。

许悦并没有像昨晚那样看电视看到深夜，而是很早就开始打哈欠，说觉得很困，想上床睡觉。细想也是，她昨晚只是睡了五六个小时，当然会觉得困了。黄祥本以为今晚有机会跟许悦亲热一番，谁知道二姐竟然把她拉到自己的房间里去了，说今晚不用赶稿，要跟她秉烛夜谈。

因为父亲只有春节才会回家，所以黄祥在家的大部分时间里都是一个人睡，但今晚他却突然觉得身下的双人床特别宽大，或者说是感觉特别空虚。

昨晚虽然向许悦屡次求爱不成，但能与心仪的女生同床共枕，好歹也能给自己一份精神上的慰藉。此刻形单影只，难免会孤枕难眠，辗转反侧。

人总是要睡的，黄祥在床上辗转反侧直至深夜，终于睡着了。不过他这一觉并没能睡到天亮，在夜阑人静的时候，一个苗条的身影于床前出现。

"小祥，小祥，快醒醒……"许悦于床前惊慌地推着黄祥的身体，直到对方醒来。

一睁眼就看见情人的身影，黄祥还以为自己是在做梦。当他确定自己并不是做梦时，下身的小家伙就又不安分起来，因为此刻在他的脑海出现的念头是——她这么晚溜进来，难道是想跟我亲热？

然而，事实并非如黄祥所想，他很快就从许悦惊慌的表情中猜到，很可能出了大乱子，于是便问发生了什么事。

"二姐、二姐她……"或许因为过于慌张，许悦花了不少时间才能把话说清楚，"二姐刚才悄悄起床，走到房子外面去，不知道想做什么……"

"她跑哪里去了？"黄祥也慌乱起来。

许悦往窗外一指："那里，那里，她就在那里……"

黄祥朝窗外望去，立刻感到头皮发麻，因为他看见二姐正摇摇晃晃地走向那棵诡异的槐树。"土包！"他惊叫一声，随即跳下床，拉着许悦的手就往房外跑，跑向那棵诡异的槐树。

他们跑到槐树前，看见二姐摇摇晃晃地站在土包上，声音含糊地喃喃自语："黄老三啊黄老三，你找我有什么事呢……你还恨爹妈当年的狠心？都已经过去那么久了，你还在记挂着这事……什么！你要我们黄家绝后……啊……"她惨叫一声，随即徐徐倒下。

黄祥一个箭步上前把二姐抱住，怀中的二姐全身软绵绵的，仿佛没有骨头一样，而且眼睛闭合，像是睡着了。他拼命想叫醒二姐，但不管用什么办法，二姐最多也就是皱一下眉头，怎么也叫不醒。无奈之下，他只好先抱她回房间，等明天再说。

　　翌日一早，黄祥就叩响二姐的房门，许悦刚把门打开，他就担忧地问："二姐醒来没有？"

　　"老三，你这么早就起床了？"二姐的声音从房内传来。

　　黄祥立刻走进房间，来到二姐身前，关切问道："二姐，你没事吧？"

　　"我能有什么事？"二姐惊奇地笑道，"你想找小悦就直接说吧，用不着假装关心二姐。二姐还不知道你是啥德行？我又不会像大姐那样无缘无故地生你的气。"

　　"二姐不知道昨晚的事？"黄祥向许悦投去询问的目光。

　　许悦轻轻点头："二姐刚刚醒来，似乎什么都不记得，我正想跟她说你就敲门了。"

　　"你们在说什么悄悄话，在说我吗？"二姐不知就里地看着两人。

　　黄祥坐在二姐身旁，关怀地握着她的手，把昨晚发生的事一五一十地告诉她。然而，二姐对此事竟然毫无印象，还以为黄祥在跟自己开玩笑。

　　"二姐，你昨晚做梦了吗？"许悦突然问道。

　　"好像有，让我再想想……"二姐皱着眉头思索片刻后又说，"我昨晚的确做了一个很奇怪的梦……"她经过一阵沉思之后方记起昨晚的梦境——

　　昨晚我睡得迷迷糊糊的时候，好像听见有人叫我："二姐……二姐……"这声音虽然听起来很耳熟，但我就是想不起是谁的声音。我爬起来一看，发现叫我的是大姐，不过不是现在的大姐，而是小时候的大姐，四五岁时的吧。

　　大姐拉着我的手，叫我快跟她出去。我问她发生了什么事，她神神秘秘地说："我带去你看老三……"说着就拉我出去。她把我带到爹妈的房间门前，房门并没有关上，只是虚掩着，有婴儿的啼哭声从房间里传出来。

　　我跟大姐一起从门缝看房间里的情况，看见妈躺在满是血迹的床上不停地哭，而爹则抱着一个被沾有血迹的襁褓包着的婴儿，一脸愁容地在房间里来回走动。

　　我突然觉得很高兴，因为我知道自己终于能做姐姐了，但我又很不明白，妈为什么会哭。不过，听到爹妈的对话后，我就知道是怎么一回事了。

爹说："这个女娃不能要，要是让村干部知道我们生第三胎，一定会抓你去结扎。"

妈说："那怎么办？这娃儿才刚出生，难道你就这么狠心不要她？"

爹说："那也没办法，谁叫她是个不带把儿的女娃……"

眼前的景象突然变换，我发现自己不再是在房门口，而是在房子后面，我看见爹挥舞着锄头，在房后那棵干枯的槐树下挖了一个坑，然后把正在放声啼哭的女婴放进坑里……

爹把女婴活埋后，那棵枯干的槐树便长出了绿叶，只是短短的一瞬间就变得翠绿茂盛，生机勃勃。

爹走后，我又听见女婴的啼哭，与此同时，我还听见刚才叫醒我的声音："二姐，二姐……"

虽然我并没有看见叫我的人，但我却知道是谁在叫我——是"老三"！

我说的"老三"不是指黄祥，而是我的妹妹，黄祥的三姐。

我跟她说："老三啊老三，你找我有什么事呢？"

她说："我要你帮我报仇。"

我说："你还恨爹妈当年的狠心？都已经过去那么久了，你还在记挂着这事。"

她说："不管过多久，我也要报仇，我要黄家绝后……"

我正为她所说的话感到惊讶的时候，槐树下的土包突然裂开，一只沾满鲜血的手臂从飞扬的尘土中伸出。乍一看，这只手臂又小又短，像是婴儿的手臂，但当伸到我面前时却是无比巨大，竟然能把我整个人紧紧握在掌心。

我被这只手掌握住时，有一种窒息的感觉，之后就什么都不知道了……

二姐把怪异的梦说出来后，黄祥沉默了很长时间。之后，他让许悦留下来陪二姐，自己回到房间里待了一整天。

他在房间里什么也没做，只是在不停地想着槐树下的土包，或许说是在想着土包里的"老三"。大姐的怪异言行，再加上二姐的奇怪梦境及她之前从未有过的梦游，让他联想到一个可怕的事实——真正的老三要找他这个假老三报仇！

虽然这并不关他的事，他并没有要求父母活埋自己的三姐以逃避结扎，然后把自己生出来，当然他也没可能向父母提出这个要求，然而，三姐的惨死归根究底是因为父母重男轻女，所以三姐把所有愤怒发泄在唯一能为黄家延续香火的人身上也是无可厚非的。现在最大的问题是，他就是这个延续香火的人，是"老三"发泄愤怒的目标！

他越想越觉得自己的处境危险，因为他突然觉得身边没有能信任的人。大姐的怪异言行说明她很可能已经被"老三"缠上，而二姐昨晚又梦游了，谁知道以后她还会不会梦游，说不定她下一次梦游时就会做出伤害自己的事情。

或许，此刻能够信任的人只有许悦。

虽然二姐在知道自己昨晚梦游之后情绪变得很激动，整天都惶恐不安，非常需要亲人的安慰和照顾，但是黄祥认为此刻自己的安危才是最重要的事，所以他不但没有去安慰二姐，晚饭后更是在二姐乞求的目光中把许悦拉进自己的房间，并把房门牢牢地锁上。

"我们是不是该去安慰一下二姐呢？她现在很需要有人陪她。"许悦不无担忧地说。

黄祥坐在床上，沉默良久后才开口："她没事的，'老三'的目标是我，她会没事的……"他不停地重复着这句话，以掩饰心中的不安及对二姐的愧疚。

两人一同于床上并坐无言。

10. 土包的秘密

深夜，黄祥于床上辗转反侧难以入睡。

虽然许悦就在他身旁，但他已没有心思去想男女之事，脑海里全是"老三"

的复仇宣言——我要黄家绝后！

"还没睡吗？"许悦罕有地主动搂住黄祥，在他脸上轻轻地亲了一口。这是她第一次主动亲黄祥。

随后她又说："别再想了，其实这土包里面的东西，也不是真的那么可怕。大不了，我们去把土包挖开，看她还能拿我们怎么样……"

许悦的话让黄祥猛然坐起："我现在就去把她的皮扒了。"随即跳下床，急匆匆地穿上衣服。

"要我跟你一起去吗？"许悦关切地问。

黄祥回过头来稍微犹豫片刻，随即咬了一下牙，坚决地说："不用，我一个人就能搞定她！"他不让对方一起去，除了怕对方会有危险之外，更主要的原因是此刻的他谁也不敢相信。他怕"老三"会附到她身上对自己不利。

穿戴好后，黄祥拿着那把大姐出嫁前一直在用的锄头，在许悦担忧的目光中走到房外，于明亮的月色下走向那棵茂盛的槐树，走向那个诡异的土包。

从房子到土包只有两三百米的距离，但在这夜深人静的时刻，黄祥每走一步都觉得心惊胆战，短短的距离在他心中却变得无比遥远。走到土包前的时候，他的上衣已经被汗水湿透了，在夏夜的凉风中不禁哆嗦连连。但与心中的恐惧相比，这点儿寒意微不足道。眼前那个诡异的土包里的东西，就是他恐惧的根源，因此虽然害怕得不住颤抖，他仍毅然挥舞锄头，誓要把土包里的"老三"挖出来煎皮拆骨。

虽然黄祥平时不怎么劳动，但挥几下锄头难不倒他，而且"老三"似乎埋得并不深，他挖掘一会儿就已经有发现了。

"被子？"掘了四五十厘米深，他就看见一副沾有血污的襁褓出现在泥土之中。这副襁褓或许因为被埋了很长时间，已经变得破旧不堪，但还能清楚看见上面已经变成黑色的血迹。

他抛开锄头，直接用双手继续挖，试图把"老三"的骸骨挖出来。可是一直挖到十指冒血，还是没有发现"老三"的踪影，就连一根骨头也没有。

一个女性身影不知道何时出现在他身后，以冰冷的语调问："你在找我吗？"

他猛然回头，发现在身后的竟然是二姐。

然而，此时的二姐却跟平日并不一样，双目无神，身体摇摇晃晃，就像昨晚梦游时那样。更让他感觉恐惧的是，二姐手中竟然拿着一把菜刀。

"你想干吗？"他惊恐地问。

二姐无神的脸上突然露出诡异的笑容："你不是要来把我的皮扒了吗？怎么现在又反过来问我呢？"

"你、你、你是谁？"

"我是你姐姐……是你三姐……"二姐缓缓向前踏出一步。

黄祥不自觉地后退，心中的恐惧让他好不容易才从牙缝中挤出一句话："你、你是人，还是、是鬼？你、你、你想干什么？"

"我早就说了，我要黄家绝后……"二姐突然扑向黄祥。

黄祥慌忙后退，但一不小心被地上的锄头绊倒了。

二姐手中的菜刀不偏不倚，正好落在黄祥胯下，落在他的子孙根上。剧痛使他感到一阵眩晕，随即眼前一黑。在他失去知觉之前，仿佛听见邻居张伯的声音："黄禄，你在干吗？跟弟弟吵架也用不着拿刀吧……"

11. 许悦的探望

黄祥醒来的时候，发现自己身处医院的病房里，许悦就在床边削着苹果。

"发生什么事了？"因为刚刚醒来，他还没弄清楚自己为何会在医院。

"二姐把你的命根子割掉了。"许悦的语气异常冷漠。

"什么？"对方的话犹如惊雷在黄祥脑海中炸开，他不敢相信这是事实，但下身传来的痛楚却让他知道，许悦并没有撒谎。

　　沉默，良久的沉默，黄祥终于在悲痛的沉默中落下久违的男儿泪。

　　随后，他强忍泪水，怯生生地说："小悦，我现在弄成这个样子，你还会跟我在一起吗？"

　　"在我给你答案之前，先给你说一些事，一些关于我过去的事……"许悦脸上露出诡异的笑容，把削好的苹果放下，向黄祥讲述她的过去——

　　十四岁那年，我的父母遇到了交通意外，母亲在临终之前对我说，她跟父亲并非我的亲生父母，父亲年轻时因为一次意外，下身受到重创，婚后才知道不能生育，所以才收养了我。她说我的生父姓黄，我的名字本应叫黄祯……

　　嘻嘻，很意外吧！我就是你三姐，就是你这几天朝思暮想的老三！

　　母亲给了我你们家的地址，让我去找你们。因为父母去世之后，我就是一个无亲无故的孤儿，而当时的我只有十四岁，要自力更生几乎是不可能的事。

　　我风尘仆仆地来到你们家的时候，你跟二姐大概还在镇里念书，而你爸又外出打工，所以家里只有大姐一个人。当我声泪俱下地向大姐讲述我的处境时，得到的只是她冷漠的一句话："我们家只有福禄祥三姐弟，并没有你这个黄祯。你要是没饭吃，不会去做婊子啊！"

　　我想大姐并没有跟你们说过这件事，或许对她来说，我只是一个混饭吃的骗子，可是她这句话不但伤透了我的心，还让我在往后的日子里过着地狱般的生活。

　　你能想象一个只有十四岁的小女孩，在这个肮脏的社会里要如何才能独自生存吗？

　　要生存就必须吃饭，要吃饭就必须有钱！

　　而我能用来换钱的只有我的肉体，所以我就像大姐说的那样，为了吃饭成了一个婊子，我的初夜给了一个让我恶心得想吐的大胖子。这些年来，我一直用我的身体来换取金钱，换取生活所需。

　　后来，我凭着用肉体赚来的钱上了大学，我以为这样就能过上新的生活，能摆脱肮脏的过去。可是，我万万没想到竟然会在火车上遇到你。

在你告诉我名字的那一刻，我就知道你是我弟弟。我突然觉得很不甘心，为什么你不费吹灰之力就能得到的东西，我却需要用肉体和尊严才能换来！从那一刻起，我就决心要报仇，要你们黄家为自己所做的一切付出代价。

你以为以你的条件，我会看得上眼吗？你就是给我提鞋也不配，我之所以会主动接近你，主动说帮你洗衣服，目的只有一个，就是让你们黄家绝后！

在跟你初次见面之后，我就开始调查你们家的情况，并且计划如何报复，这次主动跟你回家就是我报复计划的第一步。

知道大姐为什么对我这么冷漠吗？因为在我们到来之前，我跟她通过一次电话，跟她说了我跟你在一起的事，并告诉她我已经弄清楚自己并不是黄祯。不过，我还说自己有可能是转世投胎后的黄祯，因为我经常会梦见你们，梦见你们家那间破旧的房子，以及槐树下那个土包。我不知道她有没有相信我，这对我来说并不重要，重要的是能让她对我心存敌意。

我们到后的第一个晚上，大姐并没有约我去槐树下说话，其实是我趁你跟二姐没注意时，在厨房里约的她。她大概因为这个原因，才会突然跑去祭拜那个只埋藏了我刚出生时所用的襁褓的土包。

大姐还真是个无知的村姑，我十四那年，她就跟我说，黄祯已经死了，是她亲手埋葬的。其实，她根本不知道你爸把我送给了别人，她埋的只是我的襁褓，然后每逢过年过节就在土包前上香，以减轻自己心中的愧疚和恐惧。

不过，她的愧疚和恐惧正好能被我利用，我在槐树下和她说，这些年来我一直以肉体换取生活所需，还告诉她，我就是转世后的黄祯，这次回来是为了向你们黄家讨债。

她知道我是回来讨债的，就立刻向我动手了。还好，虽然我打不过她，但你却及时赶来了。

嘻嘻，你有没有想过，自己为什么恰好会在这个时候醒来？你又有没有想过，被子为什么会掉到地上？其实是我把被子拉下来的，这样你就会很快因为着凉而醒来，从而不会错过我的精彩表演。

大姐被你气走之后，我做事就方便多了，最起码我能自由进出厨房。

二姐这个不入流的写手，就只会写些无聊的东西，根本不懂得用脑袋思考。我只是称赞了她几句，她就高兴得飞到天上去了，对我几乎是完全信任。更有趣的是，在跟她的交谈中，我发现了她的弱点，就是她一直都对你爸当年不让她上大学时所说的一句话耿耿于怀："女人只不过是用来生孩子的，读那么多书干吗？"所以，她才会到现在还不愿意结婚，因为她不想当个只会生孩子的村妇。

二姐的遭遇归根究底也是因为你爸重男轻女，这下子我之前在那些心理学书籍上学到的知识就派上用场了。我在盛饭时往她的饭里撒上一些迷幻药，再以言语稍加诱导，就能让她在夜里跑去槐树那里，让她拿刀割掉你的命根子！

嘻嘻，嘻嘻嘻……

许悦阴冷的笑声于病房里回荡，犹如锋利的刀狠狠地刺进黄祥的心窝，使他发出痛苦的号叫。号叫过后他激动地抓住对方纤细的手臂，悲痛地叫道："我要抓你去见警察，我要抓你去坐牢！"

"你觉得这有可能吗？"许悦诡异地笑着，"你根本没法儿证明这一切都是我做的，而二姐把你的命根子割下来，却是邻居亲眼看见的事实。你以为你去挖土包的时候，我什么也没做吗？除了诱导二姐之外，我还跑去把邻居叫过欣赏你的表演呢！现在二姐就在牢里待着，我可是趁大姐去探望她的空当，才溜进来见你一面。要不然大姐看见我，又会抓我的头发了，嘻嘻……"

她边怜惜地轻抚自己的秀丽长发，边把手中的小刀用力插入放在床头柜上的苹果，然后悠然站起来缓缓后退。当她退到房门前，幽幽说道："你要报仇就得趁现在，我出了这道门，你就这辈子再也找不着我了。不过，我想你大概没有这个胆子，因为你现在已经是个不能行人道的废物……"

炽烈的怒火于黄祥心中涌现，他强忍下身的剧痛跳下床，拔出插在苹果上的小刀扑向眼前这个恶毒的女人。

许悦立刻夺门而出，并放声大叫："救命啊，他想杀死我……"

黄祥此刻已经不想活了，在他心中只有一个念头，就是跟许悦同归于尽。可是，当他冲出病房并大叫着"我要杀了你这个婊子"时，并没有看见许悦的身影，因为挡在他面前的是一名身材高大的民警。

民警很快就把黄祥制服，并对他说："小兄弟，我知道你一时间很难接受现实，但也用不着杀人吧！"

站在一旁的许悦，惊恐万状地说："小祥，虽然我很喜欢你，可是你现在都已经弄成这样子了，不能怪我离开你啊！"

民警瞥了许悦一眼，又对黄祥说："小兄弟，夫妻本是同林鸟，大难临头各自飞，你现在这状况的确不能强求人家了。你还是给我安静点儿，回病房里休息吧！"说罢，他就押着黄祥进了病房。

黄祥虽然没能拗得过民警粗壮的手臂，但在进病房前还是死死地盯着许悦，盯着对方微微张合的嘴巴。许悦虽然并没有说出声来，但他知道她在说："这下就再也没人会相信你了。"

最可怕的人是谁？

是热恋中居心叵测的情人！

[完]

第四卷
诡案组外传

无相法则：

　1.人的一切行为皆为获取利益及维护既得利益；

　2.一切损害既得利益的行为，皆为获取更大的利益；

　3.强烈的情绪会令人丧失理智，做出不符合自身利益的行为，譬如复仇。

——摘自《诡案组》

Chapter ① 猫食

友研在医院病房内默默垂泪。

她始终想不明白，自己视若子女的宠物猫咪呀，为何会突然袭击自己。咪呀平日极其温驯，跟她一起生活了三年，从没做出过任何具有攻击性的举动。可是，自她从韩国旅行回来后，咪呀便变得非常古怪。

她觉得这件事有很多疑点，为此她把事情的经过，告诉前来探望的学长溪望，希望对方能为她解开心中的疑团——

昨晚，我下飞机后做的第一件事，并非给男友振生打电话，而是致电闺密秀珍，询问咪呀的情况。

"我的大小姐，现在几点了？待会儿我还得上夜班呢，你就不能让我多睡一会儿？"秀珍不耐烦地抱怨一通后，告诉我咪呀一切安好，叫我不用担心，明天再接它回家也不要紧。

尽管坐了近四个小时的飞机，使我感到疲惫不堪，但为了尽快将咪呀搂入怀中，我还是立刻打的去秀珍家。

这次到韩国旅游，本是我梦寐已久的浪漫之旅，可是好不容易才申请到假期，振生却突然接到一个非常重要的项目，不能兑现诺言跟我一起去旅行。为此，我已一个星期没理睬他。

虽然他每天都打长途电话向我道歉，但我还是觉得不解气，打算再给他一点儿惩罚。至少要送我九百九十九朵玫瑰，再亲手为我做一顿丰盛的法国大餐，当然还要有一瓶年份好的波尔多红酒。

对振生的爱恨只是一闪而过，下一刻挤满我脑海的，是对咪呀的牵挂。所以，我不停地催促出租车司机，尽管对方已经踩尽油门。

像讨债般把门敲开后，我立刻冲进房子，将躺在篮子里睡觉的咪呀拥入怀中，狠狠地亲了一口。它大概被我吓了一跳，从我怀中挣脱开来，惊慌地躲到秀珍身后。

这时我才注意到被晾在一边的秀珍，她嘟着嘴说："你也太过分了吧，进门后就只管你的咪呀，连招呼也不跟我打一个，完全把我当成布景板。"

我意识到自己的失态，赶紧向她赔笑脸，并跑到门外打开行李箱，取出一套从韩国买回来的软陶人偶，恭敬地递给她："别生气嘛，这是我专诚为你挑选的礼物。我的好姐妹，我只是太想咪呀而已，你就大人有大量，别跟我计较好吗？"

秀珍接过人偶，仔细地看了几眼，似乎非常喜欢，眉开眼笑地说："跟你开玩笑啦，我怎么会跟你生气呢？"

秀珍马上就要到医院上班，所以我就不打扰她，准备带咪呀离开。

我走到门口回头向她道别时，瞥见茶几的烟灰缸里有个烟头。她没有抽烟的习惯，烟肯定不是她抽的，所以便笑着问她是不是新交了男朋友。

她轻打了我一下，笑骂道："我哪儿来的男朋友，这烟头是振生来看咪呀时留下的，他还问我该怎么把你哄回来呢！"

"我才没这么容易原谅他！"跟她打闹一番后，我便带着咪呀回家。

回家后，我想起秀珍刚才一直在睡觉，应该还没喂咪呀吃晚饭，于是便给它准备好猫粮，然后才去洗澡。因为觉得很疲累，所以我特意泡了个热水澡。

梳洗干净后，我发现咪呀竟然一点儿猫粮也没吃。平时它最喜欢吃这种猫粮，每次用不了十分钟就能吃个干净，而这次我洗澡至少花了半个小时，它竟然没吃一口。

我抱起它亲了一口，问它是不是已经吃饱了。

它虽然不会回答我，但冲我亲昵地叫了一声。它一张口，我就闻到一股非常难闻的恶臭。其实刚才在秀珍家，我也闻到它身上有一股怪味，但没现在这么明显。

我想它该不会是吃了些变质的东西吧？

我慌忙打电话给秀珍，她说这些天都是给咪呀吃猫粮，没给它吃过别的东西。而她因为这阵子要上夜班的缘故，每天都是上班前喂它吃晚餐，现在它应该肚子饿才对。

我们都没想到是哪里出了问题，不过秀珍说帮我去问问做兽医的朋友。过了一会儿，她给我回电话说，可能是她给咪呀吃的猫粮不适合它的肠胃，叫我给它喂一些洗米水，说能清理肠胃。

我给咪呀喂过洗米水后，它的嘴巴就没刚才那么臭了，但还是不肯吃猫粮。我又给秀珍打电话，她没好气地说：“我的大小姐，我可没虐待你的宝贝啊！看你现在紧张成什么样子，别说咪呀，就算振生看见你这样子，也肯定吃不下饭。”

“我哪儿紧张了……”虽然嘴巴上不肯承认，但经她这么一说，我也觉得自己似乎过于紧张。或许，咪呀不过是一时胃口不好，又或者我刚才抱它时，把它吓坏了。

“你刚下飞机，就别管那么多了，先休息一下，睡个好觉。说不定明天一早，咪呀就会把你家里的猫粮全部吃掉。”

她说得也对，我的确需要休息，可我心里老是想着咪呀，怎么睡得着呢？

对于我这个问题，她提供了一个非常专业的建议：“服四片安定，保证你能一觉睡到天亮。”

她之前帮我整理药箱时，买了些药物，当中有一小瓶安定。我按照她说的分量，吃了四片安定，在床上躺了一会儿后就睡着了。

我睡得迷迷糊糊时，好像看见一个穿着韩国传统服装、身形肥大的男人，提着一把大砍刀走到床前，并用他那肥厚的手指往我身上按。他从我的肚子，一下一下地往上按，直按到我的脖子才停下来。我很害怕，很想大叫救命，却一点儿声音也发不出来。

我的身体完全动不了，只能眼睁睁地看着他提起大砍刀，往我的脸颊砍下来。我感到脸颊传来一阵剧烈的痛楚，可是身体还是动不了。随着痛楚越来越剧烈，我终于忍受不了，放声大叫……

友研所说的韩国男人并不存在，她看见的可怕情景，不过是一场噩梦，但脸部的剧痛却是真实的。然而，给予她伤害的并非梦中的大砍刀，而是咪呀锋利的牙齿。

她于睡梦中受到咪呀袭击，左边脸颊被咬掉一大块，造成一个可怕的伤口，连牙齿也露了出来。这种大面积的脸部创伤，就算是世界一流的整形师也会为之皱眉。根据医生的诊断，她需要动多次手术，才能勉强将脸颊上的伤口缝合。若要恢复昔日的美貌，恐怕只能向上帝求助。

毁容已是无法改变的事实，但在承受打击的同时，友研希望能弄明白，为何向来温驯的咪呀会突然袭击自己。

溪望在听完她的叙述后，问了一个让她忍不住再度落泪的问题："你男朋友来探望过你吗？"

"来过，但只看了一眼就走了。"友研语带哽咽，良久又补充一句，"他连一句话也没跟我说……"

"你觉得自己被出卖了？"溪望温柔地握着她的手，以安慰她悲伤的情绪。

"我不怪振生。"友研抹去双眼的泪水，强作坚强道，"我现在弄成这样子，就算他不介意，他的家人也不会接受我。"

"我不是这个意思。"溪望安慰她一番后，告诉她五个关于此事的要点：

秀珍是护士且近期值夜班；

秀珍家中的烟头；

咪呀不吃猫粮且口带恶臭；

洗米水；

安眠药。

"你能通过这五个要点，弄清楚整件事的来龙去脉吗？"溪望向友研投以鼓励的目光，希望对方能自行将真相推理出来，而不是自己将这个残酷的事实告诉她。

可惜友研思索良久，仍无法将上述五个要点联系起来，只是不解地摇头。

"那让我告诉你真相吧！"溪望无奈叹息，随即道出他对此事的推理——

秀珍家中的烟头，除了证明振生曾经来过之外，还证明他刚刚离开。身为护士的秀珍非常注重清洁，客人离开后便会立刻清理烟灰缸。这次没有清理，是因为来不及，振生可能刚离开，甚至藏身于房子内。

振生宁愿到秀珍家，也不到机场给你接机，说明他跟秀珍有染。他之所以不跟你去韩国旅行，并非因为工作，而是为了跟秀珍幽会。

秀珍利用值夜班之便，将咪呀带到医院的太平间，诱导它吃将要送去火化的尸体，而且还诱导它吃肉质鲜嫩且富有弹性的脸颊。

咪呀口中的恶臭，就是因进食腐肉而来。洗米水能有效地清除尸臭，因此给咪呀喂食洗米水后，口中的臭味明显减轻。

秀珍为你整理药箱是有预谋的，她建议你服食安眠药的分量，是正常范围内的最大量。一个没长期服食安眠药习惯的人，只要服食一两片安定就能睡到天亮，服食过多会睡得很沉，降低对外界刺激的敏感程度。

咪呀尝过尸体脸颊的美味后，自然对一般猫粮不再感兴趣，因此不肯进食猫粮。当它最为饥饿时，因安眠药的作用而沉睡的你，在它眼中跟太平间的尸体无异。也就是说，它把你当成了食物。

就像秀珍诱导的那样，它爬到你身上，靠近你的脸颊，挑选肉质最鲜嫩、最富有弹性的位置，狠狠地咬下去。而你因为受安眠药的影响，虽然身体受到伤害，但仍无法立刻醒过来。等你从睡梦中惊醒时，为时已晚。

这一切都在秀珍的算计之内，目的是迫使振生离开你……

听完如此可怕的推理后，友研于惊惧中微微颤抖。溪望想让她独处一会儿，以便理清思绪，便走出病房，并拨电话给一名当刑警的朋友。

［完］

Chapter ② 尸召外卖

1. 闭门失窃

绵绵细雨为隆冬的深夜增添了几分寒冷，随着最后一个客人离开，潮记茶餐厅的伙计们开始收拾桌椅、清洁地面。因为马上就能下班，所以他们都露出欢快的笑容，甚至哼起小调。然而，在愉快的气氛之中，却有人愁眉不展。

独坐于收银台后的老板娘何娟，时而点算钱箱内的现金，时而一手翻查账单，一手于计算器上飞舞，时而又疑惑地看着钱箱深处。经过良久的思量，她最终还是把众伙计叫到身前。

"老板娘，怎么了？收错钱了吗？""老臣"刘叔问道。

何娟怀疑的目光在众伙计脸上掠过，然后从钱箱深处取出一张纸币，展示于众人眼前，严肃地说："是谁跟我开的玩笑，现在不马上招认，让我查出来就得立刻卷铺盖走人。"这不是一张普通的纸币，虽然外观跟正常的五十元钞票近似，但发行银行竟然是"冥通银行"。也就是说，这是一张冥币。

杨兆做了一个夸张的表情，嬉皮笑脸地说："哇，谁这么有创意啊，偷钱也就算了，还放一张冥币回去。"

"年轻人别乱说话，谁会这么缺德，把冥币放到钱箱里。"刚从厨房里出来的洗碗工兰婶，不无担忧地问道："老板娘，你算过钱少没少吗？"

"我已经算好几遍了，不多不少刚好少了五十块。"何娟看着眼前的冥币，眉头皱得更紧了。

"发生了什么事？"老板张潮跟徒弟莫荣一起从厨房里出来。

何娟告诉他原委后，他便怒目瞪着众人："是谁干的，快站出来！"

新入职不久的伙计李本昂首挺胸地站了出来，正当张潮想甩他一巴掌时，他开口说道："老板，除了你跟老板娘，还有谁能动钱箱里的钱？"

他说得也有道理，除了张潮夫妇之外，其他人的确没多少机会接近钱箱，更别说动钱箱里的钱了。但盛怒中的张潮总要为自己找一个台阶，于是凶巴巴地指着他说："肯定是你跟小杨送外卖时把收到的钱换成冥币了！"

"老板，你可别冤枉我们。我跟小李送外卖收到的钱，还不是要交到老板娘手上？。"杨兆慌忙为自己辩护。

"会不会是惹到不干净的东西了？"兰婶这句话让所有人沉默了好一会儿。

"肯定是你这臭小子在医院里惹了什么脏东西！"张潮突然指着杨兆骂道。

"老板，你可别血口喷人，我虽然在医院里当过看护，但那是多少年前的事情了，你别老拿这个针对我。"杨兆不甘被老板冤枉，奋起反驳，"说不定是有人趁老板娘上厕所时，把钱换了？"

"不可能，我每次离开柜台都会把钱箱锁上，而且钥匙就只有我跟老板有。你待会儿最好找些柚叶来洗澡，免得把晦气带回餐厅。"何娟似乎跟张潮一样，并不喜欢杨兆，两人总是喜欢让他难堪，虽然他已经在这家茶餐厅里工作了好几年。

钱箱里每一张钞票都要经过何娟的手，而且但凡五十元、一百元这样的大钞，她必定会用验钞机检验真伪。虽说人总会出错，机器也会失灵，但二者一起出问题的概率可谓小之又小。如果是寻常的假币还好说，在她眼前的偏偏是一张冥币。

难道，真的惹到脏东西了？

2. 锦绣花园

次日，晚饭时间，潮记茶餐厅内人头攒动，收银台上的电话响个不停。出现在电话来电显示屏上的是一个熟识的电话号码，何娟边给客人找零钱，边急忙拿起听筒接听。"嗯，嗯，嗯，一个餐蛋饭、一个炒牛河、两个排骨饭，一共五十块，马上就送去。"放下听筒后，她立刻在点菜单上写下上述饭菜名，以及"锦绣花园 17 号"几个字，然后从身后的小窗递给正在厨房忙碌的莫荣……

又是一个寒冷的深夜，正在结账的何娟再次眉头紧皱，回头通过身后的小窗冲厨房叫道："阿潮，你出来一下。"

正在厨房收拾的张潮，随手拿起一块肮脏的抹布擦抹双手，匆忙地跑出来问道："怎么了，又出问题了吗？"

何娟从钱箱里取出一张让人心寒的冥币，无奈地说："又一张……"

"×，全都给我死过来！"张潮愤怒地把抹布甩到地上，把正在清理收拾的员工全都叫到收银台前。待众人都聚到跟前，他便提高嗓门说道："今晚我一定要弄清楚这到底是怎么回事，你们都得给我老实交代！"

"我整天都在厨房里跟老板你干活，店面的事情我不是很清楚……"莫荣胆怯地低下头。

"我也是只管洗碗收盘子，钱从来不经我手啊！"兰婶也连忙置身事外。

茶餐厅里跟钱有接触的，除了何娟之外，就只有刘叔、杨兆和李本。刘叔是张潮的同乡，因为年纪已经不小了，所以张潮没让他去送外卖，只是在店里招呼客人。虽然客人埋单时，钱大多是先经他的手再交给何娟，但他怎么说也是终日待在何娟的眼皮之下，想做小动作并不容易。因此，张潮马上就把目标锁定在他眼中最不老实的杨兆和自以为很了不起的李本。

张潮站在杨李二人身前，怒目圆睁地盯着他们，问："这张冥币到底是你们哪个做的好事？"

"别把好人当贼办，我怎么说也是个大学生，才不会做这么无聊的事情，也不会连冥币也认不出来。"李本扶了扶鼻梁上的眼镜，以不屑的眼神回敬自己的老板。

他的傲慢态度让张潮很想甩他一巴掌，但最终还是忍住了，眼前最重要的是把这件事弄清楚。所以，他强忍怒火，换了一种口气对杨兆说："你今天送外卖时，有没有遇到什么特别的事情？"

"其实，这两天的确有件事挺奇怪的……"杨兆皱着眉头，欲言又止，好一会儿才道出这两天所遇到的怪事——

锦绣花园17号你们应该有印象吧，经常会打电话来叫外卖，而且每次都是要四份外卖。之前我给他们送外卖时，都是在庭园外面等他们出来拿。可是昨天我按了半天门铃也没看见有人出来，却听见里面有打麻将的洗牌声传出来。

我想他们应该是打麻将打得起劲，而且天气这么冷，所以谁也不愿意出来拿外卖吧。我发现庭园的大门没有上锁，我可不想继续瞎等下去，待在门外喝西北风，而且之前给他们送过不少次外卖，他们应该能认出我，所以就直接推门进去。

我走进庭园时又听见洗牌的声音，但叫了几声"您的外卖来了"都没反应，只好使劲拍门。拍了一会儿门后，洗牌声突然停了下来，我想他们这回应该会出来了。果然，没过多久门就开了，不过奇怪的是，门并没有完全打开，而是只打开了一道小缝，一张五十块的钞票从门缝里塞出来。

我看到钱自然马上收下，但是门只开了那么一点点，刚好能把钱塞出来，我手上的外卖可塞不进去。我当时也没怎么想，很自然地伸手去推门，想把外卖交给对方然后走人。可是门像是被堵住了，我一点儿也推不动，只好问对方外卖怎么办。

里面传出一个女人的声音，叫我把外卖放在门口就行了。这声音我很熟识，是个中年女人，因为她长得很胖，所以我有些印象。不过不知道为什么，这回我总觉得她的声音好像有点儿怪怪的，但是哪里怪我又说不上，反正就是跟平时不一样。不过钱已经收到了，我也就不管那么多，继续去送其他外卖。

今晚，他们又叫外卖了，而且点的东西跟昨晚一样，加起来刚好是五十块钱。就像昨晚那样，在庭园外能清楚听见里面的洗牌声，可按门铃却没人出来，大门也没上锁，我就直接走进庭园里面。拍了一会儿门后，洗牌声突然停下来，随后门打开了一道小缝，一张五十块的钞票从门缝里塞出来。

因为昨天老板娘收到一张五十元的冥币，而且这户人家又奇奇怪怪的，所以这回我特别小心，仔细看清楚确定是张真钞后，才推门想把外卖交给对方。可是跟昨晚一样，门像是里面被堵住了根本推不动，我只好把外卖又放在门口，然后走出庭园。

出来后，我突然想到一个问题，就是门似乎被堵住了，那他们是怎么拿外卖的？我一时好奇就爬到围墙上，想看他们会怎么办。我看了一会儿也没动静，就想离开，趴在围墙上时间长了也挺累的。可是我刚想下来时，就看见门缝又打开了一点儿，好像有一只手臂从里面伸出来，不过动作很快我没能看清楚。只是一瞬间而已，门就关上了，但我刚才放在门口的外卖已经不见了……

杨兆的遭遇的确很奇怪，再加上这两天都收到让人心寒的冥币，不禁令张潮对锦绣花园这户人家产生怀疑。不过，在他眼中杨兆是个不太老实的人，他的话也不能尽信，所以他对众人说："要是明天他们还打电话来叫外卖，你们谁都别去送，让我亲自去看看到底是怎么回事。"

3. 亲自上阵

晚饭时间，潮记一如平常那样人头攒动，收银台上的电话如常响个不停。一切都跟平时没两样，只是此时电话的每一次响起，都让这里的老板及员工心跳加速。

电话的显示屏上再次出现了那个熟识的号码，正在忙碌的何娟看见这组号码，神情立刻凝重起来，就连拿起听筒的手也直哆嗦。"喂，嗯，嗯……一个餐蛋饭、一个炒牛河、两个排骨饭……嗯，马上就送去。"放下听筒后，她没有像往常那样立刻写外卖单，而是回头通过身后的小窗对正在厨房忙个不停的张潮说："阿潮，又来了……"

虽然只是简短的只言片语，但张潮马上明白了怎么回事，朝妻子点头并问道："他们要的东西也跟之前一样吗？"得到肯定的回答后，他又说："这回我亲自送过去。"

把外卖弄好后，张潮便把厨房的工作交由徒弟莫荣处理，骑上摩托车亲自去送这趟外卖。虽然他平时总在厨房里工作，但好歹也在这里生活了近十年，对附近的道路还是比较熟识的，没花多少时间就找到了目的地。

来到锦绣花园时，昏暗的天空正下着绵绵细雨，寒风中飘荡着诡秘的气息。虽然天色昏暗，但房子里并没有灯光，不过响亮的洗牌声说明里面有人在打麻将。

"不知道他们是怎么打麻将的，连灯也不开，能看见牌吗？"张潮喃喃自语地走到大门前按下门铃。跟意料中一样，他按了好一会儿也没有人出来，但里面还是不时传出洗牌声。他查看大门，发现跟杨兆说的一样，并没有上锁，一推就开，于是便直接走进去。

进入庭园后，他想像杨兆那样去拍门，但是手一碰，门便打开了一道缝隙，这跟杨兆说的又不太一样。之前听杨兆说，这门似乎是里面被堵住了，用力推也推不动，但他现在只是轻轻一推，便打开了约一掌宽的缝隙。他往门缝里瞧了几眼，里面并没有开灯，黑乎乎的什么也没看见。他大叫了几声"外卖"，得到的回应却只有响亮的洗牌声。

"让我看看他们在里面到底搞什么鬼，叫了半天也不应一声。"他说罢便把门推开。门内黑灯瞎火的，要不是洗牌声仍然在耳际回荡，他肯定不会认为这里面有人在。

联想到那张令人心寒的冥币，张潮不禁觉得眼前这房子异常诡异，在踏进玄关的那一刻，他甚至因为胆怯而想转头就走。不过，他最终还是克服了心中的恐惧，走向漆黑的客厅，因为他想弄清楚到底是怎么回事。

　　客厅内黑得不见五指，窗帘似乎都拉上了，外面的光线一点儿也没能照进来。还好，经过一番摸索后，他终于找到了电灯的开关。啪一声响，整个客厅都亮起来。光明能驱走人心中的恐惧，但这种作用在他身上却是短暂的，因为灯亮起来的那一刻，他便感觉到身后有东西。确切地说，他觉得有双眼睛在盯着他，令他觉得背脊发凉。

　　他非常害怕，但越害怕就越想知道自己背后的是什么人——或者说是什么东西。他缓缓地转过身来，随即大松一口气："你们干吗不开灯，拍门也不答应一声，我只好自己进来了。"

　　在他眼前的是一张麻将桌，有四个女人分别坐在桌子四边，其中一个身形肥胖的中年女人正以无神的双眼盯着他，而另外三人或趴在桌子上，或靠着椅子，全都是有气无力的样子，看来是彻夜打牌累坏了。他最不喜欢的就是这种沉迷赌博的女人，不过这是别人的事情，他才不会多管闲事，收了钱把外卖放下就是了。

　　"一共五十块。"他把外卖放在凌乱的麻将桌上，可是眼前的四个人都没有掏钱的意思，甚至任何动作都没有，胖女人还是无神地看着他。他皱着眉头对胖女人说："靓姐，一共五十块。"对方还是没任何反应，就连眼睛也没有眨一下。

　　他心中一惊，一个可怕的念头随即于脑海中闪现，他下意识地把手伸到胖女人的鼻子下面。

　　"死了？全都死了……"张潮惊恐的叫声在诡异的房子里回荡。

4. 四尸奇案

　　刑侦小队长梁政刚走进办公室，便向一名高大帅气、肤色略显苍白的年轻人招手："阿相，锦绣花园 17 号的案子有些古怪，阿杨这呆头呆脑的家伙处理不了，你去找他接手这宗案子吧。"

"现在就去。"年轻人点了下头，随即走向门口。从他胸前的警员证上，能得知他的名字——相溪望。

"要我一起去吗？"另一名刑警走到梁政身前问道。

"阿慕……"梁政突然怒目圆睁高声骂道，"先把你那篇鬼话连篇的报告重写一遍再说！"

溪望回头对那名挨骂的刑警投以安慰的微笑，随即走出门外，进入阿杨的办公室。阿杨正坐在办公桌前翻阅一份档案，从烟灰缸里堆积如山的烟头来看，他此时非常烦恼。

"什么案子让我们老练的干警也皱起眉头来了？"溪望微笑着走到阿杨的办公桌前。

阿杨一抬头就像看见救星似的连忙请他坐下，并把档案交到他手上，求助般说道："这宗案子太不可思议了，死了好几天的人竟然还能打电话叫外卖。"随后便简略地向他讲述案情——

潮记茶餐厅接连两天都发现钱箱里有一张五十元的冥币，老板询问伙计后，怀疑这张冥币是送锦绣花园 17 号的外卖时收到的。第三天这户人又叫外卖，老板便亲自送过去，结果进门后发现客厅里有四具女性尸体，立刻吓得快要疯了，当晚就死了。

法医推断四名死者的死亡时间在四十八小时以上，初步怀疑她们是因为用炭炉取暖，且门窗紧闭导致一氧化碳中毒，最终死亡。可是她们这三天都叫了外卖，更可怕的是在茶餐厅收到的两张冥币上，除了找到员工的指纹外，还发现其中一名死者的指纹……

听完阿杨的叙述后，溪望粗略地翻阅了一下档案，问道："这么说，她们的死亡时间应该在第一天叫外卖前后。可是，人都死两三天了，她们的家人和邻居都没注意到吗？"

"这就是这宗案子不可思议的地方。她们都住在锦绣花园，老公都在外地做生意，所以经常会一起打麻将。据这房子附近的住户说，她们的尸体被发现之前，几乎天天都听见房子里传出响亮的洗牌声，所以才会没人注意到她们出事了。"阿杨哆嗦了一下，又说，"不过，说来也奇怪，虽然案中的四名死者都是女性，但邻居却说好像听见有男人的声音，可能是听错了吧！"

"人死了还能打麻将叫外卖，的确是宗诡异的案子。"溪望露出怀疑的目光。

阿杨点了根烟："如果是普通的案子，就用不着你这位刑侦新人王出马了。"

"冥币……"溪望看着手中的档案沉思片刻，随即轻拍对方的肩膀，"放心吧，杨大哥，这案子交给我处理，我绝不会丢你的脸。"

5. 不知身死

溪望来到法医处，跟刚做完解剖工作的法医叶流年打了个招呼，随即向他询问锦绣花园那四名死者的情况。

流年无力地瘫在椅子上，双手揉着太阳穴，过了好一会儿才开口："实在太可怕了！"

"何以见得？"溪望给对方递了根烟，并为他点上。

流年用力地抽了一口烟才回答："我在四名死者的胃里找到大量食物碎渣，这些食物完全没有消化，几乎能肯定是死后才进食的。"

"你对此有什么看法？"溪望也为自己点了根烟。

"如果你问我报告打算怎么写，我只能说匪夷所思……"流年说着狠狠地抽了几口烟。

"我想知道你心里的想法。不能写进报告的想法。"溪望直截了当地问。

"或许，我能告诉你一个故事……"流年沉默了，直到把烟抽完，才道出一个诡异的故事——

民国时期，湖南有一位新婚宴尔的米商需要出门押运一批大米。当时正处于战乱时期，地方军阀横行，因此在出行之前，妻子一再叮嘱他路上小心。

虽然米商谨遵妻子的叮嘱，路上处处小心留神，尽量避免走山贼出没的路段，可惜最终还是被一帮兵匪盯上。这帮兵匪非常凶狠，不但抢劫还要杀人灭口。同行的押运人员无人幸免，全都死于兵匪的枪口之下，唯独米商侥幸逃脱，连夜赶路逃回家中。

他一回到家就抱着妻子大哭，诉说自己如何死里逃生。其间，妻子发觉他的身体异常冰冷，而且衣服肮脏不堪，便叫他先沐浴更衣，然后再吃点儿东西，并为他准备热水伺候他洗澡。

在洗澡期间，妻子发现他背后心脏部位上有一个伤口，经热水一泡有少量黑血流出来。妻子问他什么时候受的伤，他说被兵匪抢劫时好像挨了一枪。话刚出口，背后的伤口就喷出大量黑血，随即双腿一伸，死了。

听完诡异的故事后，溪望问道："你的意思是，米商并不知道自己被抢劫时就已经死了？"

流年点了下头："这种事虽然骇人听闻，却是不乏史书记载的事实。这类事情有两个共同之处，一是死者并不知道自己已经死亡，二是死者有未完的心愿驱使其继续撑下去。这宗案子的四名死者，死因是一氧化碳中毒，或许她们因为沉迷赌博彻夜打牌，并没有察觉自己中毒了，把中毒的症状当作疲惫的表现，连自己死了也不知道。"

溪望沉思片刻后，向对方扬了扬手："谢了，我想我得到技术处跑一趟。"

6. 蛛丝马迹

"嗨，桂美人，我们又见面了，真巧。"溪望露出难得一见的热情笑容。

坐在工作台前忙于工作的桂悦桐，回头瞥了他一眼就继续专心工作，只是敷衍地回应："无事不登三宝殿，有话快说，我可忙着呢。"

"嗯，"溪望走到她身后，"我知道你很忙，不过还得打扰一下。我正在调查锦绣花园那宗命案，想请你帮忙。"

悦桐放下手头上的工作，回头看着他没好气地说："那宗案子的报告不是已经送去刑侦队了吗，还来找我干吗？"

溪望微微笑着："你们送来的好像只有冥币的指纹报告。"

悦桐白了他一眼："没错啊，除了那两张冥币比较特殊之外，我们并没发现其他有调查价值的证物。"

溪望佯装惊奇地说："那你也认为案中的四名死者，真的是在死后打电话去叫外卖？"

"我可没这么说，但以现有的证据推断，也就只有这个可能。"悦桐说完埋头继续工作。

"有没有兴趣跟我打赌，如果我不能证明案中死者死后没有叫外卖，就给你一个ＬＶ（路易威登，知名奢侈品牌）手袋。"溪望边说边往门外走。

"等等！"悦桐猛然站起来叫住对方，"Ａ货还是正品？"

溪望微微笑道："当然是正品。"

"那我输了怎么办？"

"回答我一个问题就行了。"

"一言为定！"悦桐双目放光。

"那走吧！"溪望站在门前做了一个优雅的邀请动作。

"你要带我去哪儿？"悦桐警惕地问道。

"当然是锦绣花园了。"溪望说罢便自行走出门外。

悦桐犹豫片刻，随即叫道："等等我……"

两人来到锦绣花园时已经是入夜时分，溪望将封锁现场的警示带抬高，先让悦桐弯腰进入，随即紧随其后走进庭园。他并没有急于进入房子，而是带着悦桐在庭园里转了一圈。

"别浪费时间了，这里不会有证据的，之前一连下了几天雨，就算有也会被雨洗刷掉。"悦桐面露笑容，仿佛 LV 手袋已是囊中之物。

"也不一定。"溪望在花圃里拾起一个白色塑料袋。

悦桐取出证物袋，一脸严肃地说："这个塑料袋或许是本案的关键，得收起来。"她本来只是想嘲笑溪望，没想到对方真的把塑料袋放进证物袋里，不由得愕然问道："要这个破袋子干吗？我又不是捡破烂的。"

"你刚才不是已经说了？"溪望微微笑着，随即走向房子大门。

刚走进房子，悦桐就有一种恶心的感觉。为了保持案发时的原状，之前处理现场的同僚并没有打开窗户，客厅里仍残留着死者腐臭的气味。溪望见状便掏出一条洁白的手帕让她掩鼻，然后打开电灯四处查看。在客厅里并没有任何发现，他便去查看其他地方，洗手间、主卧室、客厅全都看过了，最后他在厨房里盯着一台搅拌机发呆。

"这台搅拌机有什么特别的吗？"悦桐问道。

"没什么，我只是想买一台给妹妹做果汁。"溪望笑着摇了摇头，"这里大概不会有什么发现了，我们走吧！"

"去哪儿？去买手袋吗？"悦桐双眼放光。

溪望看了看手表："还早呢，走，我们先去潮记茶餐厅走一趟，说不定能省下一顿晚饭钱。"

"哪儿有像你这么吝啬的男人？"悦桐不屑地白了他一眼，但还是跟着他往外走。

7. 谈话技巧

潮记茶餐厅并没有正常开门经营，幸好员工宿舍就在附近，两人不至于白走一趟。而且他们来到宿舍的时候，碰巧老板娘何娟也来了。

张潮发现叫外卖的原来是四具尸体后，因为受到过度惊吓，当晚便死于心肌梗死。他一走，茶餐厅就没有主厨了。不过，虽然家临巨变，但人总是要生活的，茶餐厅也不能天天关门。何娟过来就是为了跟员工商量聘请大厨一事，毕竟她在本地举目无亲，除了茶餐厅员工外，还真不知道该找谁来商量。

"之前不是都问过了？怎么又来问这问那！"或许因为丈夫遭遇不幸，何娟的心情不好，态度异常冷漠。

"没什么，只是例行公事而已。"溪望边说边打量宿舍的环境。

宿舍的面积并不大，大约六十平方米，分隔成三室一厅，客厅中央放了一张麻将桌，麻将牌凌乱地放在上面，众员工正围坐在麻将桌周围。溪望看着麻将桌问道："你们经常打麻将吗？"

刘叔答道："下班后玩几局而已。"

"发现冥币那一晚也玩了吗？"他又问。

"那晚我可输了八十多块。"莫荣叹了口气。或许，这对身为学徒的他来说并非小数目。

溪望再次打量四周，随便走进其中一个房间，刘叔和李本跟在他后面也进来了。他看似随意地瞥了几眼便问道："你们老板的脾性怎么样？平时对你们好吗？"

李本露出不屑的神情："他的脾气可坏得要命，不管遇到什么事就只会一个劲儿大吼，跟他讲道理跟对牛弹琴没两样。"

"小李别说老板的坏话，老板娘就在外面。"刘叔紧张地扯了李本一下。

然而李本却不以为意，继续说："就算在老板娘面前，我也是这么说。我还亲眼看见他动手打老板娘呢。"

"那何娟又是怎样的人？"溪望小声问道。

李本说："她对我们还好，就是特别讨厌杨兆，经常因为一点儿小事就骂他一顿。"

"原来是这样……"溪望说着走去另一个房间。这房间大概是杨兆跟莫荣的，因为他们跟了进来。

溪望随意打量了一下房内的情况，目光很快就落在一部放在床头的卡式录音机上，随即拿起来看并问道："现在这种录音机并不常见，在哪里买的？"

"警官，你晚上有空的话，到地摊街转一圈，想要多少有多少。"杨兆从他手中取回录音机，不悦地说，"我们这些穷人闲来无聊想找些娱乐，就只能买这些便宜货，CD 机、MP3 那些玩意，只有像警官你这样的有钱人才买得起。"

"其实我也挺穷的。"溪望说着瞥见枕头下有一盒进口避孕套，拿起来轻摇一下便笑道，"你平时也不无聊嘛！"

杨兆迅速把避孕套抢回，略显尴尬但又强撑脸面地说："对面街口有的是三十块一炮的凤姐（凤姐在某些地区方言里指妓女），要不要我带警官你去玩玩？"

"你没女朋友？不可能吧，你长得这么帅，肯定有很多女孩子围着你转。"溪望调笑道。

"帅有屁用，现在的女人只认钱。"杨兆不悦地把避孕套塞回枕下。

"也不是所有女生都这样。"溪望给他递了根烟，随即又问道，"我看过你之前做的笔录，说你在医院里工作过，应该认识不少漂亮的护士吧，能不能给我介绍一个？"

杨兆抽了口烟后，对溪望似乎少了一分戒心，笑道："警官，你就别笑话我了，那些护士都是眼睛长在头顶上的，哪儿会看得起我这种干脏活儿累活儿的看护。"

"别小看自己，每个人都有各自的长处。"溪望轻拍对方的肩膀，随即走出房间。

他一出来，兰婶便问他："警官，现在该看我的房间了吧？"

他笑着摇头："不必了，我已经问完了，谢谢。"说罢便领着悦桐走向大门。

走到大门前，悦桐便两眼放光地说："现在该去买手袋了吧？"

"还早呢！"溪望微微笑着，回头对众人说，"打扰你们这么久，真不好意思，现在麻烦何娟和杨兆跟我们回警局。"

"怎么了，还没问完吗？你们有完没完啊，我可没时间跟你们跑来跑去。"何娟扬起双手不耐烦地说。

"很抱歉，我并不是请你们回去协助调查，而是要拘捕你们。"溪望脸上仍挂着微笑，但手中却拿着冰冷的手铐。

8. 套话艺术

"你疯了，那四个女人死了关我们屁事！我们又没犯法，抓我们回去干吗？"杨兆冲溪望大吼。

溪望点了根烟悠然作答："冷静点儿，我没说锦绣花园的命案跟你们有关。我之所以要拘捕你们，是因为你们合谋杀害张潮。"

"荒谬，张潮是我老公，我怎么可能会害他！"何娟奋起反驳。

溪望悠悠地吐了口烟："如果你们夫妻恩爱，你当然不可能谋害他。但是，如果他经常粗暴地对待你，而你心里又有了别的男人，那就没有什么是不可能的。"

"你别含血喷人，什么叫有了别的男人？我跟阿潮在一起这么久，从来没做过对不起他的事情。"何娟越说越激动。

"是这样吗？那么，我想先请杨先生回答一个问题。"溪望往杨兆的房间一指，又道，"杨先生，你床头的避孕套是跟谁用的？"

"我刚才不是说了？跟对面街口的凤姐用的，三十块就能交易。"杨兆理直气壮地回答。

"好，很好。"溪望点了点头，"我们先不论凤姐会为客人准备避孕套，也不论你为何光顾三十元的凤姐，却要买单价几十元的进口避孕套。我只想跟你说，三十元已经是去年的行情了，现在可不是这个价钱。你大概没想到，对于这方面的事情，警察往往会比嫖客更清楚。你至少有一年没去光顾对面街口的凤姐了，可是你那盒避孕套的生产日期是三个月前，而且已经用了一半。"

"我、我没事拿来吹气球不行吗？"杨兆的神色略显慌张。

"行，只要你愿意。"溪望让悦桐取出刚才在锦绣花园找到的塑料袋，向杨兆展示并问道，"你认得这个塑料袋吗？我们刚才在锦绣花园找到的，大小刚好能装进你那台机子……"

话没说完，杨兆便做出反驳："能装进我的录音机又能证明什么？这种录音机哪儿不能买到？！"

溪望微微笑着："我刚才只是说机子，并没有说录音机。"

杨兆闻言马上就像个漏气的气球一般，瘫坐在椅子上。

"你到底在耍什么花样啊？"悦桐不解地问道。

"让我告诉大家到底发生了什么事吧。"溪望悠然地向众人讲述他的推理——

或许因为受不了丈夫的暴脾气，或许因为经受不住杨兆的勾引挑逗，何娟红杏出墙，跟杨兆发生了关系。虽然表面上她十分讨厌杨兆，但这只不过是为了掩饰他们的奸情。

然而，纸包不住火，总有一天会东窗事发，所以他们一直想找个机会甩掉张潮。不过这事说起来简单，做起来却不容易，毕竟离开张潮之后，他们便一无所有，而且脾气火暴的张潮也不是容易对付的。而锦绣花园的命案，便是他们一直期待的机会。

我相信锦绣花园的命案跟他们无关，根据法医的估计，四名死者的死亡时间是在茶餐厅第一次发现冥币的那天晚上。如果我的推断没错，她们应该是叫外卖后不久便中毒身亡。

杨兆把外卖送去时，因为无人应门，但里面又灯火通明，而且门又没上锁，所以就自行走进去，发现了客厅里的四具尸体。或许，你们会认为他一定会被吓个半死，但实际上他并没有。因为曾经在医院工作的关系，他接触尸体的经历也不少，所以发现尸体时，他也就是有点儿吃惊而已。

他可能也想过报警，但很快就打消了这个念头，因为他想到一个可怕的计划。他用手机给茶餐厅的何娟打电话，把心中的计划告诉她，因为不时都有人打电话叫外卖，所以不会有人注意到他们的谈话。

随后他弄来冥币，印上死者的指纹后再交给何娟。这个过程也不会有人注意到，因为他每次送外卖回来都会把钱交给何娟。

我刚才问你们发现冥币的当晚有没有打麻将，目的是为了确认一件事，就是锦绣花园的住户听见的洗牌声到底从何而来，我想现在答案已经很明显了。杨兆利用他的卡式录音机把跟你们打麻将时的声音录下来，第二天放到锦绣花园 17 号的庭园里。近来经常下雨，为了防止录音机被雨水损坏，他把录音机装入塑料袋里。

虽然第一天晚上锦绣花园的住户并没有听见洗牌声，但人的记忆总是靠不住的，因为之后两晚都能听见洗牌声，所以很容易产生记忆错觉，误以为一连几天都听见了。

他利用死者家里的搅拌机把外卖搅碎，再用注射器和胃管灌进死者的胃里，营造死者死后进食的假象。这听起来虽然有些不可思议，但对曾经在医院当看护的人来，并不是很困难的事情。他做事很小心，没在现场留下任何痕迹，但却百密一疏。他没有注意到死者平时很少下厨，厨具上都落有一层薄灰，唯独搅拌机却被洗刷得像新的一样。

他跟何娟费尽心思营造诡异的气氛，目的只有一个，就是使大家觉得张潮是被吓死的……

"你唠唠叨叨地说了半天，还是不能证明我们跟阿潮的死有半点儿关系。"何娟依旧理直气壮。

溪望泰然自若地笑道："是吗？我手上有一份张潮的尸检报告，你猜猜法医在他的血液里检测出了什么？"

何娟闻言脸色大变，立刻回头冲杨兆骂道："你不是说那种药是检测不出来的吗？"

"我、我本以为他一死，马上就会送去火化……"杨兆迟疑片刻，随即问道，

"他什么时候做过尸检了？"

"他没做过尸检，我连他的尸体火化了没有也不知道。"溪望脸上笑容不改。

"你他妈的套我们！"杨兆随手拿起一把折凳扑上前袭击溪望。

溪望从容不迫地迎上前，左手托着对方的手臂，右手伸出二指佯装插眼，待对方稍一分神，立刻抬脚给其裆部一记狠狠的重击……

给杨兆戴上手铐后，溪望稍微整理了一下衣饰才笑道："其实就算我不套你们的话，你们也不可能脱身。本案的关键就是那两张让人心惊胆战的冥币，而这两张冥币必须经过你们两人的手，才能进入钱箱里。你们认为法官会相信尸体会叫外卖这种鬼话吗？"

9. 尾声：糊涂一时

"我们的打赌似乎有结果了。"把杨兆跟何娟押送回警局后，溪望笑盈盈地看着悦桐。

虽然与ＬＶ手袋失之交臂让悦桐有些沮丧，但她也愿赌服输，只是在兑现承诺之前，她还有一个问题要问："你跟我打赌的时候就知道这宗案子里大有文章？"

溪望轻轻点头。她又问："你是怎么发现的？"

"其实很简单，问题就在那两张冥币上。"溪望笑道，"茶餐厅接到外卖电话时，四名死者的家属还不知道她们已经辞世，当然不会祭祀她们。人死未祭，又何来冥币呢？"

"真的就这么简单？"悦桐露出怀疑的目光。

溪望刻意把目光移到别处："嗯。除此之外，我还调查过死者的通话记录，她们在茶餐厅第一次发现冥币那天，的确用过命案现场的座机打电话叫外卖，但是之后就再没有任何通话记录了，包括她们的手机。"

"原来你早就知道自己一定会赢！"悦桐杏眼圆睁地瞪着他，不过随即就叹了口气，"算了，算我技不如人。你想问什么尽管问，但我可要告诉你，别问'第一次在什么地方'之类的龌龊问题。"

溪望神情严肃，说："本来，我想问你是女孩还是女人，不过你已经给我答案了，那我就只好问别的。"

"你……"悦桐被气得说不出话来。

"开玩笑而已，别在意。"溪望给她赔了个笑脸，随即收起笑容，露出困惑的神色，"其实，我要问的是一个困扰了我很久的问题。刑侦队的阿杨你应该知道吧，他给我出了道算术题，说当年就是用这道算术题追到了他现在的妻子，我一直想不通这道题有什么特别之处。"他用笔和纸把算术题写了出来：
（1000÷20）×9＋99−29。

悦桐看了一眼便得意笑道："你真是聪明一世、糊涂一时，这还不简单吗？答案是520，我爱你。"

"原来是这样……我总算明白你的心意了。"溪望微微笑着，"能赏脸陪我吃顿饭吗？"

[完]

Deception case group
Rumor

一

　　残存的日记：2月7日，晴。那个人说"好记性不如烂笔头"，那么，从今天起把所有开心不开心的事都记下来吧！

　　明航逐字咀嚼手中那本被烧掉了一半的日记，一幕幕往事充斥脑海——坐在公园长椅上互诉心声的午后、电影院里一起经历的趣事、折成纸飞机的表白信，还有河边那深情的一吻……所有的记忆交织在一起，重叠、凝聚、消散，最后仍留在脑海中的就只有那张亲切的脸庞。

　　"有什么能帮你的？"

　　"帮我找一个女生。"

　　"可以啊，这世上没有找不到的人，除非她未曾存在过。"

　　"你一定要帮我找到她，酬金不是问题。"明航递上一个装有两万块钱的信封。

　　"那就好办。"溪望露出满意的微笑。

二

残存的日记：2 月 28 日，阴。明天是四年一度的女性求爱日，要不要向那个人表白呢？

"那女生叫什么名字？"

"文婧。"

"是你女朋友？"

"是我一生中最爱的人。"

"她有什么特征？"

"这是我们的合照。"明航递上一张照片，"她很开朗，总是带着亲切的笑容；也很乖巧，像一只喜欢撒娇的小猫咪；但有时候又会很调皮。我还记得去年的 2 月 29 日，她用一封折成纸飞机的表白信向我表白，还在信中说那天是女生求爱日，如果我不答应，就要送她一份赔礼。"

溪望拿起照片看了一眼："你好像比照片里憔悴多了。"

三

残存的日记：12 月 25 日，下雪了。那个人说不要圣诞礼物，因为我就是上天给他的最好的礼物。

"你们最后一次见面是什么时候？"

"去年圣诞节。"

"她当时有异样表现吗？"

"没有，就跟平时一样。"

"日记是从哪里找到的？"溪望指着对方手中那本被烧得面目全非的日记。

"在她房间的垃圾桶里。还好被她的室友及时发现，要不然就全被烧掉了。"

"你指的是房间，还是日记？"

明航沉默不语。

四

残存的日记：2月19日，阴。有个又宅又勤快的室友真好，家里总是干干净净，还不用自己洗衣服。

"你是文婧的室友？"溪望来到文婧的住所。

对面而坐的芳怡答道："嗯，我们合租这个房子已经两年了。"

"日记是你发现的？"溪望向对方展示烧得焦黑的日记，"当时的情况怎么样？"

芳怡点头："文婧那天很奇怪——其实近来她一直都很奇怪，但那天特别奇怪。她一大早就跟我说了很多莫名其妙的话，感觉就像交代后事似的，还把自己关在房间里，我真担心她会做傻事。后来她突然走进我房间，跟我说了声'再见'就出门了。没一会儿我就闻到一股焦煳的味道从她的房间传出来，就马上冲进去，发现垃圾桶竟然着火了。我好不容易才把火扑灭，然后发现着火的是这本日记。"

"她为什么要把日记烧掉？"

"不知道。"芳怡摇了摇头，片刻后又道，"或许跟她的病有关。"

五

残存的日记：7 月 25 日，艳阳高照。今天给一个大客户开了保单，大老板说会给我发特别奖金，实在是太好了！

"文婧是你下属？"溪望来到保险公司。

"是。"马经理皱着眉头，"这丫头不知道怎么了，我自问从来没亏待过她，她却突然说走就走。"

"你最后一次见她是什么时候？"

"三个月前，她突然向我递辞职信，当天就走了，留下个烂摊子让我收拾。"

"她平时也这么不负责吗？"

"不，她对工作非常认真，是我最得力的下属，业绩总是全组第一。"

"她的奖金应该有不少吧？"

"那当然，我们干保险这一行，向来都是多劳多得。"

六

残存的日记：9 月 8 日，阳光明媚。刚才查了一下存款，原来我也是个小富姐哦！那个人大可不必担心买房的事。

"帮我查过文婧的财务状况吗？"溪望向刑警阿慕问道。

"这姑娘可是个富婆，之前有近六十万存款，不过三个月前一次性取出了五十万，一个星期前又取了两万。"

"两次都是本人取款？"

　　"前一次是本人取款，因为数额较大，需要提供身份证原件，还有银行的监控录像可以证明。另一次是提款机取款，取款时间是晚上，是否本人就不好说了。"

　　"这件事或许还要你帮忙。"溪望莞尔一笑。

七

　　残存的日记：1 月 3 日，好像要下雨了。心里突然觉得不踏实，那个人说得对，"人有旦夕祸福"，该给自己和身边的人多一份保障。

　　"她为自己买过保险吗？"溪望问马经理。

　　"当然有，自己都不买，怎么能说服客户呢？"

　　"是寿险吗？"

　　"不单是寿险，还有医保等好几份保险。不过说起寿险，她辞职之前突然追加了保额，还改了受益人。"

　　"原受益人和新受益人分别是谁？"

　　"原受益人是她的母亲，后来改成她男朋友。"

八

　　残存的日记：5 月 11 日，天晴。已经很久没回家了，趁着母亲节，特意买了束鲜花送给妈妈，看着她一脸惊喜的样子，心里挺高兴的。如果她不是老为那个人唠叨我，那就更好了。

"欧女士，你最后一次跟令爱联系是什么时候？"溪望拜访文婧的母亲。

文母眼泛泪光答道："三个月前，她突然打给我电话，叫我以后要多保重身体。我当时就觉得不对劲，但没想到这丫头真的这么傻，我只不过多说她几句而已。"

"你们有争执？"

"是吵过几句，其实我也是为她着想。那男人一看就知道不是好东西，她要是跟那男人在一起，早晚会受伤害，可她偏偏不肯听我的话……"倔强的母亲终于洒落爱怜的泪水。

九

残存的日记：10 月 1 日，晴空万里。难道能放几天长假，那个人却不能陪我，幸好还有我的好姐妹。

"她为人怎样？"

"她是个整天都哈哈大笑的疯丫头。"芳怡的眼神突然变得黯然，"在那之前，她的确每天都过得很开心。"

"她不开心是因为她的病？"

芳怡先点头，随即又摇头："是因为那个人，她患这个病也是因为那个人。"

"为什么？"

"她发现那个人跟另一个女人鬼混。"

十

　　残存的日记：1月1日，天晴，但我的心却在下雨。那个人再次失约，已经一个星期没见过他了。我知道他很忙，但不知道他忙的原因竟然是……（后面的内容被烧掉了。）

　　"或许你该告诉我，你的感情生活怎么样，如果你还想知道文婧的下落的话。"溪望向明航绽露友善的微笑。

　　明航愧疚地低下头："我跟文婧在一起时候，的确在跟另一个女人交往。当时我还不知道自己心里最爱的是她，甚至说过些伤害她的话，我很后悔，很想得到她的原谅。"

　　"现在还跟那个女人在一起？"

　　"没有！"明航激动地澄清，"我已经跟她断绝来往，现在我心里就只有文婧一个。"

十一

　　残存的日记：1月20日，小雨。很不开心，从没像现在这么郁闷。或许我该听那个人的话，去看一下心理医生，虽然那只是他的气话。

　　"文婧患上的是什么病？"溪望向芳怡问道。

　　"是抑郁症。"

　　"她主动告诉你的？"

　　"不是，我每天都帮她洗衣服，有一次从她衣服的口袋里掏出医院的发票，就问她是不是生病了，她支支吾吾了好一会儿，才把这事告诉我。"

十二

残存的日记：2月16日，晴天。游医生挺随和的，跟她聊天让人觉得很放松，能认识她真好。

"好久不见。哟，你不会不欢迎我吧？"溪望站在诊疗室门口跟游惠娜医生打招呼。

"的确不太欢迎，除非你是以患者的身份来找我。"惠娜冷漠地回应。

"我可不想当你的小白鼠。"溪望向对方展示文婧跟明航的合照，"照片中的女生是你的患者？"

"作为一名专业的心理治疗师，我有义务保护患者的隐私。"

"你似乎知道些什么。"溪望露出狡黠的笑容。

十三

残存的日记：7月30日，为什么总是下雨？上个星期开出的保单刚开始生效，被保险人就失踪了，马经理觉得很可疑呢。

"文婧失踪后，受益人主动联系过你们吗？"溪望问道。

"没有。"马经理摇头，"他没有找我们，我们也联系不上他。"

"他没接电话？"

"不是没接，而是一直关机。"

"那就奇怪了。"溪望皱眉沉思。

十四

残存的日记：7月6日，天朗气清。牛郎织女一年才见面一次，实在太可怜了，幸好我跟那个人每天都能见面。不过，他最近好像为买房的事烦恼呢！我连银行密码都能告诉他，他还有什么不能坦白跟我说的呢？

"原来她也挺富有的。"溪望出示文婧部分存取款记录，"三个月前，她的存款有近六十万。"

"她跟我说过，还说如果我要买房，可以由她付首付。"

"她对你真好，能把一切都托付给你。"

"可惜我之前没好好珍惜她。"明航潸然泪下。

十五

残存的日记：2月23日，小雨。游医生说，要学会忘记过去。人类大脑最奥妙的功能就是"忘记"。

"我想你最好把知道的事情告诉我。"溪望狡黠地笑着。

惠娜冷笑道："你已经不是刑警，我可没义务协助一名私家侦探去完成他的委托。"

"是吗？或许我有办法让你开口，譬如将你过去催眠阿慕让他把喜欢你的事说出来。"

"你——"惠娜咬牙切齿地盯着对方，"好吧，你会知道一切你想知道的事情。"

十六

残存的日记：8月3日，太阳很毒呢。爱是完全的奉献，我愿意将我的所有，毫无保留地奉献给那个人。

"根据银行记录，她的账户在一个星期前被提取了两万元。"溪望出示文婧的另一部分存取款记录。

"是我取的。"明航坦然承认。

"你有她的银行卡？"

"她在失踪之前，将银行卡交给了我保管。"

"这宗委托似乎越来越有意思。"溪望狡黠地笑着。

十七

残存的日记：6月2日，晴。芳怡真是宅得无可救药了，每次叫她跟我们一起吃饭，她总是一个劲儿地摇头。一会儿说自己好几天没洗头发，一会儿又说餐馆做菜放了很多味精，反正就是借口一大堆。

"你跟他见过面吗？"溪望指着合照中的明航。

芳怡答道："只见过一次，一个星期前他来找过文婧，就那时候跟他见过一次。虽然我不喜欢他这种人，但他既然还来找文婧，说明他心里还有文婧的位置，所以我就把日记交给了他。"

"原来是这样。"溪望恍然大悟。

十八

残存的日记：3 月 19 日，还在下雨。虽然游医生一再开导我，但我还是忘不了那个人。我恨他，甚至想杀死他。

"她想忘记一切，忘记那个伤害过她的男人。"惠娜说。

"她做到了？"溪望问。

"虽然失败了很多次，但最终还是成功了。不过，付出了沉重代价。"

"那只是你自己这样认为而已。"溪望冷眼嘲笑。

十九

残存的日记：4 月 9 日，苍天在哭。怎么办？我到底该怎么办？我也不想这样，我只是一时……（后面的内容被烧掉了。）

"你可能忘记了一些事情。"溪望淡然地说。

明航激动地反驳："不可能，一切跟文婧有关的事情，对我来说都是刻骨铭心的记忆。"

"'好记性不如烂笔头'，这是你说的，日记上写着的。"

"我承认，人的记忆有时候的确不太可靠，但那只是对于日常琐事而言，重要的事情是绝对不会轻易忘记的。"

"世事无绝对，你确定你的记忆都是真的？"

"我能确定！"明航以坚定的语气回答。

溪望无奈地摇头："如果你非要知道，那我就告诉你文婧的下落吧！希望你知道后不会后悔。"

二十

缺失的日记：4月11日，阴霾。明天是复活节，我会像游医生说的那样重获新生吗？

"真相往往是残酷的，你确定要知道文婧的下落？"溪望再次询问。

明航坚定不移地回答："确定！"

"其实文婧并没有失踪，她只是想忘记过去，过全新的生活。"溪望叹息一声，随即告诉对方真相——

文婧将自己的所有都奉献给了那个人，但对方却跟其他女人鬼混，这令她非常伤心，甚至患上了抑郁症。为此，她向心理治疗师游惠娜求助，希望能在对方的帮助下忘记那个人。

可惜这段刻骨铭心的感情，在她心中烙下了难以磨灭的印记。经过多次催眠治疗，她仍无法忘记那个人。因此，她只好接受惠娜的建议，尝试实验性的治疗方案，彻底改变自己的记忆。

接受治疗后，她不但完全忘记了自己的过去，还拥有了新的记忆、新的身份，甚至新的性别……

溪望突然不说话，静默地看着对方，片刻后又道："真相往往是残酷的，你并不是真正的明航，你一直寻找的文婧其实就是你自己！你通过手术改变了外貌及性别，彻底改变了属于你的一切，这样才能将你原来的记忆彻底抹杀！"

"我、我是文婧？"文婧迷茫地看着自己的一双手掌，又轻轻抚摸自己的脸，茫然说，"我一直在寻找的就是自己？"

溪望继续说："虽然你已经改换身份，可惜你仍不能彻底忘记自己的过去，尚有零碎的记忆存在于潜意识当中，使你将自己幻想成文婧心目中的如意郎君，并不惜一切寻找那个已经不存在的你。"

幻想与现实重叠，谎言与事实交错，虚假的记忆渐渐失色，真相逐一浮现，文婧终于找回属于自己的真实记忆——如梦魇般的可怕记忆。两行晶莹的泪水，悄然滑过不属于她的脸颊。

"我想起来了……我就是文婧。"

逝去的昨日不可篡改。

刻骨的记忆犹可抹杀！

"阿慕，之后的事情就交给你了。"溪望向等待多时的刑警朋友招手。

后记

缺失的日记：4月10日，阴霾。游医生说得没错，或许只有这个方法才能让我忘记他——杀死他，割下他的脸皮，跟他融为一体。还差一步，我就能彻底摆脱过去。

"教唆杀人可不是小罪。"溪望冷眼看着惠娜。

"诽谤也是犯法哦！"惠娜狡笑辩驳，"没有确实的证据，我奉劝你最好别乱说话。"

"天网恢恢，疏而不漏，坏人总会得到报应的。"溪望转身走向门外，"别忘记我们的约定，你要是敢再纠缠阿慕，我可不会放过你。"

惠娜厌恶地说："你也不见得是好人。"

[完]

Chapter ④ 精神感染

Deception case group
Rumor

1. 新居闹鬼

"游医生，精神病会传染吗？"仕雄神经兮兮地问道，"还是……我家闹鬼了？"

"黎先生，别自己吓自己。"惠娜摇头苦笑，翻开对方妻子的病历。

按病历上的记载，仕雄的妻子名叫梁丽珍，二十八岁，一年前开始出现幻听，并于三个月前突然袭击丈夫，因而到此求医，其后确诊为精神分裂症。经治疗病情大为好转，现在症状已基本消除。

惠娜将病历合上，向仕雄说道："还是先把你的情况告诉我吧！"

"我总觉得家里有脏东西……"仕雄面露惶恐之色，于颤抖中讲述所遇到的怪事——

去年，我女儿莹莹刚满三岁，该上幼儿园了。我跟丽珍找了不少关系，请人吃饭也至少请了十几顿，但这事没得到落实，连一家靠谱儿的幼儿园也没搭上。后来，丽珍就跟我商量："要不买套学区房，反正我们也该买房子了。"

其实我一直都想买房，可现在房价这么高，要买套合适的房子并不容易，买学区房就更难了。也不知道是幸运还是不幸，丽珍托朋友找到一套学区房，各方面的条件都符合我们的要求，最重要的是价钱也在我们可以接受的范围内。

当然，天上不会突然掉下个馅儿饼，房子之所以便宜，是因为"不干净"。听说，上一个业主的妻子就死在客厅里，还是半夜穿红衣服上吊自杀的，可吓人呢！

我跟丽珍都不是迷信的人，但住在死过人的房子里，心里总会觉得不舒服。但也没有别的办法，这是我们唯一买得起的学区房。要解决莹莹的教育问题，我们必须把这套房子买下来。

我把全部积蓄都掏出来，还向父母及亲友借了不少钱，总算凑够首付把房子买了下来。可是，乔迁新居的喜悦还没消退，我就发现房子好像有问题。

搬入这房子后，我发现丽珍经常一个人自言自语。我问她跟谁说话，她每次都表现得很慌张，并对此支支吾吾。更奇怪的是，她经常在半夜三更，趁我睡着独自走到客厅自言自语，有时甚至说着说着就往门外走……

"作为丽珍的主治医生，她的情况我很清楚。"惠娜扬手打断对方的话，"她之所以有这些奇怪的行为，是因为出现幻听，病因很可能是不适应新环境。"

"那我呢？"仕雄的情绪突然变得激动，"我最近也听见一些奇怪的声音，不时在我耳边说话。"

他突然又变得无比沮丧，眼神中更带有三分惶恐："我要么是被丽珍传染了，要么就是……家里闹鬼！"

2. 凶宅往事

"精神病不是由细菌或病毒引起的，理论上不存在传染的可能。但是……"惠娜迟疑片刻，接着解释道，"处于同一环境，且关系极为密切的亲属或挚友，譬如母女、兄妹、夫妻等，若其中一人患上精神病，另一个也有可能出现类似甚至完全相同的症状。这在医学上称为'感应性精神病'。"

"我、我真的得了精神病？"仕雄紧握双拳，激动得连声音也变得颤抖。他突然重重地拍打桌子，阴阳怪气地叫道："不是，我不是神经病，我跟丽珍都不是神经病，我们是中邪，是被冤鬼缠身！"

"要相信科学。"惠娜苦笑着摇头，指着丽珍的病历说，"经过三个月的治疗，丽珍的情况已明显好转，这个你应该很清楚。我给她开的可不是驱鬼符咒，而是抗精神病药物。如果是鬼魅作祟，你觉得药会起效吗？"

"她的确好多了，还像以前那样把家里打理得井井有条，跟搬进这房子之前没什么两样。她刚搬过来时，整天神不守舍，把家里弄得乱七八糟。"仕雄将信将疑地点头，但突然又猛地站起，凑近对方神经兮兮地小声说："但她给我煮的咖啡，味道跟以前不一样。"

"你就别鸡蛋里挑骨头了。"惠娜无奈地苦笑，并扬手示意对方坐下来，"丽珍服药近三个月，俗话说'是药三分毒'，多少会对她的感官产生一些细微的影响。而在煮咖啡的过程中，任何一个细微的变化，都会对味道产生影响。你要她煮回一年前的味道，是不是有点儿强人所难了？就是新房子的水质，跟你们以前住的地方也不一样。"

"但是，我总觉得她还是有点儿不对劲。"仕雄重新坐下来，苦恼地双手抱头。

"你不觉得是自己太多疑了？还是把你的情况详细告诉我吧！"惠娜翻开仕雄的病历本，并拿起钢笔准备记录，"在心理学上，你觉得房子有鬼，那么就是有鬼，不过我可以替你驱鬼。虽然我用的不是符咒，而是抗精神病药物，但用在你妻子身上，效果还挺好的。"

"好吧，我的情况是从三个月前开始的……"仕雄面露沮丧之色，缓缓讲述自己的情况——

自从丽珍在生日那天突然发病袭击我之后，我就经常听到些奇怪的声音。开始时声音很模糊，听不清楚是什么意思，也分不清说话的是男是女，只知道有人在我耳边说话，可是我身边一个人都没有。

这种情况通常发生在早上或者半夜，就是我睡觉之前，或者早上刚起床的时候。但我待在公司里，就算通宵加班也不会出现这种情况。所以，我怀疑是家里的问题，肯定是那个在客厅自杀的女人在作祟。

之后，情况就越来越严重了，我经常会做噩梦，梦见有个红衣女鬼在家里荡来荡去，而且在耳边出现的声音也越来越清晰。譬如，早上会听见有个女人在我耳边说："你别去上班，你一出门就会被车撞死。"晚上回家又听见同一个声音："叫你别出去你还去，要不是我赶去救你，你已经死了。"半夜里又会听见"你觉得我怎样？我跟你老婆比，谁更漂亮"之类。我被这声音弄得心里发毛，那个红衣女鬼说不定是想把我招到阴间去。

我虽然不迷信，但这声音害得我终日心神不定，所以我向邻居打听上一个业主的事情。住在楼下的张姨告诉我，上一个业主名叫邓贺春，他自杀的妻子叫何文娟。我家隔壁那间房子也是他的，他还经常回来住。因为房子是通过中介买下的，而且我每天都早出晚归，所以一直没机会跟他碰面。

张姨还说，贺春是个花花公子，在外面惹下不少风流债。但文娟却是规规矩矩的好女孩，认识他之前没交过男朋友，嫁给他也是由父母安排的。其实他们也没怎么谈过恋爱，男的图女的身家清白，听说婚前还是处女，女方父母则贪男家有钱。

这段婚姻说不好听就是一场买卖，不过也没啥关系，反正各取所需，婚后还是照样过日子。可是贺春婚后仍放荡不羁，还跟之前那些不三不四的女人纠缠不清，后来还包养了一个叫陈绯的坏女人。

文娟是个胆小怕事的姑娘，虽然知道丈夫有外遇，但也只是睁一只眼闭一只眼，装作毫不知情。俗话说人善被人欺，她越不敢吭声，贺春就越欺负她，不但让陈绯搬到自家隔壁，还明目张胆地跟这小三出双入对，甚至毫不避讳地跟对方在大街上亲热。

他们做得这么过分，让文娟非常难受，但她的父母在经济上一直受贺春照顾，她又是个孝顺的女儿，只好把泪水往肚子里吞。可后来陈绯为了能够转正，经常趁贺春不在家时前来挑衅，文娟性格懦弱不敢反抗，所以整天被小三欺负。

她将这事婉转地告诉贺春，希望丈夫别把外面的风流账带回家，最好让陈绯搬到别的地方。可是，贺春不但没有责怪小三惹是生非，反而说她不懂讨好丈夫，在床上就像木头一样，跟她同房毫无乐趣可言。

这番话把她的心伤透了，她一时看不开，竟然半夜上吊自杀，当时贺春还在隔壁跟小三风流快活呢！

她死了之后，小三马上就得到报应，莫名其妙地疯了。就在她头七那天晚上，陈绯竟然一丝不挂地在车来车往的马路上裸奔，被一辆来不及刹车的大货车撞死了。

听完张姨这番话后，在我耳边出现的声音，就由原来的一个变成了两个，我开始能听见陈绯的声音……

3. 近疯者癫

"你所说的陈绯，跟你说过些什么？"惠娜问道。

"她跟我说了很多话，其中大多是文娟的坏话。我还记得她第一次跟我说话……"仕雄神经兮兮地讲述当时的情况——

那天，我跟张姨聊完已经很晚了，回家洗了个澡就想睡觉。因为我最近老是做噩梦，所以丽珍每晚都会给我准备一杯热鲜奶，好让我能睡个安稳觉。可是我刚躺下，耳边就出现一个轻柔的女性声音。

这声音我很熟识，最近几乎每天都在耳边响起，我甚至已经开始习惯了。对方通常是告诉我，附近发生了些什么事，又或者问我喜欢怎样的女人之类的。

那晚，这声音跟我说："附近有个年轻女人死了，才二十多岁，长得可漂亮呢，真可惜！你也觉得很可惜吧？"

　　当时我躺在床上闭着眼，脑海里突然浮现一张年轻女人的面孔，长得斯文大方，挺标致的。我想，对方说的就是这个女人吧！心里也觉得这么年轻就死了，的确很可惜，甚至想开口说出来。

　　就在我即将开口时，耳边突然响起另一个娇媚的女性声音，她冲我耳朵大叫："别说话，死的人是她，你一开口她就会把你带走。"

　　这可把我吓出一身冷汗，马上就从床上弹起来。睡在身旁的丽珍问我怎么了，我也不敢开口回答，只是朝她摇了下头又躺了下来。我刚闭上眼睛，娇媚的女性声音又继续跟我说："别相信那个贱女人的鬼话，她生前跟我抢男人抢不过，死后竟然化成厉鬼来害我。现在她打起你的主意，你千万别跟她说话。因为你一开口，她就会把你带走，就像她害死我那样。"

　　她接着又跟我说了很多话，说张姨对她的事只是一知半解，其实她早就跟贺春相恋。贺春在认识文娟之前，已经跟她在一起，可是两人产生了些小误会，她一时赌气离开本地，回来后却发现贺春已跟文娟结婚。

　　可是，贺春并不喜欢文娟，跟对方结婚只是为了应付父母，真正喜欢的人就只有她一个。她也是真心喜欢贺春，而且不计较名分，所以很快就跟贺春旧情复燃。

　　她搬到隔壁住，是由贺春主动提出的。她刚从外地回来，一时没找到合适的住所，恰好隔壁那间房子没租出去，贺春就让她搬进来。

　　其实，她也觉得住在隔壁，经常跟文娟碰面不太适合，但为了能跟贺春朝夕相处，自己多忍让就是了。可是，虽然她已尽量避免跟文娟接触，但对方却没这么大方，把贺春分她一半。

　　别看文娟斯斯文文，一副胆小怕事的模样，其实是个满腹心计的坏女人。文娟知道贺春不喜欢自己，没本事把老公抢回来，就想尽办法把她逼走。

　　文娟到处装可怜，向邻居瞎扯自己整天受欺负，还说自己父母一直依靠贺春接济，所以绝对不能离婚。其实，贺春根本没接济岳父母，是文娟自己贪恋贺春的家财，所以不肯离婚，想用群众压力把她逼走。

不过，这招不但不管用，还把贺春惹怒了，大发雷霆地说再瞎闹就干脆离婚。贺春这一发威，就把文娟吓到了，可是不继续闹，心里又不舒服，想来想去最终钻入牛角尖，竟然上吊自杀……

"这么说，你是在张姨口中知道陈绯的事情后，才开始听见她说话的？"惠娜淡然问道。

"是。"仕雄点头回答，"从那之后，就经常听见陈绯在我耳边说话，有时甚至听见她跟文娟吵架。"

"这是感知障碍，是精神分裂症的典型症状。"惠娜在病历上写上诊断结果。

"我、我真的得精神病了？"仕雄低头自言自语，一再重复这令人感到厌烦的疑问句。片刻后，他突然面露凶相，抬起头冲惠娜放声咆哮："不可能，你骗我！我从没见过文娟和陈绯，连她们的声音什么样也不知道，怎么可能突然听见她们的声音？我一定是中邪了，不然绝不会听见奇怪的声音。"

面对情绪近乎失控的患者，惠娜仍镇定自若，冷静地答道："你的幻听是从丽珍生日那天开始的，很明显是因为你们生活在相同的环境里，而且受丽珍发病的影响，你患上了感应性精神病。在丽珍突然发病袭击你这个诱因作用下，你产生类似的症状。你虽然未曾跟文娟有过任何接触，但你知道她在你家客厅自杀，这足以使你产生幻听。"

"那陈绯呢？"仕雄仍不相信自己患病，激动地叫道，"我怎么会突然听见她的声音？"

"陈绯的出现就更典型了。"惠娜耐心解释道，"张姨告诉你关于陈绯的事情，无意中给了你某种程度上的心理暗示，从而导致另一种幻听的产生。文娟与陈绯的出现，在精神病学上都能找到合理的解释。你现在需要的不是驱鬼符咒，而是抗精神病药物。"

"我是神经病，真的是神经病……"仕雄苦恼地将脸埋于双掌里，又沮丧地抬头问道，"神经病能治吗？"

　　"我不是已经把丽珍治好了？"惠娜苦笑着摇头，"我能用三个月时间把你妻子治好，同样也能把你治好。"

　　"真的三个月就能治好？"

　　"三个月足够了。"惠娜绽露自信的笑容。

4. 亦真亦幻

　　"游医生怎么说？"

　　仕雄刚回家，妻子便关切地上前问道。

　　"神经病，我真的得了神经病。"他无力地瘫在客厅的沙发上，仰头盯着天花板上的吊灯。那是文娟上吊的地方，他仿佛看见一个红色的模糊身影，悬于吊灯下轻轻晃动。

　　"别担心，游医生能把我治好，同样也能把你治好。"丽珍安慰道，"她给你开药了吗？"

　　仕雄用力地甩了一下头，不再胡思乱想，将一袋药丸递给对方，说："她说只要我按时吃药，定期回去复诊，三个月就能治好。"

　　"这样就好。"丽珍松了一口气，将药袋放进药箱。她将披肩的长发扎起来，回头对丈夫说，"你去洗澡吧！我把菜炒一下就能吃饭了，这些药最好在饭后吃。"

　　仕雄点了下头走向浴室，他的思绪非常乱，乱得弄不清楚自己在想什么。自从丽珍在生日那天突然发病，并袭击他之后，他的脑袋就一直乱糟糟的。

　　为什么会这样？

　　他站在莲蓬头下，用温水冲洗脑袋，以求让自己能保持片刻清醒。之前他一直觉得是房子出了问题，但在温水的冲洗下，他似乎想起了一些事，但又不能清楚地想起是什么。

是丽珍的生日！

他终于记起一些零碎的片段，但这些极其模糊的片段，除了给他徒添困惑之外，没有别的用处。

丽珍生日那天到底发生什么事了？

怎么一点儿也想不起来？

这些疑问一直盘旋在他脑海里，直到入睡前仍没有答案。他本可以询问妻子，但他却害怕让对方知道自己是个神经病，虽然这是对方已知道的事实。

他的思绪越来越混乱，乱得想冲出阳台往下跳——这里可是十六楼，只要往下一跳，一切问题都能解决。

他于胡思乱想中入睡，可睡得迷迷糊糊时，近三个月几乎每晚都出现的轻柔女声，仿佛如约而至般，再次在他耳边响起："你老婆是个水性杨花的荡妇，你可别相信她，她会害死你。"

他一下子就惊醒了，转头看睡在身旁的丽珍，发现对方已经睡着，除了平稳的呼吸声外，没发出其他声音。

熟识的轻柔女声再次在耳边响起："她在外面有个情夫，还想跟情夫一起害你。你快把她掐死，不然她会害死你。"

他感到非常烦躁，正想大吼一声"给我闭嘴"时，却被另一个娇媚的女声喝止："别开口！你一开口搭话，她就会把你带走。"

之前的烦躁于瞬间消失，取而代之的是一股源自心底的寒意。正当庆幸自己没有开口时，娇媚的女声又道："你千万别搭她的话，她想把你的魂魄拉出来，你一开口就会被她带走。"

轻柔的女声又响起，嗔怒道："陈绯你这个贱女人，死了还要跟我争是吧?！"

娇媚女声则娇笑道："何文娟，你也够可怜的，生前一无是处，死后做鬼也不灵，始终斗不过我，哈哈哈……"

两个女声在他耳边对骂，吵得他脑袋嗡嗡响，令他感到头痛欲裂。他不想弄出动静惊醒妻子，便起床走出房间，打算到客厅的药箱里找止痛药吃。

那两个女声仿佛停留在房间里，他刚把房门关上便耳根清净了，不再受喧哗的争吵声滋扰。而且，头也没刚才那么痛了，没到需要吃药的程度。不过，既然已经起床了，他便想到阳台抽根烟。

打开客厅的灯时，他看了眼墙上的挂钟，时间刚好是十二点整。他突然想起张姨说过，文娟大概就是这时候自杀的，不由得往天花板上的吊灯瞥了一眼。

还好，吊灯上没有奇怪的东西。

他走出阳台，从放在洗衣机上的烟盒里抽出一根烟点上，这是他在家中唯一可以抽烟的地方。丽珍讨厌闻到烟味，甚至连烟灰缸也不让买，怕烟灰会把家里弄脏，他只好把香烟放在这里，并用空易拉罐装烟灰。

他深深地吸了一口烟，想趁思绪稍微清晰一些，仔细想想自己到底怎么了。可就在这时候，娇媚的女声再次在耳边响起："很烦是吧？"

他知道是陈绯在说话，所以没有搭理。其实一直以来，他都能清楚分辨，哪些是幻听，哪些才是真实的声音。他害怕被人发现自己出了问题，所以出现幻听时，他从来不会搭话。

其实，他更害怕把丽珍吓到。

"你很爱你老婆吗？"陈绯继续在他耳边说，"你很害怕失去她吧？"

对方说得没错，他的确很爱丽珍，从大学开始，他就喜欢丽珍。当时他还是毫无作为的丑小鸭，不但长相一般，而且性格内向，就连主动跟丽珍说话的勇气也没有。

还好，天疼憨人，毕业后他通过自己的努力，总算混出点儿人样。五年前，他在同学会上跟丽珍再遇，随即点燃爱火并闪电式结婚。

他不但心愿得偿抱得美人归，丽珍还给他生了莹莹这个可爱的女儿，现在还有了属于自己的房子，人生本应完满了。然而，在他感到最幸福的时候，却跟丽珍先后患上了精神病。这是上天给予的考验，还是他做了什么错事，自己却浑然不知？

"别想了。来，跟我一起跳舞吧！"

眼前出现一名衣着性感的美女，伸手邀请他跳舞，并朝他娇媚笑道："我只要一跳舞，就能将一切烦恼抛之脑后。"

他迷迷糊糊地上前，正想握住对方的手时，突然听见背后传来一个轻柔的女声："快醒醒，她想骗你跳楼！"

5. "鬼"计多端

仕雄愣了一下，逐渐缓过神来，发现自己竟然爬到了栏杆上。这里可是十六楼，他若再往前迈一步，不消片刻便会粉身碎骨。

"过来，别害怕。"

娇媚的女声于前方响起，他抬头一看，发现刚才的性感美女不见了，取而代之的是一个全身赤裸，躯体支离破碎，面容更是惨不忍睹的女人。他知道这女人就是陈绯，是出车祸后的陈绯。

陈绯可怕的身影飘浮于夜空之中，向他伸出血肉模糊的手臂，娇媚道："来，跟我一起跳舞。只要往前一步，你就能忘记一切烦恼。"

"不，我不能死，我还要照顾莹莹，还要跟丽珍白头到老！"他激动地向对方大叫，因失去平衡而前后晃动，险些掉下去。他猛然往后仰，使自己跌落在阳台上以保住性命。

"别以为这样就能带走我！"他爬起来指着仍飘浮于阳台外的陈绯，意志坚定地说，"为了丽珍、为了莹莹，我绝不能死，你要什么花招也带不走我！"

陈绯血肉模糊的脸庞，突然露出一丝诡异的笑容，飘浮于夜空中的身影渐渐消失。与此同时，轻柔的女声从客厅传出："你终于开口搭话了。"恐惧于霎时间袭来，使仕雄浑身颤抖。他缓缓转身，寻找声音的来源。

客厅虽然亮了灯，但在仕雄眼中却如灌满墨汁般黑暗。然而，在黑暗之中，却有一抹耀眼的鲜红悬于吊灯之下——是身穿红衣上吊的文娟！

文娟悬于吊灯下轻轻晃动，睁着一双血红且微凸的眼睛，死死地盯住仕雄，外伸的舌头使她的笑容极其诡异、恐怖。她狞笑道："你只要开口搭话，就永远都不能摆脱我，嘻嘻嘻……"

仕雄被眼前的景象吓呆了，愣了好一会儿才想明白，自己根本没听见陈绯的声音，也没看见陈绯的鬼魂，一切都是文娟在搞鬼！她一直没办法让自己开口搭话，所以当自己从张姨口中得知陈绯的存在，她就假扮成陈绯，来个一唱一和，诱使自己开口搭话。

"现在才知道已经太晚了，嘻嘻嘻……"文娟动作缓慢地向仕雄招手，"跟我走吧，我们到阴间做对相亲相爱的鬼夫妻。"

回荡于客厅里的狞狞笑声，使仕雄头痛欲裂，意识渐渐模糊，身体亦不再受控制，竟然缓步走向那个可怕的红衣女鬼！

"老公，你怎么了？"

在他失去意识前，好像听见丽珍的惊呼。

6. 病入膏肓

"游医生，我的病情不但没有好转，反而越来越严重。"一脸憔悴的仕雄，于诊室中焦虑地向惠娜讲述自己的病情，"之前我只是早晚出现幻听，而且大多都是在家里或者刚出门的时候。可现在却不分时段、地点，几乎整天都能听见文娟在我耳边说话，我、我甚至能看见她。"

"你能看见吗？她就在那里向我招手，说要带我到阴间跟她做鬼夫妻。"他指着空荡荡的墙角惶恐地叫道，随即又苦恼地抱着头号啕大哭："我快分不清哪些是幻觉，哪些才是现实了，上个星期我把莹莹的画本当作计划书交给老总，前天我竟然甩了我妈一巴掌，昨天我还差点儿将莹莹从阳台上扔出去。"

"大家都说是我疯子，是神经病……"他用手捂住脸，从指缝看着对方，怯生生地问道，"游医生，我真的疯了吗？"

惠娜瞥了眼墙上的挂历，淡然笑道："刚好三个月。"

"什么三个月呀？"仕雄神经兮兮地问道。

"从你接受治疗到现在，不多不少刚好三个月。"惠娜悠然地捧起茶杯，喝了口茶又说道，"你忘了，之前我不是跟你说，三个月就足够了？"

"你好像是这么说过。"仕雄皱着眉头，不停地搔脑袋，竟然扯下几根头发。与三个月前相比，他的头发稀疏了不少，几乎掉落了近一半。但他对此并不在意，迷茫地向对方说道，"我觉得自己的记性越来越差，经常丢三落四，而且脑袋总是一片混乱，没办法集中精神思考……"

他说着突然露出怒容，拍案而起，冲对方咆哮："你不是说三个月就能治好吗？为什么我现在却比之前更糟糕？"

"其实你距离治愈只差一步。"惠娜镇定自若地答道，"只要能想起哪些是被遗忘的记忆，你马上就会痊愈。"

"遗忘的记忆？"仕雄又开始搔脑袋，眉头越皱越紧，"我忘记了啥？我到底忘记啥了？"

"你没发觉一切问题，都是从丽珍生日那天开始的吗？"惠娜提示道。

"好像的确是这样……"仕雄搔头的动作加快，又扯下几根头发，"可是那天的情况，我一点儿也想不起来。"

惠娜分析道："那天你被丽珍用水晶烟灰缸敲中后脑勺，很可能因此导致短期失忆，使你记不起那天发生的事。"

"不可能！"仕雄语气坚定地说，"这事我一点儿印象也没有，而且我家也没有烟灰缸，我一直都是用易拉罐装烟灰。"

"不要被表象迷惑，也不要受记忆误导。"惠娜走到躺椅旁边的凳子旁坐下，并示意对方在躺椅上躺下来，"人的记忆最不可靠，经常会欺骗它的拥有者。不过，我能用催眠术使你说真话，让你想起所有事情。"

"是不是只要想起那天的事情，我的病就能治好？"仕雄兴奋地躺在躺椅上并合上双眼，充满期待地说，"快催眠我，快把我的病治好。"

"别心急，先放松心情，想象自己置身于温暖舒适的沙滩，倾听柔和的海浪声……"惠娜轻柔的声音，让仕雄渐渐进入催眠状态……

7. 遗忘的真相

仕雄睁开眼睛时，发现自己捧着一束娇艳欲滴的红玫瑰，置身于一套陌生的房子里。他突然想起今天是丽珍生日，他特意请了半天假，想回家给妻子一个惊喜。但是，这里并不是他的家。

这里的格局跟他家近似，但装修风格却截然不同，或许是同一栋大楼的其他房间。可是，他为什么会在这里？

他回头看了一眼敞开的大门，发现门外就是自家门口。莹莹从幼儿园带回来的手工挂饰就挂在门把上，他不可能认错。

难道是贺春的房子？

自己怎么会闯入别人家里呢？

贺春虽然是他的邻居，而且还是他家房子的上一个业主，但他跟对方除了在买卖房子时说了几句客套话外，平时碰面就只是点一下头，打声招呼。两人并无深交，他甚至连对方做什么工作也不知道。他突然跑进对方家里，说不定会闹到派出所，还是赶快离开吧！

他刚转身准备走向大门，突然听见一个熟悉的声音，不由得停下脚步。声音从主人房里传出来，他越听越觉得熟悉。这声音本应只属于他，而且不该在这里出现，因为这是……丽珍在床上的呻吟声！

他发疯似的冲到主人房门前，用力地将房门推开。眼前的一幕使他目瞪口呆，他最爱的妻子竟然一丝不挂地趴在床上，跟另一个男人颠鸾倒凤，而且还不停地发出放荡的浪叫。而那个骑在丽珍身上的男人，就是这间房子的主人——贺春。

贺春看见突然闯入的仕雄，不但没有停下胯下的动作，反而耀武扬威地加快速度，向快乐的源泉冲刺。丽珍在他的捣弄下浪叫不断，完全没有察觉自己的丈夫就在门外。

"我跟你老公比，谁厉害一点儿？"贺春用力地往丽珍白嫩的臀部拍了一下，朝仕雄露出轻蔑的淫笑。

"别说那个废物，他只是我的提款机，哪儿能跟你比。你可是我最爱的好老公……"丽珍因快感而娇喘不断，连话也说不清楚，"啊……我的好老公、亲老公，再用力一点儿……"

自从搬来这里，仕雄就不时从邻居口中听到丽珍的闲话。昨天张姨还拉住他，叫他别老待在公司里加班，多抽点儿时间回家陪老婆。还向他暗示，丽珍经常跟一个男的来往，举止挺亲密的。

他觉得自己条件一般，能得到丽珍的垂青，是上辈子修来的福气。因此他很努力地工作，目的只是让丽珍和女儿过上更好的生活。可他万万没想到，自己拼命工作的时候，丽珍竟然背着他，跟其他男人鬼混。

其实，他早就发现了一些端倪。搬入新房子后，丽珍就不再在意他的事情，甚至连他的生日也能忘记，还经常因些小事向他发脾气。他也不是没想过妻子可能有外遇，只是一直不愿意相信这是事实，以对方把心思全放在了女儿身上来安慰自己。

此刻，妻子放荡的浪叫，终于迫使他面对现实——丽珍出轨了！

愤怒使他失去理智，把手中的玫瑰往地上一扔，于咆哮中扑向那个骑在自己妻子身上的禽兽。他将贺春扑倒在地，跟对方打成一团。他要将这个侵犯自己妻子的禽兽撕成碎片，以发泄满腔怒火。

他将注意力都集中在奸夫身上，以逃避妻子正一丝不挂地躺在床上这个事实。他万万没想到自己的怯懦，竟会惹来可怕的后果。

就在他骑在贺春身上以拳头宣泄怒火时，后脑勺突然传来一阵剧痛，并感到头晕目眩、全身乏力，渐渐倒下。他用尽最后一点儿力气转过身来，看见全身赤裸的丽珍，手里拿着一个沾血的水晶烟灰缸，惊慌失措地说："被他发现了，该怎么办？"

"大不了就跟他离婚呗，以后我们可以光明正大地在一起。"贺春瞥了一眼倒在地上的仕雄，从地上爬起来，带着淫笑走到丽珍身旁，轻抚对方光滑细嫩的身体。

仕雄虽然意识模糊，但仍能勉强将眼皮撑开一道细小的缝隙，只是那对丑态尽露的狗男女全然不知。

"跟他离婚？"丽珍迟疑片刻，丢下烟灰缸搂住贺春的脖子，妩媚地问道，"你娶我吗？"

"我们现在这样不就很好？结婚多麻烦呀！"贺春厌烦地将她的手拉下来。

"我就知道你不想娶我。"丽珍瞪了他一眼，忧心忡忡地说，"房子写的是他的名字，而且这次还被他当场撞破，要是跟他离婚，我说不定什么也拿不到，弄不好连莹莹也会被他抢走。"

贺春的脸色突然沉下来，皱眉思索片刻后，露出了阴险的笑容："我认识一位姓游的心理医生……"

仕雄觉得眼皮越来越沉重，贺春的声音也渐渐变得模糊。在失去意识之前，他好像听见贺春说"她能将人的记忆抹除"。

8. 人心叵测

"都想起来了？"

惠娜轻柔的声音于耳边响起，使仕雄从催眠状态中醒过来。他缓缓睁开双眼，泪水随即涌出，他悲愤地说："丽珍骗我，她根本就没病，我也不是神经病，我们家也没有闹鬼。一切都是谎言，是个骗局！"

恢复记忆后，仕雄的思绪不再混乱，他甚至觉得自己从未如此清醒过。丽珍与贺春的奸情，清晰地浮现在他的脑海中——

丽珍在跟他结婚之前，曾跟贺春交往过一段时间，且一直对对方念念不忘。为讨好前男友，以及方便日后跟对方鬼混，丽珍便以给莹莹买学区房为由，怂恿他买下贺春一直卖不掉的凶宅。他对此本来毫不知情，但搬入新房子后，便发现丽珍经常自言自语，甚至趁他睡着时悄悄溜出家门，因而起了疑心。

其实，丽珍是用蓝牙耳机跟贺春通电话，因为长发把耳机盖住了，所以看上去就像自言自语。半夜溜出家门更好解释，只是他一直不愿意相信，至爱的妻子竟然在自己刚合上眼之际，就跑到隔壁跟别人鬼混。

丽珍被他捉奸在床后，为保住房子及女儿，听从贺春的建议，找到一位姓游的心理医生将他部分记忆抹除，并且利用他之前所起的疑心，让游医生通过心理暗示使他以为家里闹鬼，妻子更因此患上精神病……

"为什么要让我知道真相？"仕雄强忍泪水向惠娜问道，"抹除我记忆的人不就是你吗，游医生？"

"抹除你的记忆，只是整个计划的第一步。"惠娜露出狡诈的笑容，"就算让你忘记丽珍生日那天的事情，你早晚还是会发现她跟贺春的奸情。要彻底解决问题，最好的办法当然是跟你离婚，可是丽珍又不想放弃房子和女儿，所以就只好委屈你了……"

"你们想把我怎么样？"恐惧从心底涌现，使仕雄本能地挣扎，想从躺椅上爬起来。可是，他此时才发现自己双手双腿均被绑在躺椅上，不能动弹半分。

"不是我们想把你怎样，只是丽珍想把你送进精神病院。"惠娜狡诈地笑道，"丽珍花了三个月时间，让你怀疑家里闹鬼，甚至认为自己患上精神病。"

"丽珍对我做了些什么？"仕雄惶恐叫道。

"我想你应该早已有所察觉。"惠娜掩嘴窃笑，"她每天早上给你煮的咖啡，和晚上给你喝的鲜奶都混入了致幻药，所以你才会出现幻听。其实你早就发现了端倪，可是你太信任她了，完全没想过她竟然会害你。"

"她让你怀疑自己患上精神病，并以康复者的身份，让你到我这里求医。"她露出阴险的笑容，"嘻嘻嘻……这样就不用再偷偷摸摸地给你下药了。"

"你、你给我开的是致幻药？"仕雄愕然道。

"嘻嘻嘻……你也挺配合嘛，这三个月来一直都按时服药，令自己的'病情'越来越严重。所有认识你的人，包括你的邻居、同事，甚至是父母，都认为你患有精神病。"惠娜再次掩嘴窃笑，"现在你说自己没病，你觉得会有人相信吗？"

"你、你……"仕雄气得一时说不出话，咽了口唾沫才继续说道，"你当初说三个月就足够，不是指三个月能把我治好，而是三个月能让所有人都觉得我是神经病？"

"答对了。"惠娜轻声鼓掌。

"你这个毫无医德的庸医，我绝不会放过你！"仕雄发出愤怒的咆哮，用尽全身力气想挣脱手脚上的束缚。

"游医生，有状况吗？"一个男性声音从门外传来。

"进来吧！"惠娜朝门外叫道，随即有一名男性看护推门而入。她向躺椅上不停扭动的仕雄瞥了一眼，对看护说："他的妻子已经签字了，把他送去精神病院吧！"

看护点了下头，到诊室外叫来另外三名看护。四人在仕雄的吼叫声中，一同将他从躺椅上解下来，再粗暴地绑在轮椅上送走。

他们走后，惠娜便将门关上，双手插入白大褂宽阔的口袋里，朝诊室内部的屏风说道："已经搞定了。"

"做得不错，他刚才那样子，谁也不相信他不是神经病。"贺春从屏风后走出来。

"我办事，你放心。"惠娜面露不悦之色，"这种事都不知道替你做了多少次了，有哪次出过问题？你竟然还要来监工，真让人伤心呀！"

"小心驶得万年船，还是谨慎些比较好。"贺春尴尬地笑了笑，随即严肃地问道，"他会在精神病院待多久？"

"足够你把他的老婆、女儿连同房子一起抢过来。"

"我只要房子跟莹莹，至于丽珍……"贺春阴险地笑道，"老规矩，等房子到手就替我解决她。"

"你还真够狠毒的。"惠娜轻蔑一笑，"仕雄虽然稀里糊涂地'喜当爹'，但好歹也替你把女儿养到四岁。你为了吞掉卖给他的房子，竟然把他弄进精神病院。你对丽珍就更狠心了，人家可是拿着莹莹的基因鉴定结果来跟你重修旧好的，甚至不惜出卖丈夫来讨好你。可是，你却过河拆桥，只想要回自己的女儿，把人家当作用过的卫生纸一样丢弃。"

"无毒不丈夫。"贺春露出狡诈的笑容，缓步走向门外，"女儿永远是我的女儿，但女人不一定永远是我的女人。"

他离开诊室后，惠娜从白大褂的口袋中掏出处于通话状态的手机，关闭免提后放到耳边，向电话彼端的丽珍说："都听见了？"

"杀了他！"丽珍咬牙切齿地说。

"没问题，我早就给他留了关键词，随时能让他进入催眠状态。要让他像陈绯那样在马路上裸奔，找辆大货车一头撞死，一个电话就能搞定。"惠娜狡诈地笑了笑，随即补充道，"不过，我的收费很贵哦！"

"少跟我来这一套！"丽珍骂道，"你不是有心杀他，才不会让我知道他的真面目。你知道他这么多秘密，以他多疑的性格，早晚会杀了你灭口。你肯定会先下手为强，只不过想顺便敲我一笔罢了。"

"没错，我的确不会放过这个恶心的贱男人，但是，"惠娜阴险地笑道，"要向他下手也不急于一时，可以在他向你动手之前，也可以在你的葬礼之后。"

"你……"丽珍一时为之气结，随即压下怒火，平心静气地说，"报酬方面你无须担心，这贱人一死，他之前骗来的房子就全归莹莹所有，我绝不会亏待你。"

　　"快给莹莹准备一套孝服吧，她马上就要参加亲爹的葬礼了。"惠娜挂掉电话走到窗前，瞥了一眼正在停车场取车的贺春。

　　"无毒不丈夫？"她轻蔑地笑了笑，开始拨打贺春的手机，并阴险地笑道，"最毒女人心！"

[完]

Chapter ⑤ 彼得卢什卡

1. 梦幻舞会

皎洁的月光洒落在宁静的校园内，整个校园像铺上了一层忧郁的薄纱。欢快的旋律，似有似无地回荡于夜空中，仿佛在呼唤沉睡的少女，呼唤她起来梳洗打扮，准备参加盛大的宴会。

纤凌醒了，寝室里的八名女生当中，只有她被这似有似无的钢琴声吵醒，也许整个宿舍，甚至整个校园也只有她被吵醒。静心聆听这优美的乐章，不禁让人联想起狂欢节——玩具王国的狂欢节……

热闹的市集上尽是快乐的玩具王国民众，芭比娃娃们围在一起跳舞，熊宝宝站在大圆球上以憨拙的姿态引来爆笑，滑稽的小丑们把快乐传播到每个角落。突然，一辆魔法马车从天而降，一群玩具士兵随即出现把马车包围。马车上有王室的标志，坐在里面的显然是风度翩翩的玩具国王子，民众为一睹王子的风采，都争相往前靠。纤凌在拥挤的人群当中，好不容易才挤到较前的位置，但手持玩具剑矛的士兵挡在马车前面，阻止大家靠近王子，使她难以看见王子的身影。

突然，戴着面具的王子从马车中走出来，走到纤凌面前，优雅地伸出戴着华丽手套的右手，邀请她参加王宫舞会。他们一起坐着神奇的魔法马车飞上天空，片刻即抵达宏伟的玩具城堡。

走下马车的时候，纤凌发现自己不知何时已换上一套华丽的服饰，犹如童话中的公主一般。王子把她带到王宫的舞池，在众人的掌声之中，与她翩翩起舞。

当纤凌沉醉于王子怀抱中的时候，突然觉得有点儿冷，她觉得王子的身体非常冰冷，仿佛完全没有体温一样。她感到害怕，抬头看着王子的脸，但看见的只是一副毫无表情的面具。

王子突然开口："你知道我的名字吗？"纤凌轻轻摇头，他又说："我叫彼得卢什卡。"说着，便把面具摘下，然而他的脸同样没有任何表情，因为那是一张由木头雕刻而成的脸。

纤凌终于明白王子为何没有体温，因为他是一个木偶，没有感情的木偶。木偶突然发出咯咯咯的诡异笑声，但他的脸依旧没有任何感情："你也想变成木偶吗？"

纤凌心中一愣，不自觉地往后退了一步，可是她的背后却是万丈深渊。她感到自己的身体猛然下坠，跌落在漆黑的深渊之中……

"哎呀！"纤凌掉到床下了，刚才的一切原来只是一场梦。可是，那琴声却如此真实，到底梦是从何时开始的呢？

2. 独特的旋律

中午时，纤凌坐在自己的位置上发呆，同桌诗韵突然哼起一段似曾相识的轻快旋律，她好奇地问："这是什么歌啊？很特别哦。"

"是《彼得卢什卡》，好听吧！你不是说想编支舞吗？用这首曲子当配乐怎样？"诗韵得意地说。

"什么什么卡啊，听也没听过，是谁唱的？"

"是《彼得卢什卡》啦，这不是流行曲，是一首钢琴曲子，我在表姐那里听来的。"

"钢琴曲子？的确是不错，用来当配乐正好，不过你什么时候变得这么有品位了……"正想损对方几句，纤凌突然想起昨晚所做的梦，梦中的木偶王子不是说他的名字叫彼得卢什卡吗？她让诗韵把曲子再哼几遍，越听越像昨晚听见的琴声。

到底怎么了？从未听过的曲子竟然在梦中出现，难道昨晚的琴声是真实存在的，真的有人在半夜弹奏钢琴？就算是，那梦中的木偶王子又是怎么回事？彼得卢什卡这个有点儿拗口的名字，以前可从未听过，怎么会在梦中出现呢？

一连串疑问让纤凌越想越糊涂，于是她便问："这曲子你是从哪里听来的？"

"刚才不是说了嘛，是从我表姐那里听来的。"

"你表姐又是从哪里听来的呢？"纤凌继续追问。

"她那所大学里来了会弹钢琴的留学生，名字就叫彼得卢什卡，长得挺帅气的。听说他准备用这首名字和他相同的曲子参加钢琴比赛，所以经常练习这首曲子。表姐觉得很好听，就哼给我听了。"

"你表姐上的大学不就在我们学校附近吗？"

"是啊，你想去看那个留学生吗？听表姐说，他真的很帅哦，头发就像金子一样闪亮闪亮的。"诗韵一副春心荡漾的样子。

然而，纤凌却对这个异国帅哥并没什么兴趣，她心里还想着昨晚的梦境。难道昨晚是这个留学生在弹钢琴？应该不可能吧，他所在的大学和这所中学的距离虽然不是很远，但绝对不是琴声所能传播的距离……她整个下午都在想这些疑问，至于老师在讲台上说了些什么，她一点儿也没听进脑袋。

3. 寝室夜谈

宿舍关灯的时间到了，"卧谈会"正式开始。

"你们昨晚半夜有没有听见钢琴声啊？"纤凌躺在床上发问。

"没有啊，这里怎么会有钢琴声呢？"回话的是睡纤凌上铺的海莉。

"应该没有吧。"

"我昨晚一觉睡到天亮，不太清楚。"

大家都表示没听见。

"嘻嘻，你是不是做梦梦见钢琴王子了？"海莉笑道。

"王子是王子，但不是钢琴王子，而是木偶王子。"纤凌无奈地说。

"说起木偶，我想起一个挺可怕的传闻。"说话的是碧莲，一个挺会讲鬼故事的短发女生。

"是什么传闻？快说啊！"大家都知道今晚的故事又要开始了，她们已经习惯了听碧莲讲过鬼故事后才睡觉。

碧莲清清喉咙："据说，在台湾嘉义有个老农民收藏了一个神奇的木偶。这个木偶好像是来自日本的，身高大概三十厘米，有一头乌黑的长发，做工很精致，很漂亮。"

碧莲顿了顿，问道："你们知道这个木偶有什么特别之处吗？"

"你不说，我们怎么知道？"不知是谁在回答。

碧莲发出神秘的笑声，笑了一会儿才继续讲故事："据说，这个木偶的头发是用死人的头发做的，而且还会生长哦。虽然长得很慢，但的确一年比一年长，而且乌黑亮丽，就像纤凌的头发那样……"

纤凌打了个寒战，骂道："你想死啊，干吗拿我的头发做比较。"在寝室的八人当中，她的头发是最乌黑亮丽的。

碧莲怪怪地笑着："嘻嘻嘻，更恐怖的是，在有月亮的深夜，存放木偶的房间会传出咯咯咯的诡异笑声，如果这时候走进那个房间，就会看见……"

　　碧莲说到一半就停下来了，大家都想知道会看见什么，但谁也没开口发问，因为她们都蜷缩在被窝里发抖。碧莲要的就是这样的效果："走进房间的人，会看见月光照在木偶身上，把木偶的头发照得闪亮。而木偶会用手掩着嘴巴，对着走进来的人咯咯大笑……"

　　碧莲又停下了，这一次她很久也没有出声，仿佛睡着了。她不但没有说话，甚至连呼吸声也没发出，不禁让人怀疑她是否突然死了。

　　静，午夜墓地般寂静，使整个寝室笼罩在让人不安的诡异气氛之中。良久，终于有人忍受不住这份死寂，开口发问："之后呢？"

　　"这种事你也相信吗？嘻嘻嘻……"碧莲顽皮的笑声，使诡异的气氛消散于无形，"后来，有电视台去采访这个老农民，在他家里守候了几个晚上，始终也没听见木偶发出笑声，更没看见木偶用手掩住嘴巴。可是木偶的头发会生长，却得到了证实。"

　　"你的意思是那个老农民撒谎？"纤凌问。

　　碧莲说："也不能这么说，也许他所说的，对他来说是实话。"

　　"这不是自相矛盾吗？"海莉不满地说。

　　"先别急，慢慢听我解释。"碧莲再次清清喉咙，"佛祖说，万物皆有灵。这可不是忽悠人的话，也不是纯粹的哲学思想，用现代科学来理解这句话，意思应该是世间万物都拥有磁场，而且能互相影响。"

　　"你什么时候当尼姑了，怎么跟我们说起佛法来了？"海莉听得一头雾水，不知道她到底想说什么。

　　碧莲有点儿不悦："你才是尼姑！我是想说，木偶虽然是死物，但也有磁场，而老农民跟木偶朝夕相处，相互之间就会产生影响，两者的磁场渐渐变得接近。因此，在某些情况下，老农民就会受到木偶影响，产生幻觉，听见木偶的笑声，甚至看见木偶会动。"

　　"那就是说，一切都只是老农民的幻觉了？"纤凌说。

　　"没错，的确是幻觉，其实所谓的见鬼就是幻觉。可是……"碧莲的语气突然又变得神秘起来，"可是，你能分辨出什么是幻觉，什么是真实吗？如果你被幻觉杀死，那么真实的你也一样会死掉。很多到鬼屋探险的人，会莫名其妙地猝死，其实就是因为受到磁场的影响而产生幻觉，被幻觉杀死，或者说是被幻觉吓死。"

碧莲说完后，大家都没出声，毛骨悚然的感觉让她们说不出话来。良久，纤凌终于打破沉默，说："碧莲，你说这世上是不是真的有鬼啊？"

"信则有，不信则无。"

"别故弄玄虚了，说清楚点儿嘛。"纤凌又问。

"所谓的鬼魂只不过是一种磁场，它们不像人们想象中那么强大，飞天遁地穿墙过壁无所不能，它们其实非常弱小。它们就像电波信号一样，相信有，就会比较容易接收到，受它们影响而产生幻觉；不相信就等于抗拒接收，当然不会看见奇怪的东西了。所以说，信则有，不信则无。"

"那木偶的头发又是怎么回事呢？"海莉问。

"这个问题得让科学家多做研究后才能解释了。再给你们说件事吧。"碧莲说着顿了顿，聆听众人的反应，大家都没有出声，她们在等待另一个故事。

碧莲说："以前还没有强制火葬的时候，大多数人死后都是土葬的。一般来说，先人入土三年后是要'起骨'的，就是把先人的骸骨从棺材中取出来，安放在宝塔里供奉。听我爷爷说，我太奶奶起骨的时候，遗体竟然还完好无损，一点儿也没有腐烂，要知道那时候太奶奶已经下葬三年了。更恐怖的是，当时太奶奶的头发明显比下葬的时候长了。人都死三年了，头发竟然还在生长，多可怕的事情啊！"

碧莲又故意不说下去，直至海莉问她之后怎样，她才继续："当时所有人都被吓得半死，那些起骨的人说太奶奶葬在养尸地，再过多少年尸体也不会腐化，弄不好还会尸变，跳出来害人，所以必须马上把尸体火化。以前的人都很迷信，相信尸体不腐化就会变成僵尸害人，我爷爷当然也不例外，当场就让人把太奶奶的尸体烧掉了。"

　　碧莲突然又故作神秘地说："尸体没有腐化也许不太出奇，报纸上偶尔也会有什么千年不化尸的报道。但人死后，头发还会继续生长就鲜有听闻了，到底为什么会这样，谁也说不清楚。"

　　死寂再一次降临，碧莲所说的故事让寝室里的女生于颤抖中入睡。

4. 若梦若真

　　黑夜，代表宁静，代表黑暗，代表恐惧，也代表安详。

　　所有人都睡着了，睡得很安稳。在这夜阑人静之际，欢快的琴声再次响起，再次把沉睡中的少女唤醒。

　　纤凌醒了，再次听见轻快旋律的她，心情与昨夜大相径庭，莫名的恐惧笼罩着她脆弱的心灵。到底是谁在弹钢琴呢？现在是在做梦吗？

　　奇怪的琴声把纤凌的思绪引领到一个黑暗而空旷的房间里，房间中央有一架钢琴，钢琴前有一个模糊的人影，双手在琴键上飞舞，弹奏出快乐的乐章。

　　纤凌往前靠了靠，勉强能看见"他"是一个身穿礼服的儒雅少年。"他"拥有一头金黄色的头发，就像金子一样在黑暗中散发光芒。然而与之形成强烈对比的是，"他"的脸始终隐没于黑暗之中，怎样也看不清楚。

　　纤凌又往前靠，可是不管她怎样往前靠，也看不清楚对方的脸。于是，她便怯怯她问道："你是谁？"

　　"他"停下飞舞的双手，但琴声依旧回荡于黑暗之中。"他"抬起头，脸向纤凌，但纤凌还是看不清楚"他"的脸。"他"站起来，很绅士地向纤凌行礼，然后温文尔雅地说："您好，我是彼得卢什卡。"

　　纤凌突然能看清楚对方的脸了，那是一张毫无表情的脸，一张由木头雕刻而成的脸。"他"是个木偶。

木偶缓缓地走到纤凌身前，伸出用木头做的手，很有风度地说："能请您跳支舞吗？"

无人弹奏的钢琴依旧演奏出欢快的乐章，纤凌不由自主地接受了木偶的邀请，与对方在黑暗中翩翩起舞。突然，她觉得有东西缠着自己的身体，低头一看，发现木偶那金丝般的头发竟然像有生命一样，把自己的身体紧紧缠住。她很害怕，她想逃，可她刚迈出步子，立刻就掉进万丈深渊。

"哎呀！"纤凌又掉到床下了，与昨晚不同的是，她被被子缠得紧紧的。她一边抱怨着自己怎么总是掉下床，一边抱着被子爬回床上。

回想起刚才的梦境，她又有点儿犯糊涂了——琴声是何时开始出现的呢？是在做梦之前，还是在梦中出现？

5. 音乐教师

"王老师，请等一下！"纤凌好不容易才把音乐教师逮住。每个星期只有周五的下午才有一节音乐课，而且还经常被其他老师占用，所以要和王老师聊上两句也不是容易的事情。

"找我有事吗，纤凌同学？"

"你还记得我的名字啊！"两人见面的次数并不多，但相貌俊朗举止儒雅的王老师竟然能记得自己的名字，使纤凌有种受宠若惊的感觉。

"当然了，你的听觉那么灵敏，在学校里也没几个了，所以我不会忘记的。而且你跳舞又那么出色，在学校里也算是个名人。"王老师露出友善的笑容，"找我有事吗？"

"也没什么，只是想问一下，学校里有钢琴吗？"受到老师的称赞，纤凌的脸微微发红。

"有是有，在功能教学楼的音乐室里就有一架，但平时很少有人用，不知道有没有坏掉。怎么了，你想弹吗？"

说起音乐室，纤凌的印象挺模糊的，在学校待了快一年，也就去过一两次，对方不提及，她还想不起那里有架钢琴。

"不是，我不会弹……"纤凌欲言又止。

"是想学吗？"

"也不是……"纤凌吸了口气，终于下定决心把事情说出来，"我这几晚的半夜似乎都听见有人弹钢琴呢。"

"半夜？你肯定吗？"王老师露出疑惑的表情。

"也不能肯定，宿舍里的人都说没听见，所以我怀疑自己是不是做梦了。"纤凌说着低下头来。

"你的听觉比较灵敏，能听见别人听不到的细微声音也不奇怪。可是放学后，功能教学楼就会锁门，就算不锁应该也不会有人半夜溜进去吧。"

"这也是……对了，老师你听过这首曲子吗？"纤凌随即哼出从诗韵口中听来的曲子。

王老师听过后思索了片刻，感性地说："《彼得卢什卡3乐章》，这可是一首可悲的曲子哦。"

"可悲？"纤凌一脸不解，"这首曲子的旋律那么轻快，怎么会可悲呢？"

"旋律的确是欢快，甚至能让人联想到狂欢节，但是这首曲子背后却是一个可悲的故事哦。"

"是怎样的故事啊，告诉我好吗？"纤凌大胆地挽着王老师的手臂，刚刚发育的胸部肆无忌惮地贴上去，仿佛害怕对方会突然跑掉似的。

王老师看了看手表，马上就要上下一节课了，所以他只好长话短说——

这首曲子改编自同名的芭蕾舞剧，故事的主角是一个名叫彼得卢什卡的木偶。它的主人是一个邪恶的魔法师，他赋予它生命，使它像人类一样拥有感情。

除了彼得卢什卡之外，魔法师还有另外两个木偶：芭蕾舞女演员和阿拉伯人。他用魔法控制它们，让它们给观众表演以牟利。后来，彼得卢什卡爱上了芭蕾舞女演员，但对方所爱的却是阿拉伯人，于是它便与情敌打起来。

魔法师知道此事后很生气，他把彼得卢什卡关进箱子里，但他并没有解除它身上的魔法，它依然拥有生命，无尽的生命。但无尽的生命却使它在黑暗而狭窄的箱子里受到永恒的寂寞的煎熬……

说完故事的大概内容后，王老师又看了看手表："故事开始时是狂欢节那一段，狂欢节之后，主角的悲惨命运就要开始了……哎呀，不说了，我要去上课了。再见！"说着，他就小跑离开，留下纤凌一个人在原地发呆。

6. 周末的寝室

周末的晚上，大多数人都回家了，寝室里只剩下纤凌和碧莲两人。她俩的家都离学校比较远，所以通常隔一个星期才回家一趟。

关灯后，碧莲又开始讲鬼故事了，这次讲的是一个关于人皮娃娃的故事——

清朝末年，有一对五岁大的双胞胎因为家境贫困，被父母忍痛卖给地主，当其儿子的书童。然而地主把他们买回来的目的，并不是让他们当书童，而是把他们的皮肤活活地剥下来，做成人皮娃娃，当陪葬品葬在其父亲的墓穴中。

当时适逢战乱，地主父亲的墓穴很快就被盗墓者挖开了，这对人皮娃娃因此落到古玩商人的手中，几经易手之后，被一个有收藏癖好的独居女人带了回家。女人把人皮娃娃带回家后，家里就怪事不断，先是在半夜里听见小孩子玩闹的声音，继而发现家里的东西常常会"失踪"两三天，之后又莫名其妙地出现在显眼的地方。

有一天半夜，女人听见房门外有小孩子说话的声音，仔细聆听竟然听见对方在讨论如何把她的阳气吸光。更可怕的是，当她壮着胆子把房门打开时，那对人皮娃娃就躺在房门前。

"后来呢？"纤凌哆嗦着问道。碧莲讲故事总是讲到一半就停下来，非要别人追问才会讲下去，她说："之后还能怎样，当然是找法师把那对人皮娃娃处理掉了。"

"那对双胞胎真可怜啊，活着时没什么好日子过，死后还被人做成人皮娃娃……"纤凌说着打了个寒战，"听完这个故事，我以后大概也不敢搂着布娃娃睡觉了，我家里的布娃娃可多着呢！"

碧莲又故作神秘地笑起来："嘻嘻嘻，我再给你说个故事，保证能让你以后也不敢一个人洗头发。"

恐怖的故事就像辣椒一样，非常刺激，让人又爱又恨。虽然纤凌心里觉得很害怕，却又欲罢不能。

碧莲清清喉咙，开说今晚的第二个故事："有个女孩拥有一头让人羡慕的秀丽长发，但美丽的长发却给她带来一个烦恼，就是每次洗头发时，她总觉得头发会莫名其妙地变多变长了。这种现象让她百思不解，后来她把这事告诉一个见过世面的长辈，长辈叫她对着镜子洗头发，当发现头发有变化时，就通过镜子看自己的头顶。"

碧莲突然神秘地问："女孩按照长辈所说的那样做了，你猜她看见头顶上有什么了？"

"你不说，我怎么知道。"纤凌故作镇定地回答，但身体却微微颤抖。

碧莲发出诡异的笑声："嘻嘻嘻，她从镜子中看见一个脸色白得像雪，但眼睛却红得像血的女鬼倒吊在自己头顶上，把头发垂下来，和她的头发重叠，让她帮忙洗头发。"

纤凌被吓得差点儿叫出来，碧莲又说："人都爱美，鬼魂也一样，可是它们不能自己洗头发，所以只好趁人洗头发的时候，倒吊在她们头顶，让她们帮忙洗。"

"你别吓唬我，我以后不敢洗头发了怎么办？"纤凌怯怯地骂道。

"谁叫你的头发那么漂亮，就像刚才所说的那个女孩一样。嘻嘻，我看你还是像我这样剪成短发好了，免得让那些头发长长的女鬼占你便宜。"

"你好毒哦，忌妒人家的头发就编鬼故事吓唬人家。"纤凌佯作生气地说。

"你认为这个故事是我胡扯出来的吗？"

"不是吗？"纤凌故作肯定地说。

"我们从小学到现在，都认识六七年了，你见过我长头发的样子吗？"

"嗯，你的头发好像一直都是这么短呢……"纤凌说着，有种心里没底的感觉。

"那你说这个故事是真是假？"碧莲以胜利者的语气说。

"这个……"纤凌彻底被打败了，心里犹豫着是否该把令人羡慕的飘逸长发剪短。

7. 深夜，别回头

深夜，纤凌做了个很可怕的噩梦，梦见一个脸色白得像雪一样，但双眼却闪烁着血一般红光的女鬼倒吊在自己头顶。女鬼的头发与自己的头发交织在一起，编织成无数辫子，把她紧紧地捆绑起来，吊在半空。

就在纤凌受尽恐惧与绝望的煎熬的时候，欢快的乐章响起，一名散发金光的天使从天而降。是他，是木偶王子彼得卢什卡，虽然他的脸很模糊，但纤凌知道一定是他。

王子挥舞嵌满宝石的长剑，斩断女鬼的头发，却没伤及纤凌一根发丝。

从女鬼的束缚中得到解救，纤凌徐徐从半空中落下，她往下张望，王子正张开双臂迎接她。当她落入王子的怀中时，对方的脸庞突然变得清晰，那是一张帅气的脸，湛蓝的双眸犹如清澈见底的湖泊，仿佛能洗涤她心中所有的恐惧与不安。

纤凌紧紧依偎在王子的怀中，希望能寻到一份温暖，然而对方的胸膛却是如此冰冷，使她再次感到害怕。她以颤抖的纤手轻抚对方的脸庞，希望能在那里感受到一丝体温，可是她的手刚刚触及那张俊朗的脸庞，对方的脸竟然掉下来了。

那不是真正的脸，而是人皮面具，面具背后还是那张用木头雕刻而成的脸，没有任何表情。纤凌惊恐地挣扎，想逃离王子的怀抱，可是王子的金色发丝突然伸长，紧紧地把她缠住……

"哎呀！"已经接连三晚了，纤凌再次从床上掉下来。但是今晚似乎有点儿不一样，是什么不一样呢？一时间，她又想不起来。

纤凌坐在地上呆呆地看着窗外皎洁的月亮，聆听欢快的乐章……是钢琴声！她猛然跳起来，冲到窗前。没错，的确是钢琴声，她狠狠地捏了自己一把，确定自己不是在做梦。

琴声很轻，虚无缥缈，仿佛来自另一个空间，但纤凌却能肯定它是真实存在的。她觉得传出琴声的地方应该就在校园之内，极可能是功能教学楼的音乐室。她想到那里弄清楚是谁在弹钢琴，是人，是鬼，还是木偶？但她又很害怕，怕走进音乐室，看见的是一架钢琴，和一个木偶——一个拥有生命，但毫无表情的木偶。

纤凌走到碧莲床前，想推醒她，让她陪自己去音乐室看看到底是谁在弹钢琴。可是，推了好几下对方也没醒过来，而且还不耐烦似的翻过身去，蜷缩在墙边。

好奇心是人类进步的动力，但也是危险的根源。纤凌的好奇心最终还是战胜了恐惧，她决定独自行动。主意已定，她便迅速换好衣服，蹑手蹑脚地走出寝室。其实，她没必要蹑手蹑脚，但在寂静的深夜里，她很自然地放轻手脚。然而，不管她的动作如何轻巧，关门时还是发出很响的吱呀声。寝室的门早已锈迹斑斑了，白天并不觉得，但在此时，这声音却异常尖锐，仿佛是怨灵痛苦的呻吟，让人浑身直起鸡皮疙瘩。

宿舍的大门并没有上锁，虽然舍监一再强调要锁好门窗，慎防盗窃，但她总是讲一套做一套，每逢节假日她都不会过来锁门，仿佛小偷也和她一样拥有假期。

银色的圆月高高地悬挂在星空之中，冷漠地看着苍生的疾苦。深夜的校园像墓地般死寂，欢乐的乐章在此刻也变得诡异，犹如魔鬼的狞笑。斑驳的树影之中，隐藏着无数未知的危险，让人难以心安。

宿舍与功能教学楼之间的路程不算很远，大概走十分钟就能到达，但在这夜阑人静之时，十来分钟的路程，仿佛走一个世纪也走不完。纤凌一步一惊心地向目的地前进，走着走着，突然听见背后有脚步声响起。

"有人跟踪我。"一阵恶寒从背后升起，瞬间扩散全身，纤凌甚至感觉自己全身的每一根毛发都竖起来了。她猛然回头，虽然背后没有半个人影，但她相信自己的耳朵，正如王老师所言，她的听力比一般人好，她深信自己没有听错。

纤凌突然想起碧莲曾经说过："在夜里，如果觉得有人在背后跟着你，或者叫你的名字，甚至拍你肩膀，你也千万别回头，一回头就……"

"啊——"纤凌已不敢再想下去了，尖叫着往前跑。

8. 漆黑的楼梯

纤凌一路狂奔，跑到功能教学楼前，才发现鞋子掉了一只。此时此刻，她当然不敢往回走，去找那只也许已经落入鬼怪手中的鞋子，甚至连回头的胆量也没有。

该怎么办？

不敢回去，就只能"勇往直前"了。前面就是功能教学楼，里面的三楼有间音乐室，音乐室里面有架钢琴，钢琴前有困扰纤凌数日的疑团。

"豁出去了。"纤凌在心里大叫道。反正现在回宿舍不被鬼怪吃掉，也会被吓死，不如干脆拼了，到音乐室里看看到底是谁在弹钢琴，是人是鬼是木偶也要得个明白，未知比什么都要可怕。

坚定了意志，勇气随即涌现，纤凌大步流星地走向功能教学楼的楼梯。楼梯前有一道闸门，正常情况下放学后就会锁上，可是现在却开着。

"难道是王老师？怪不得他对这首曲子背后的故事知道得那么清楚，之前他所说的话都是忽悠我的，他一定有什么秘密。"看见闸门开着，纤凌立刻就想起王老师，因为除了他，她实在想不出这所学校里还有谁会弹钢琴。虽然他从没在学生面前弹过钢琴，也从没说过自己会弹钢琴，但他好歹也是个音乐教师，会弹钢琴也不出奇。

其实，这只是纤凌自我安慰的想法，如果王老师要弹钢琴，任何时候都可以到音乐室里弹，没人会阻止他，他没必要为此而撒谎。但不管怎样，闸门打开了，就说明有人进去了，也就是说弹琴的应该是人……应该是吧！

欢乐的旋律回荡于漆黑的梯道之中，格外诡异。纤凌一再对自己说，弹琴的人是王老师，就算不是他，也一定是个大活人，绝对不会是什么妖魔鬼怪。

一个正常人会三更半夜跑到这里弹钢琴吗？也许，弹琴的人是个疯子，或者是个处于梦游状态的人，他随时可能从黑暗中扑出来，用他那瘦弱但有力的双手，死死地掐着纤凌的脖子，直至她双眼翻白，舌头外伸……

纤凌越想越害怕，但越害怕，她就越想把事情弄清楚，不然以后也别想安心睡觉了。

楼梯里很安静，除了欢快的旋律外，就只有纤凌一高一低的脚步声。可是，就在她稍微感到安全的时候，背后突然又出现了脚步声，这次距离更近，加上声音在楼梯里回荡，让她听得更清楚。

这次纤凌没敢叫出来，她怕还没叫出来，就有一只苍白的手从黑暗中伸出来，捂住她的嘴巴，把她拉进黑暗之中。她贴着墙壁，加快了脚步，她期望正在音乐室里弹奏的是王老师，只要能走进音乐室就能得到他的保护。

纤凌在尽量不弄出响声的前提下，以最快的速度摸黑走到音乐室门前。欢乐的旋律依然回荡在耳际，音乐室之内仿佛正在举行盛大的舞会，毫无表情的木偶在魔法的驱动下翩翩起舞。

答案就在眼前，只要把门打开，就能知道是谁在演奏这欢乐的乐章。但是，此刻纤凌却有点儿犹豫，她害怕坐在钢琴前的不是风度翩翩的王老师，而是一具毫无表情的木偶。

脚步声越来越接近，纤凌决定孤注一掷，她开门入内，并迅即把门关上。

9. 演奏者

纤凌背靠着门，心跳得像汽车引擎一样。琴声就在她进门的那一刻结束，脚步声也在同一时间消失，门内门外仿佛是两个世界。

音乐室里没有开灯，窗外的月光洒落在一排排桌椅上，也洒落在墙角的钢琴上。

钢琴前有一个高大的人影，他正默默地注视着纤凌，但他背向窗户，所以纤凌看不见他的脸，但她能肯定对方不是王老师，因为对方拥有一头金色的头发。

纤凌以蚊子般的声音，怯怯地问："你是谁？"

对方似乎有点儿不安，说话的声音怪怪的，但纤凌还是听清楚了他说的是"彼得卢什卡"。

对方的话就像惊雷般在纤凌的脑海中炸开，她随即感到天旋地转，接着便失去了知觉。

纤凌感到很冷，模糊中似乎有一双强而有力的手臂把她抱起，她看见一张模糊的脸，她很想看清楚这张脸，但又害怕看见的是一张由木头雕刻而成、毫无表情的脸庞。她躺在冰冷的臂弯中睡着了，虽然这双手臂也许会把她带到另一个世界，但不知道为什么，她并不感到害怕，只觉得很累，很想睡觉。

"一切都结束了。"纤凌心想。

10. 原来如此

一觉醒来，纤凌觉得从未睡得如此舒畅，心情甚好。可是，当她伸完懒腰，睁开眼睛时，却被吓了一大跳，因为一双幽怨的眼睛就在她眼前。

"你干吗一大早就来吓我啊！"纤凌骂道。在她眼前的是黑眼圈很深的碧莲。

"你还敢说我吓你，我昨晚才被你吓个半死呢！"

"我哪儿吓唬你了啊！"纤凌坐在床上双手撑腰，理直气壮地说。

"我看你是睡晕头了，你昨晚半夜爬起来，跑到哪里去了？"碧莲用手指戳着纤凌的脑袋。

"昨晚半夜……"纤凌回想起昨晚发生的事情，喃喃地说，"难道又做梦了？"

"我看你是还没睡醒，快去洗脸，我带你去见一个人。"碧莲说罢，就自顾自地拿起毛巾牙刷等物准备梳洗。

"大清早的去见谁啊？"纤凌不知道对方的葫芦里卖的是白凤丸还是毒鼠强。

"彼得卢什卡。"碧莲扔下这个让纤凌魂牵梦萦了好几天的名字后，就独自走出了寝室，让纤凌张开嘴巴愣了半晌也说不出话来。

　　在人头攒动的麦当劳里，纤凌终于见到了梦中的木偶王子，他很高大，身高至少有一米九，她和碧莲站在他身前就像两个小朋友一样。他长得很帅气，金发蓝眼，肤色白净。他就是纤凌梦中的王子，来自美国的留学生。

　　纤凌的英语水平在同学中算比较好的，所以她想用英语与梦中的王子交谈。可是，一向让她感到自豪的英语，在真正的老外面前却是如此蹩脚，一句话得说上三四遍，对方才勉强弄明白她的意思，加上她本来就非常紧张，致使对方好几次忍不住笑出来。

　　"你们说汉语吧，我能听懂。"对方所说的汉语虽然不太流利，但他好歹也在中国生活了一段日子，总比纤凌的英语要好。

　　于是，三人便以汉语交谈。

　　"昨晚在音乐室弹琴的，是你吗？"纤凌迫不及待地问这个困扰她多日的问题。

　　对方微笑点头。纤凌又问："你怎么会半夜跑到我们学校来呢？你又怎么会有功能教学楼的钥匙呢？昨晚我明明去了音乐室，今天醒来怎么会躺在宿舍里呢？"

　　纤凌的问题就像机关枪一样，不停地扫射，让对方不知道该如何回答，为了让她弄清楚事情的始末，他决定从头说起——

　　我叫彼得卢什卡，是个土生土长的美国人，出身中产阶级家庭，自小就受到优良的教育。可是，近两年父母双双失业，无力支持我完成大学学业，在申请贷款失败后，我选择到中国留学，因为这里消费水平低。

　　来到中国后，我的烦恼就开始了。虽然我在学校里莫名其妙地得到了与众不同的优待，学校的领导、学生都把我当成明星一样，甚至安排我独自住一间寝室，可是，每天都有一大堆人在寝室外，隔着窗户对我指指点点，感觉就像在看猴子一样，这让我感到很屈辱。因此，我在校外租了个间房，位置就在你们学校旁边。

　　住在校外虽然逍遥自在，不再受他人打扰，但新的烦恼又来了。我并不富有，必须靠兼职赚钱来完成学业，但我不能到麦当劳这样的快餐店工作，因为我只要出现在公共场所就会被别人当成猴子看。幸好，我能弹一手出色的钢琴，所以我想参加钢琴比赛，靠奖金来完成学业。然而，住在学校里时，我随时都能到音乐室练习钢琴，可是住在校外就不太方便了。

房东先生为我解决了这个问题，他就是你们学校的门卫，是一个友善的本地老大爷。他给了我功能教学楼的钥匙，晚上他值班的时候，我就能到音乐室里练习。因为功能教学楼与教师和学生的宿舍楼都有点儿距离，所以不怕会影响到别人……

"那昨晚又是怎么回事？"纤凌问。

"昨晚可吓死我了。"碧莲白了纤凌一眼，"我半夜被关门的吱呀声惊醒了，一醒来就发现你的床空着，于是就溜出寝室，看见你蹑手蹑脚地往外走。我以为你梦游了，就躲在后面跟着你。"

"原来是你啊！昨晚可把我吓坏了。"纤凌睁大双眼看着昨晚差点儿把她吓掉魂的碧莲，接着又问，"那后来呢？"

留学生用不太流利的汉语说："你的出现，吓到我了。我说出名字，你就倒下了。"

"还是我说吧。"碧莲接过话头，"我走进音乐室时，你已经晕倒了，他跟我说明情况后，我就让他把你抱回宿舍。"

"你怎么能让男生抱我呢……"纤凌的脸红得像火烧一样，声音越来越小，并不自觉地低下头来。

"难道要我抱你吗？我可没那么大力气哦。"碧莲说着站起来，向纤凌挥挥手，"我的任务完成了，你再和他聊聊吧，我先走了。拜拜！"说罢，便转身跑掉。

纤凌害羞地低下头，不知道应说些什么，两人沉默良久，她终于想到了话题："昨晚那首曲子的乐谱，你能给我一份吗？"

"没问题，我还没自我介绍，"留学生友善地伸出宽大的手掌，"我叫彼得卢什卡，很高兴认识你。"

　　纤凌头也不敢抬起，伸手与对方握手。两手接触，她不由得全身一振，对方的手异常冰冷，仿佛完全没有体温。她连忙抬头看着对方的脸，他长得很帅气，脸庞很完美，完美得让人觉得不真实，仿佛是一张人皮面具，而面具背后是一具毫无表情的木偶。

　　他到底是人还是披着人皮的木偶？

[完]

Chapter ⑥ 影魔

1. 猫　影

"我走了，你一个人在家小心点儿。"文彬在家门口与雅莉道别后，就提着行李钻进了出租车。

今晚以及接下来的三个夜晚都是孤枕难眠之夜。丈夫的生意越做越大，经常要到外地联系客商，所以雅莉常常要独自面对四面墙壁。她是个胆小的人，如果能让她选择，她宁愿丈夫少赚点儿钱，每晚都搂着她入睡。

大概凌晨两点，雅莉依然在床上翻转难眠。深秋天气干燥，她觉得有点儿口干，于是想起床倒杯水喝。当她从床上坐起来的时候，一声刺耳得让人牙根发软的声音传入耳朵，把她吓得几乎跳起来。那是爪刮玻璃的声音，她不由自主地望向窗户。她家住一楼，紧闭的窗外是一条僻静的街道，在街灯的映照下，墨绿色的玻璃上出现一个诡异的影子。

雅莉看见窗户上的影子时，立刻就呆住了，她以为自己眼花了，使劲地揉了揉双眼再看。那是一个巨大的人影，或者应该说是一个巨大的人形猫影，它大概有两米高，拥有类似人类的上半身，却有一个猫一般的脑袋，她甚至能看见影子的主人那双散发出碧绿幽光的眼睛。

诡异的景象，使雅莉感到头皮发麻，一阵恶寒笼罩全身，身体变得不听使唤，无法动弹分毫。此刻，影子伸出一只比成年人手掌还大上三分的猫爪，又在玻璃上刮了一下，刺耳的声音再度响起，这次雅莉不但觉得牙根发软，甚至全身都感到软弱无力。

影子接连刮了几下之后，雅莉几乎要瘫倒下来。这时候影子突然发出更让人心寒的叫声，那是猫在深夜发出的诡异叫声，和平时听见的没两样，却是那么诡异、可怕。几声诡异的猫叫之后，更可怕的事情发生了，它竟然说话了！没错，它说话了，而且它所说的竟然是人话，是汉语。它以尖锐的声音说："我要你偿命……"

雅莉只听见影子所说的第一句，就眼前一黑，接着就失去了知觉。

2. 往　事

早上，雅莉醒来的时候，发现窗户打开了，她记得昨晚明明把窗户关上才上床的。想着想着，昨夜的可怕情景浮现于脑海之中。她连滚带爬地冲到窗前，仔细地检查窗户。墨绿色的玻璃上没有任何被爪刮的痕迹，难道昨晚是做梦？

"这个噩梦恐怕也太真实了吧！"雅莉边喃喃自语，边走进卫生间梳洗。她今天约了一个好姐妹去逛街，再耽误时间恐怕会迟到挨骂。

出门前，雅莉打开冰箱想倒杯牛奶喝，这是她的习惯，早晚都要喝一杯牛奶。她准备喝的时候，突然看见有点儿东西浮在牛奶上面，当她仔细看清楚时，不由得尖叫着把手中的玻璃杯摔到墙上。她之所以如此惊恐，是因为浮在牛奶上的是几条灰色的毛发，约一节小指那么长，是猫毛。

家里没养猫，就算有，也不可能钻进冰箱里。难道昨晚不是做梦，是真的有猫妖出现了？这个可怕的念头把雅莉吓得魂飞魄散，温暖的小窝变得不再温暖，犹如冰窖般寒气逼人，使她发疯般地逃出屋外。

在星巴克里，雅莉颤抖着把这些可怕的事情告诉了好友怡萱。怡萱是她的中学同学，两人的感情比亲姐妹还要好。

"你昨晚喝牛奶时，发现猫毛了吗？"怡萱问。

"没有，肯定没有。那么恶心的东西，我不可能看不见的。"雅莉说着，手臂上鸡皮疙瘩都冒出来了。

"那就是说，那东西在你睡着后，不知道用什么方法把窗户打开，然后爬进来，再到厨房打开冰箱……"怡萱认真地分析着。

"不会吧，窗户有防盗栏，除非那东西真的是只猫，不然怎么可能钻得进来呢？要是它是只猫，又怎么可能打开冰箱……"雅莉越说越害怕，身体不住地颤抖。

"你还记得初二时那件事情吗？"怡萱莫名其妙地问。

"是什么事情，和这事有关吗？"雅莉现在已经六神无主，哪儿还能想起过去的事。

"初二的时候，不是有个男生想追你吗？有一次，他带来了一只灰色的小猫崽想送你，你说不喜欢猫，他就把猫崽从五楼摔下去，说是想看它会不会摔死，是不是真的有九条命……"怡萱的话使本来脸色就不太好的雅莉更加面无血色，她继续说，"我还记得，你说不要的时候，那只猫崽死死地盯着你。其实，只要你说一句话就能救它了。"

雅莉浑身颤抖，良久才挤出一句话："事情都过去这么久了……"

怡萱认真地说："这可不好说，人会记仇，说不定猫也一样。也许，那次它没有摔死，过了这么多年变成了妖怪，现在来找你报仇。"

"我现在心里已经害怕得要死，你就别再吓唬我了，呜……"雅莉说着就哭起来。

"我不是吓唬你，这种事情不是开玩笑的，弄不好就会把命丢了。"怡萱严肃地说。

"那我该怎么办？"丈夫昨天才出门，要大后天才回来，因此雅莉此刻备感孤独无助。

　　"我带你去见个人，也许他能帮你。"怡萱说罢就向服务生招手结账，带着浑身发抖的雅莉离开。

3. 孽　债

　　怡萱把雅莉带到一条脏乱的偏巷，穿过一扇破旧的铁门，走进一个狭小的房间。房间里很昏暗，没什么摆设，只有一个佛龛、一张桌子和三把凳子。一个年逾半百的老头儿面向门口坐在桌子前，他穿着一身黑衣服，并戴着黑帽子，全身上下只有一张黑黝黝的脸露出衣外，让人觉得他是一块焦炭。

　　在途中，怡萱已向雅莉说过老头儿的来头，他号称胜半仙，是个小有名气的术数大师，占卦算命的本事非常了得。可是，他脾气很古怪，要么直接把来客拒之门外，要么狮子大开口索取天价酬劳，要么分文不取。这就是他门可罗雀的原因。

　　"大师，我朋友遇到麻烦了，您一定要救她啊！"怡萱一进门就焦急地说。

　　胜半仙没有说话，示意她们先坐下，然后就盯着雅莉。良久，当雅莉被盯得心里发毛的时候，他才轻轻摇头道："先把你的生辰八字告诉我，我推算一下。"

　　雅莉报上出生年月，胜半仙用他那只戴着黑色手套的手掐指算了一会儿，又再次摇头，说："我再替你占一卦。"说罢，从怀中取出龟壳及古钱开始占卦。

　　虽然胜半仙双手戴着手套，但动作一点儿也不笨拙，没多久就占好一卦。可是他收回龟壳古钱后，再三摇头，久久不语。雅莉忍不住问道："大师，我是不是遇到脏东西了？"

　　胜半仙叹了口气，摇头说："请恕胜某道行尚浅，无法为你化解厄运，你还是另请高明吧！"说罢轻轻扬手，下逐客令。

雅莉本来就害怕得要死，被胜半仙这么一说，立刻就哭起来了。怡萱见状连忙道："大师，您一定要救救我的朋友，她到底遇到了什么妖怪？"

胜半仙又叹了口气，对雅莉说："我不是不想帮你，而是有心无力。"

怡萱又说："大师，到底是怎么回事，您不要吓我们啊！"

胜半仙摇头叹息道："这是孽债，虽然我帮不上忙，但可以告诉你们事情的因由。"他又叹了口气，对雅莉说："你遇到的是一只猫妖。它本来是一个十恶不赦的强盗，杀人放火奸淫掳掠无所不为。他死后堕入畜生道，须九世为畜。它第九世时与你的前世相遇，是你家的一只看门犬，忠心地守护着你家的财富。然而，它的忠心并未得到你的怜爱，因为当时物资缺乏，为一饱口福，你就把它宰了。它因而心生怨恨，凶残的本性再次萌芽，死后又一次堕入畜生道。"

胜半仙顿了顿又说："十数年前，它转世为猫，再次与你结缘。本来这是你和它化解孽债的最好机会，可是你却再一次使它置身于险境，但这次它大难不死，并因怨成怒，化为精怪。在这十数年间，它的道行日深，现已能化身人形，要取你性命犹如探囊取物……"

"大师，您一定要救救我，我不想死啊！"雅莉哭着跪下来。怡萱也帮忙求胜半仙，可是对方却摇头不语。

4. 疯 了

离开胜半仙那个昏暗的小房间后，雅莉没有和怡萱去逛街，大概没有谁遇到这种诡异的事情后，还有心情去逛街。她不想回家，但又不知道该去哪里。怡萱还没结婚，现在也没有男朋友，与一个同事合租了一间房子，去她家显然不太合适。

最后，在怡萱的陪同下，雅莉还是回到了自己那个已经不再让人感到温暖的小窝。一进家门，她就不停地给文彬打电话，却总是打不通，打了一整天也一样，这使她变得更加不知所措。无尽的恐惧把她脆弱的心灵压垮，除了哭泣，她不知道自己还能做什么。怡萱安慰了她一整天，但她还是哭了一整天。

黄昏的时候，怡萱给雅莉倒了一杯牛奶，她一再查看，确定杯中没有猫毛才喝下。她大概是哭累了，喝过牛奶后，没多久就睡着了。

夜深，一阵刺耳的声音把雅莉惊醒。她睁开双眼，发现躺在自己的床上，房间里没有开灯，很阴暗，很压抑，让她本能地感到害怕。她摸索身旁的位置，丈夫不在，这是当然的，因为文彬还没回来。可是，答应留下陪伴她的怡萱竟然也不在，空荡的房间里就她一个人。

正当雅莉惊慌失措的时候，刺耳的声音再次响起，是猫爪刮在玻璃上的声音，她惊恐地望向窗户，果然看见那个让她魂飞魄散的巨大猫影。她很想逃走，但却感到全身僵硬，连一根手指也动不了。

窗外又传来和昨晚一样诡异的猫叫声。随后，这妖怪又"说话"了，它用猫一般的尖锐声音说："你逃不掉的，我今晚就让你偿命……"说着，它双爪齐下，继续爪刮窗户，刺耳的声音此起彼伏，犹如滔天巨浪，一波接一波地袭向雅莉的心灵深处。每一声爪刮声响起，都像是抓在她的心窝，要把她的心掏出来。

"啊——"雅莉终于受不住这种折磨，崩溃了。她双手抱头，发出歇斯底里的尖叫。

5. 阴　谋

翌日早上，文彬驾车把目光呆滞、满口胡言乱语的雅莉送到郊外的精神病院。办理好手续后，就把她留在了这个可怕的地方，然后独自来到一家饭店。

这里有个人在包厢里等候他，那就是全身被黑衣包裹的胜半仙。

文彬把门关上后，就对胜半仙说："'八音影胜公'果然名不虚传！我原以为你得用三四个晚上才能把那女人弄疯，没想到，你只用了两个晚上就把事情搞定了，哈哈……"

胜半仙，或者应该称他为"影胜公"，向对方伸出戴着黑手套的手，说："我不喜欢与黑心的人打交道，只喜欢与黑心的钞票打交道。"

"哈哈……"文彬仰天大笑，从提包里取出一沓钞票抛给影胜公，说，"我是黑心的人，那你是什么？你的心白吗？哈哈……"

影胜公收好钱后，一言不发地走向门口，在离开包厢之前，他突然回头对文彬说："我的心就跟外表一样黑，我里里外外都一样黑，所以做任何事都不会觉得内疚。你呢？"说罢，露出一个诡异的微笑，随即转身离去。

影胜公走后不久，就有一个女人走进包厢，是怡萱。她一进包厢就投入文彬怀中，两人互抱在一起。

"以后再也不用在雅莉面前演戏了，我待会儿就搬过来和你一起住好不好？"怡萱撒娇地说。

文彬立刻收起笑容，小声说："过几天再说吧，先别那么张扬，让雅莉的父母知道我们把他们的女儿弄疯，麻烦可就大了。"

"那你什么时候和她离婚呢？我可不想无名无分地跟你过一辈子。"怡萱不悦地说。

文彬脸一沉，不耐烦地说："过阵子吧，她刚疯掉就跟她离婚，于情于理也说不过去呀。"

"哼，你们男人都不是好东西！"怡萱从文彬怀中挣脱出来，背着他坐到另外的椅子上。文彬见状，连忙上前哄她。

其实，文彬并没有到外地联系客商，他一直都待在本地，在幕后主导着这场阴谋。

影胜公不是什么术数大师，他的真正身份是手影兼口技大师，双手能各自成影，无须借助任何道具，一张嘴能同时演绎八个角色，虫声鸟语风雷雨电皆可以假乱真。左手孙悟空、右手二郎神，天兵天将、猴子猴孙一同叫嚣呐喊也能独自完成，要弄出一个猫妖的影子和猫叫爪刮等声音，对他来说只是小菜一碟。

较早前，文彬就瞒着雅莉偷偷在卧室里的天花板上安装了具备夜视功能的针孔摄像头，因此妻子在卧室里的一举一动，他都了如指掌。他还在窗户上安装了一个隐蔽的微型扩音器，所以影胜公的声音即使隔着窗户也能让室内的人听清楚。前天深夜，当雅莉被影胜公吓得晕倒后，他就蹑手蹑脚地溜回家里，把卧室的窗户打开，并把预先准备好的猫毛放进冰箱的牛奶里。

而怡萱当然也是同谋，她故意提起一段雅莉早已遗忘的往事，并带其到所谓的胜半仙那里，让影胜公把事情说得十分玄乎，有多玄就说多玄。黄昏时，她给对方喝的牛奶，其实加入了安眠药粉末。等对方一睡着，她就独自回家，好让对方"享受"这恐怖的一夜。

同时被深爱的丈夫及最好的朋友出卖，就算雅莉知道了事情的真相也许同样会疯掉。如果她知道自己已变心的丈夫，只是因为舍不得离婚后分一半财产给她，才萌生把她吓疯的念头，也许会被活活气死的。

6. 催　命

雅莉入住精神病院一段日子后的某夜，文彬正与怡萱在仍残留着一丝雅莉余味的床上云雨，一个陌生号码的来电把他们的好事打断了。

"哪位？"文彬不悦地接听电话。

话筒里传出一个女性的声音："您好，康仁精神病康复中心，请问您是王文彬先生吗？"

精神病院深夜来电，肯定不会是什么好事，文彬不耐烦地说："我是，有什么事吗？"

"请您做好心理准备，因为我要告诉您一个不幸的消息。"话筒里传出心情沉重的声音。

不幸？难道雅莉出事了？不过，雅莉的不幸对文彬来说，是一种幸运。他随即追问："到底发生什么事了，难道雅莉她……"

"很抱歉，您的妻子刚刚去世了。"

"她一直都好好的，怎么会无缘无故地死掉呢？是不是你们病院出了什么状况？"虽然妻子死去，让文彬有种甩掉包袱的兴奋感，但商人贪婪的本性让他的脑筋马上转向自己的利益。

"实在很抱歉，我院的工作人员一时疏忽，致使您的妻子不幸坠楼身亡。"

"哼，我会追究你们医院的责任的！"文彬对着电话怒吼，随即挂断电话，心里盘算着该怎样向医院敲上一笔。

"雅莉死了吗？"怡萱从背后搂住文彬的脖子说。

"嗯。"文彬随意地回应，全部心思都放在了赔偿的问题上。

"那我们可以光明正大地结婚了。"怡萱温柔地在对方的耳边说。

"过阵子再说吧！"每次提及结婚的事情，文彬总是如此敷衍。他现在事业有成，身边野花野草数不胜数，好不容易才把雅莉甩掉，傻子才会再吊死在另一棵树上。

怡萱当然明白对方的心意，她一言不发，随手拿起放在床头柜上的手袋走进洗手间。文彬没有理会她，心想她大概是到洗手间里哭吧。他躺在床上继续想怎样才能从医院那里得到更多的赔偿，想着想着就睡着了。

半夜里，文彬仿佛听见有人叫他的名字，睡眼蒙眬中看见窗户上有个影子，一下子就吓得醒过来，因为他看见的是一个女人的影子，是雅莉的影子。

"我们夫妻一场，你有必要这样害我吗？"窗外传来雅莉的声音。

文彬使劲打了自己一巴掌，让自己清醒一点儿，再仔细地看窗户上的影子。没错，那的确是雅莉的影子，同床共枕多年，他绝不会认错，除非对方是影胜公。他边把身旁的怡萱摇醒，边高声喝道："少来，我知道你是影胜公。钱已经给你了，你还来装神弄鬼干吗？"

"唉，你不相信我吗？外人会知道你的银行密码是我们的结婚日期吗？"窗外传来雅莉幽怨的声音。

文彬的脑袋仿佛炸开一样，的确如对方所说，他的银行密码只有他和雅莉知道，就连怡萱也不知道，对方既然能说出来，难道真的是厉鬼索命？

就在文彬惊恐万分的时候，怡萱醒了，她稀里糊涂地问文彬为什么叫醒她。文彬颤抖着往窗户指了指，她往窗户看了一眼，回过头来一脸莫名其妙地说："怎么了？"

窗外又传来雅莉的声音："她看不见我的，只有你才能看见我。看见你们在一起，真让我心碎啊！幸好，只要等到明天我们就能永远在一起了，嘻嘻……"笑声越来越小，影子也渐渐消失。

文彬脸色铁青，看着已无异状的窗户，久久说不出话来。怡萱看看窗户，又看看文彬，焦急地说："文彬，文彬，你怎么了？不要吓我啊！"

7. 毒　妇

天还没亮，文彬就驾车出门。雅莉的影子消失后，他给精神病院打电话，接电话的是一位年轻的男医生，对方证实雅莉的确已经坠楼身亡。可是，此刻他谁也不相信，他只相信自己，他怀疑雅莉还没死，也许她已经恢复清醒，昨晚是她在搞鬼。所以，他一定要亲自到医院，验证她的生死。

虽然文彬是个无神论者，认为所有魑魅魍魉怪力乱神之说都是大人吓唬小孩儿的谎话，但当诡异的事情降临到自己的头上时，他又不禁浑身颤抖。尤其是一想起"只要等到明天我们就能永远在一起了"这句话，他就觉得自己也许真的活不过今天。

　　清晨，市区的道路略为繁忙，因为思绪混乱，文彬好几次差点儿就要撞车了，幸好都是有惊无险。出了市区，路上行车稀少，他稍微放松了一点儿，不由得提高了车速。然而，就在这时候，他的手机响了。拿起手机一看，竟然是雅莉的手机号码。

　　雅莉的手机在她入院后就一直放在卧室的抽屉里。文彬不断安慰自己，一定是怡萱拿了雅莉的手机来用，他颤抖地按下通话键。

　　雅莉的声音从手机中传出："我就在前面等你……"

　　文彬如被电击，猛然把手机摔掉，同时下意识地盯住前方。前方拐弯处有一个醒目的红色身影，是雅莉，她穿着一条血一般鲜红的连衣裙，他记得那是他去年送她的生日礼物，现在应该放在卧室的衣柜里。

　　雅莉站在一根灯柱下，尚未关闭的昏黄的街灯把她的脸映照得分外苍白，与血红色的衣服形成鲜明对比。她对文彬露出一个诡异的笑容，扬了扬手中的手机，然后把手机贴近耳朵。

　　手机的铃声在车厢内回荡，犹如厉鬼狞叫，催魂夺命。文彬已经顾不上去找那个被他不知道摔到哪里的手机，也顾不上车子的时速已近一百千米，他猛扭方向盘，想掉转车头，立刻逃离这里，逃离雅莉的魔掌。可是，在如此高的车速之下掉头，除非是漂移高手，否则只有落得车翻人亡的下场。

　　文彬死了，死于交通意外。其实，车祸给他造成的伤害并不致命，他之所以死亡是因为没得到及时的救治，以致失血过多而死。然而，在清晨的郊外，有谁会发现他出了车祸，谁会送他到医院呢？

　　还是那家饭店，还是那个包厢，还是那个全身被黑衣包裹的影胜公，但今天他要等的人是怡萱。

　　怡萱走进包厢，一言不发，放下一个塞满钞票的信封，然后转身就走。就在她快要走出包厢的时候，影胜公突然说："你的男人伤害了你，现在他已经死了。你的朋友没有伤害过你，现在却已经疯了。"

怡萱闻言愣了一下，但随即离开。影胜公独自于包厢里喃喃自语："黑蟒口中舌，黄蜂尾上针，两般犹未毒，最毒妇人心。"说罢，露出一个诡异的笑容。

8. 赢 家

雅莉其实没有死，她还待在精神病院。怡萱让影胜公假扮医院里的护士给文彬谎报雅莉的死讯，目的是试探他的心意。如果他答应结婚，那她就会让影胜公把雅莉害死，可是他得知雅莉的死讯后的表现让她大失所望，因爱成恨之下，她拿起装有手机的手袋走进卫生间。

正如文彬所想，怡萱是在卫生间里哭泣，但她同时亦给影胜公发了个短信，指示他进行另一个计划——送文彬上路。

影胜公整夜都待在文彬家屋外，在吓唬完他之后，还截取他拨给医院的电话，以便圆谎。其实，如果文彬用手机拨打医院的电话，就能拆穿这场阴谋，但怡萱知道他很吝啬，手机的话费比固话略高，他一定会用固话拨打。省得一毫几分，却丢了性命，确实可悲。

怡萱其实并不知道影胜公是用的什么方法使文彬出车祸，对方只要求她提供雅莉的手机和一套让文彬印象深刻的衣服，并在他吓唬文彬的时候，装作什么也看不见听不着。

现在，文彬已经死了，他是怎么死的，对怡萱来说已经不重要了。但失去至爱的心情并不好受，难过中她想起影胜公的话，雅莉没有伤害过自己，却因自己而疯掉，这使她感到很内疚。于是，她买了些水果去探望雅莉。

雅莉坐在病床上，目光呆滞，时而一脸惊恐，时而无故傻笑。因为她并没有暴力倾向，也很少给医护人员添麻烦，所以只是左脚被锁在床尾，不是像那些"滋事分子"那样，四肢分别被锁在床的四角。

怡萱愧疚地坐在床边，削了一个苹果给雅莉吃。雅莉吃了几口，就弄得满脸污渍。怡萱突然有种无地自容的感觉，她实在太对不起这位好朋友、好姐妹了。她从手袋取出纸巾，为她的好姐妹擦脸时，突然感到腹部传来剧痛，低头一看，雅莉把她刚才削苹果的小刀，刺进了她的肚子……

在怡萱的惨叫声引来医护人员的时候，她已经被雅莉猛戳了三十多刀，虽然只是一把小小的水果刀，但因伤口众多，而且伤及内脏，最终还是抢救无效。

雅莉因为患有精神病，所以无须承担法律责任，经其父母疏通后，在精神病院多待了半年就出院了。

依然是那家饭店，依然是那个包厢，依然是全身被黑衣包裹的影胜公，他这次要等的人是雅莉。雅莉进入包厢后，给他开了支票，数额比他之前所收的酬劳要多很多。

"你不去当演员真是可惜。"影胜公收好支票后说。

雅莉无奈地苦笑，说："最出色的演员不是荧屏上的那些影帝影后，而是那些商政巨头。"

"你也不差，最起码你能骗到所有人，成为最后的赢家。"影胜公说。

"赢家？我不是赢家，我们三个都不是赢家，他们输掉了性命，我输掉了丈夫和朋友。只有你，你才是赢家，因为只有你在这件事情上得到了利益——三份酬金。"雅莉说着，一滴晶莹的泪珠滑过她白皙的脸庞。

其实，雅莉早就知道文彬与怡萱的奸情，但她为了维系这段感情，一直都在演戏，装作毫不知情。直至她发觉对方有心加害她，才买通影胜公，让他与他们接触，设下这个局。

雅莉知道文彬多疑，影胜公要吓唬他并不容易，所以告知其银行密码，让文彬难辨真假。其后，使文彬出车祸的人并非影胜公，而是雅莉本人。她让影胜公假装文彬的声音给医院打电话，以文彬父亲的名义接她出院半天，然后换上那条鲜红色的连衣裙，拿回自己的手机，在到精神病院的必经之路上等待文彬的出现。

　　文彬出车祸时，雅莉只要拨打一个电话就能救他，但她没有这么做，因为那样只能救回他的人，却不能挽回他的心。已经变心的男人，就像魔鬼一样，对他仁慈，就是对自己残忍。

　　离开前，雅莉对影胜公说："你为什么总是戴着手套，能脱下来让我看一下你的手吗？"

　　"我的手长得很可怕，你看了会做噩梦的，嘿嘿……"影胜公诡异地笑着，徐徐脱掉手套……

[完]

Deception car group
Rumor

第五卷
饭桌上的灵异案件

中国人能在饭桌上解决一切问题，
红白二事要设宴，有事相求要请客，
商谈业务要饭局，就连相亲也离不
开饭桌。
如何在饭桌上与不太熟识的人找到合
适的话题，乃人际关系中一门必修的
学问。
而在饭桌最受欢迎的话题，莫过于
各种离奇诡异的案件……

Chapter ① 蓝可儿事件

那天，死党给我来电话说，说他在台湾当警察的表哥前来探亲，在他家小住几天。表哥听说我专写诡异案件，想跟我聊聊，死党便约我出来吃饭。

表哥当差多年，知道不少猛料，也遇到过诸多诡异案件，他给我们爆了不少料，除了他亲身经历过的诡异案件，还聊到了当年的蓝可儿事件。

主流媒体对蓝可儿事件有很多揣测，比如灵异论、自杀论、意外失足论、谋杀论，但表哥说，前三种论调基本上可以排除。

先说灵异论。警察查案必须讲证据，就算相信鬼神之说，也要朝无神论的方向调查。而他认为此事虽然离奇，却谈不上灵异，只不过是媒体为提高收视率，在报道此事时用了很多哗众取宠的伎俩。随后，他还给我们仔细分析，媒体口中那些所谓的不可思议的细节，其实都可以找到合理的解释，这个一会儿再详细讲述。

再说自杀论。从家属、亲友口中得知，蓝可儿是个性格外向、开朗、活泼、好动、爱交朋友的女孩，曾做义工，人缘很好。很难想象这样的女孩子在没受任何刺激的情况下，会突然结束自己的生命。

另一个排除自杀论的重要原因是，蓝可儿每天都会跟父母通电话，向他们报平安。如果她有自杀倾向，还会每天给父母打电话吗？答案必然是否定的。

网上能找到的蓝可儿生前的照片，几乎每一张都笑得阳光灿烂。这样的阳光少女，自杀的可能性不是没有，但概率绝对小于万分之一。而且她被发现时全身赤裸，还"倒插"在水塔里，对女生而言这种死状也太不堪了，谁愿意死后还给亲友留下一个如此不堪的印象？

至于意外失足论，表哥的判断是："难度太高了吧！"

从媒体提供的图片可见，水塔挺高的，具体数字为二点四米（部分媒体刻意夸大为三米高），而底座为一点五米。身高一米六二的蓝可儿，在没梯子等辅助工具的情况下，先别说她怎么掉进水塔，她怎么爬上去都是个问题。

若是利用工具爬上去，那么她掉进水塔后，肯定有人将工具搬走。既然涉及第三者，那么就不是单纯的意外。更重要的是，她没事为何要到楼顶"裸跑"？是被人追赶，还是被人扛上去的？

不管是哪种情况都涉及第三者，因此有必要向"他杀"的方向调查。

主流媒体总是绘声绘色地分析他杀如何不可能实现，比如：现场没留下任何第三者痕迹；尸体没有任何伤痕，不可能被强行塞进水塔；死者没有受性侵犯的迹象等。

首先，关于现场没留下第三者痕迹的说法，其实是媒体的刻意误导。表哥向同行打听过，实际上，洛杉矶警方在楼顶没发现任何痕迹，包括蓝可儿本人的痕迹。

"这怎么可能？难道蓝可儿在练习瞬间转移，一不留神转移到了水塔里？"

对于我这个问题，表哥的回答是："科幻片看多了吧？！"

他叫我上网查洛杉矶的天气，特别是发现尸体前那几天，看是否下过雨。我一查，果然查得 2 月 17 日及 18 日，即发现尸体前那两天，洛杉矶曾经下过雨。

"下了两天雨，还有痕迹留下来，那才叫见鬼。"

表哥认为，媒体为提高收视率刻意忽略了这一事实，将事件往灵异方向报道。其实这并没什么好奇怪的，只能说凶手老谋深算，懂得利用雨水清除自己留下的痕迹。

我对表哥这个推断有些许保留意见，如果凶手是刻意选择雨天将尸体投入水塔，那么他必须先将蓝可儿藏起来。

蓝可儿于 1 月 31 日失踪，2 月 14 日酒店曾进行水质检查，并没发现问题。也就说是，凶手应该是在 14 日（水质检查后）至 19 日（发现尸体前）之间将尸体投进水塔的。

（注：其实在发现尸体前两天，已有房客投诉水压低，而水压低的原因正是尸体堵塞了水塔的出水口，故此投尸时间可缩小为 14 日至 17 日之间。）

而在这之前，即 1 月 31 日至 2 月 14 日，整整两个星期，凶手如何将蓝可儿藏起来？

要知道，洛杉矶警方曾出动了全球最优秀的洛杉矶警犬，对整间酒店进行搜查，但并没发现蓝可儿的踪迹。凶手若将她藏在酒店以外的地方，在操作上有一定难度，几乎没可能不被别人发现。

这个问题我怎么也想不通，但表哥就给我一句话："其实很简单，给你一点提示——水。"

表哥认为蓝可儿事件绝非灵异事件，而是一宗谋杀案，而且凶手的智商相当高。我虽然认同他的推断，但有个问题却怎么也想不通，就是凶手如何在 1 月 31 日至 2 月 14 日，这整整两个星期里将蓝可儿藏起来。

在这段时间内，无论蓝可儿是否已惨遭杀害，凶手要将她藏起来都不是容易的事。因为在这段时间内，洛杉矶警方出动了全球最优秀的洛杉矶警犬，对整间酒店进行搜查，却活不见人、死不见尸。

不要怀疑洛杉矶警犬的能力——每只警犬的训练费都超过三万美元，而且还曾勘破一宗五十年的悬案，它们在警犬中属于最高级别。

对于这个问题，表哥给我的提示是"水"。

我说，难道凶手将蓝可儿泡在水里，以避开警犬的搜查？

表哥笑道："如果这么容易就能骗过洛杉矶警犬，那这三万美元也花得太冤枉了。"

他说将尸体泡在水里，或许能防止尸体的气味传播，但只能拖延一会儿，警犬用不了多久就能找到尸体。要让警犬在长达两个星期的时间里一直找不到尸体，方法不是没有，但需要多方条件配合。

首先，需要一间长期租住的房间，而且位置要在十四楼，或靠近十四楼。因为蓝可儿最后出现在十四楼，凶手不可能将她转移到太远的地方而不被人发现。

美国是个重视隐私的国家，警方不可能对酒店的每个房间进行搜查。在没得到房客同意的情况下，只能让警犬在房门外闻一下，这让凶手有机可乘，可以将尸体藏在十四楼某个长期租住的房间里。（我们先假设藏尸地点是十四楼。）

其次，凶手必须是酒店员工。

"如果凶手是酒店员工，那他还需要长期租住房间吗？"

对于我这个问题，表哥嘿嘿一笑："真相肯定只有一个，但凶手不见得就只有一个。"

据他从同行那里打听到的消息，蓝可儿曾在网络日志中表示，自己曾被意大利及墨西哥籍的跟踪狂跟踪。以此推断，有可能存在两个或两个以上的凶手，至少不能排除存在帮凶的可能。

另外，他还知道，长期租住事发酒店的大多不是什么好人，通常是些流浪汉，或者刚出狱的释囚。这些人租住平价酒店，政府会给予补助，算起来比租房子还便宜，所以很多三教九流的人长期住在酒店里。这也是该酒店经常出命案的主要原因。

我在网上查到，出事酒店的房价是每晚三百四十九元人民币，约为五十六美元。以洛杉矶这种大城市而言，就算没有政府补助，这个价钱也算便宜。

"好吧，我们假设凶手有两个，一个是酒店员工，另一个是长期住客。但是，他们怎样骗过警犬？"

表哥认为，这两人或其中一人杀害蓝可儿后，长期住客把尸体藏在房间里并用水浸泡。然后，酒店员工在泡尸水中掺入带浓烈气味的清洁剂，如漂白水等，再用这种"尸水清洁剂"清洁藏尸的十四楼，甚至整家酒店。

清洁剂带有浓烈气味，因而掩盖了尸水的异味，以人类的嗅觉绝不会发现问题。警犬的嗅觉虽然比人灵敏，但缺乏复杂的表达能力，纵然能发现尸臭，但整层楼，甚至整间酒店都有这种尸臭味，这让警犬如何向主人表达？

警犬无法将真相"说"出来，凶手就能蒙混过关了。

解开藏尸谜团后，我们又继续琢磨下一个疑问——凶手怎样将蓝可儿塞进水塔里，而又没在尸体上留下伤痕？

在回答这个问题之前，表哥让我先琢磨一下，凶手是怎么将蓝可儿扛上距离地面近四米的水塔顶部的。

水塔底座（高一点五米）加上水塔（高二点四米），实际高度约四米，可见比两个老外加起来还要高，凶手就算借助梯子也很难将五十公斤的蓝可儿扛上去。

若把梯子放在底座下面，显然需要一把更长的梯子。先不说超过四米长的梯子好不好找，扛着这么长的梯子在酒店里走来走去，哪怕是酒店员工也很容易引人注意。

将梯子放在底座上又怎样？

底座上其实没多少空位，并且布满水管，消防队的梯子也只能勉强放在四个水塔中间，而且水塔之间仅能容一个人通过。

在如此狭窄又布满水管的地方，借助梯子将尸体扛上去，必然导致尸体与塔身或水管产生碰撞及摩擦，从而留下外伤痕迹。但蓝可儿的初步尸检结果是没任何外伤的，因此凶手不可能这样将尸体扛上去。

那么，凶手是怎样将她扛上水塔的呢？

我虽然没能解开将尸体塞进水塔的难题，但怎样扛上去，我倒是想到了办法。

从媒体提供的图片可以看见，楼梯间的另一侧有一架梯子能直上顶部，梯子是垂直的，要扛着一具尸体爬上去并不容易。但是，若将尸体背在背上再爬上去，以一个成年男性的体能还是可行的。因此，凶手需要的工具或许并不是梯子，而是一条能将尸体绑在背上的棉布带。

通过楼梯间顶部走到另一边，问题就变得简单了。水塔与楼梯间顶部的距离，相当于消防员弯腰时的高度，若凶手背着尸体，要落到水塔上并不困难。

接下来才是真正的难题：凶手怎样将尸体塞进水塔？

表哥给我一个提示——两名入住酒店的英国游客报称，发现尸体前曾饮用酒店里的水，觉得水有股"怪怪的甜味"。

这是一个很邪恶的提示，作为一个纯洁的大叔，我琢磨了半天竟然发现了端倪——可舐食水溶性润滑剂！！

百分之百溶解于水，可舐食，不油腻……我可不是给润滑剂打广告。

凶手很可能利用大量类似的润滑剂，配合塑料袋将尸体"滑"进水塔。因为润滑剂可溶于水，所以很快就被稀释，只留下"怪怪的甜味"。

消防员将蓝可儿的尸体从水塔取出后，媒体公布了从上方拍摄的水塔内部的照片。从那张照片可见，水塔顶的入口其实不比消防员在下面开的洞口小多少。利用润滑剂及塑料袋，绝对可以在不给尸体留下伤痕的前提下，将尸体滑进水塔里面。

在解开这个谜团后，我问表哥关于凶手的身份、动机等的问题。而最让我想不通的是，凶手既然能如此巧妙地处理尸体，为何会选择在水塔这种必然会被发现的地点藏尸？

表哥的回答一如既往地令人意外："如果我是凶手，费这么大劲杀人藏尸，最后却没人知道，不会觉得很郁闷吗？"

我 ×，凶手的目的根本不是藏尸，而是向洛杉矶警方"示威"！

接下来，表哥以他的警察身份，对此案做出专业判断：

1. 杀害蓝可儿的凶手很可能是一名女性，或男同性恋者，因为死者没有受性侵犯的迹象；

2. 将尸体扛上水塔的帮凶极可能是男性，因为女性的体能难以胜任；

3. 至少有一名帮凶，而且跟凶手的关系极有可能是情侣。虽然不确定凶手及帮凶的关系是异性恋还是同性恋，但行为动机很可能与感情有关；

4. 蓝可儿在电梯视频中有怪异表现，是因为凶手当时在电梯外，并怀疑她跟自己男朋友（即帮凶）有染。蓝可儿那些所谓的奇怪动作，其实只是丰富的肢体语言，她正努力地向凶手做出解释。可是，对方不但没相信她，反而利用她对自己的信任，将她骗到房间里并杀害；

　　5.凶手与帮凶分别为酒店员工及长期住客，前者能取得顶楼钥匙及利用"尸水清洁剂"避开警犬搜查。后者提供房间用于藏尸；

　　6.凶手与帮凶极有可能为意大利及墨西哥籍。

　　综合以上六点，只要对酒店员工及长期住客进行排查，并将重点放在意大利及墨西哥籍人士身上，要找到凶手并非难事。

　　然而，表哥如此精彩的推理，是建立于"他杀"这个前提下的。可惜根据《洛杉矶时报》报道，2013年6月20日，当地官员公开表示，已认定蓝可儿的死因为"意外溺水"。

　　洛杉矶警局验尸办弗瑞德·考罗警官表示，蓝可儿属于意外死亡，死因是浸泡在洛杉矶塞西尔酒店楼顶水箱中窒息而死。验尸办经过四个多月的尸检、化验、比对和分析，没有发现任何破案线索，既没有在尸体上找到任何创伤，也没有验出蓝可儿死前是否吸毒。

　　这个"意外溺水"是洛杉矶警方在全球舆论的关注，及美国媒体四个多月接二连三的追问下低调公布的，几乎可以视为等同于"我们没任何线索"，或"调查没任何进展"。

　　也就是说，直到2013年6月20日为止，该案仍没有最终定论，表哥的假设只是其中的一种可能性。事实是否如此，大概只有蓝可儿本人才知道。

　　愿死者在天国能得到安息……

　　等等，我好像忘记了一件非常重要的事——电梯视频！

　　其实，表哥在饭桌上曾对视频中的细节做出专业分析，现在就给大家一一道来——凶手就在电梯外面！

　　被大家疯转的电梯视频开始时，可看见蓝可儿从画面左侧进入电梯，但这不能说明她在此之前曾到左侧的房间溜达，因为电梯的外部按钮就在左侧。

不过要留意她脚下的拖鞋，穿拖鞋说明她没打算离开酒店，极有可能是刚到朋友的房间串门。

蓝可儿于视频中进入的是左侧的电梯。故此，在进入电梯之前，她很可能站在外部摁按钮。她进入电梯时表现轻松，动作随意且跨度大。这除了说明她在进电梯前没有受到刺激及威胁外，还说明她是个肢体语言丰富的人。

对于她在视频中紧盯着按键板的情况，我认为，如果她是个近视眼，这个举动就一点儿也不奇怪。她看不清楚按钮上的数字，只好凑近按键板仔细看。事实上，她有不少照片都戴着眼镜，而此时她又穿着拖鞋，应该没戴隐形眼镜。

而且，仔细看你会发现，她把中间那列按钮全按了，但最上面那个按钮没有亮起来。电梯中间那一列最上面的按钮是十四楼，没有亮起来说明她当时就在这一层。她的房间在十四楼，把整列按钮全部按上有三个可能：

1. 纯粹贪玩；

2. 深度近视，凑近仍未能看清楚按钮上的数字，只好凭记忆把中间的按钮全按上；

3. 不想让某人知道她住在哪一层。

当中以第三个的可能性较高。

接着，视频显示，在她离开按键板那一刻，电梯门动了一下。她因为看不清楚，误把开门键当作关门键，所以梯门才久久没有合上。她怀疑外面有人戏弄自己，按住了电梯的外部按钮。这说明她在本层中有认识的人，而且她认为对方会跟她开这种玩笑。以此推断，可以排除对方是中老年人的可能性，应该是小孩儿或年轻人。当然，年轻人的可能性最高。

还有一点值得注意，电梯的外部按钮在视频画面的左侧，而她探头至门外是先看右侧，再看左侧。由媒体提供的电梯照片可见，蓝可儿在电梯里可以通过对面墙上的镜子，看见是否有人在外部按钮附近。因此，她探头到门外，先望向画面右侧，是因为她以为有人在右侧按住了外部按钮。不过，该酒店的情况是，只有两部电梯之间（即视频画面的左侧）才有外部按钮。刚才说了，她是个近视眼，这次探头至门外并没有看清楚外面到底有没有人。正因为没看清楚，所以才令她感到不安，缩到角落是保护自己的表现，同时说明她不想让某人知道她在电梯里。

视频的最后，梯门仍未关上，好奇心战胜心中的不安，使她再次确认门外到底有没有人。她甚至直接跳到门外，且有跺脚动作（发出声音），这说明她虽然感到不安，但不觉得自己的安全受到威胁。而且，她一直看着画面左侧，应该已发现左侧有人。她来回移步，最终在门外停留，说明她已经确定外面有人。但对方跟她躲猫猫，而且她也没看清楚，只好在门外等对方再次现身。

虽然通过视频只能看到电梯外的一只手臂，但蓝可儿明显是在做举手投降的动作。这说明电梯外有人跟她说话，并且对她做出语言上的威胁。蓝可儿仍保持投降姿势，但表现轻松，并且能返回电梯内（自由没受到限制），说明对方的威胁或许使她感到紧张，但不至于令她产生恐惧，甚至担心自己的人身安全。

而她将中间一列按钮重复按了好几遍，同时亦按了几次开门键，说明她不急于离开。她这一动作应该是为了确保乘电梯离开时，并不会被对方知道自己住在哪一层。我们可以将她的举动理解为，对电梯外的人"既不畏惧，亦不信任，并存有戒心"。

另外，需要注意的是，从她上次凑近按键板直到此刻，电梯门没动过，显然是因为有人按住了外部按钮。但此人一直没有在画面中出现，甚至连影子也没进入摄像范围，说明这人非常熟悉酒店的情况，且包藏祸心。

前面已经说过，蓝可儿是个肢体语言丰富的人，她的一系列动作被炒作为"鬼爪"，实际上她只不过是在跟站在画面右侧的人说话，似乎在向对方解释某件事，或拒绝对方某个要求。

但是，如果对方站在画面右侧，那么位置在画面左侧的外部按钮被谁按住了？

答案是，此时除蓝可儿外，电梯外还有两个人，分别在电梯左右两侧，两人都刻意避免进入监控录像范围。

鉴于蓝可儿疑似向其中一人做出解释，且尸检证实她没遭到性侵犯，有理由怀疑此二人为情侣，且误会蓝可儿为第三者。考虑到美国的国情，亦不排除两人是一对同性恋人，但其中一人为双性恋者。

随后，蓝可儿从画面左侧离开监控录像范围，但那个跟她交谈了好一会儿、理应在画面右侧的人却没有跟她同行。此人显然是为了避免进入监控录像范围，刻意等电梯门关闭后才跟上。

注意视频里按钮的熄灭，电梯门再次开启时，已经是另一楼层。也就是说，蓝可儿离开后，就没有人用按住外部按钮，电梯恢复了正常运作。由此推断，按住外部按钮的人亦跟蓝可儿一起离开。

由于蓝可儿自此之后便失踪了，有理由相信她被对方带到十四楼某个房间，随后遇到禁锢及杀害。

网上有很多人留意到视频有剪辑及修改痕迹，因而怀疑洛杉矶警方包庇凶手。我就此事询问表哥，他对此的回应是，每个地方都可能出现腐败，美国也不例外。但美国是一个言论相对自由的国家（注意，只是相对自由），而且此案引起全球关注，除非凶手是奥巴马的私生子，否则谁有这个能耐包庇凶手？

美国媒体最喜欢曝光这方面的丑闻呢！

洛杉矶警方一直没能找到蓝可儿的下落，得靠客房投诉水压低，酒店方面清洁水塔才意外发现尸体，这已让他们丢面子丢到国际级。若不能尽快破案，将凶手绳之以法，恐怕还会继续出丑。因此，所谓"包庇论"只不过是某些人哗众取宠的伎俩而已。

那洛杉矶警方为何要对视频进行剪辑及修改呢？

表哥认为是出于办案需要，因为网友能获取的信息，凶手同样能够得到，甚至用来回避警方调查及法律制裁。因此，在对外公开的视频中有必要删除部分敏感信息。

　　"若凶手不小心在视频中暴露了自己的相貌，看到视频后不立刻潜逃才怪。我要是凶手，就算不马上去整容，起码也要换个发型。"表哥以此结束这个话题。

Chapter ② 广东少年九天化尸

2008 年，在广州当刑警的松哥衣锦还乡，少不了和众哥们儿聚一聚。他在饭桌上大谈办案经历，当中就有让人毛骨悚然的"九天化尸"案。

松哥是我中学时的同桌，之所以要叫"哥"，除他比我大两个月外，还因为他块头比我大。上中学那三年间，我从没打赢过他。我一直认为他这种"坏人"该当警察，实际上他还真的当上了刑警，并且很臭美地回来请我们几个哥们儿吃饭。

开场的废话就不多说了，直奔主题。松哥在饭桌上大谈自己的办案经历，当中让人印象最深的是周小龙案。

这宗案子虽然有点儿复杂，但还不算难办，约花了一个月时间便破案，过程大致如下：

2008 年 5 月 21 日，十三岁的初二学生周小龙没有像往常那样，于放学后返回家中，家人遍寻不着遂报警求助。

30 日，警方接到群众报警后，于学校附近的一处僻山坡上找到一具高度腐烂的男尸。经现场勘验，证实死者为已失踪九天的周小龙，死因是钝器打击致重度颅脑损伤。因该案已引起当地居民恐慌，上头高度关注，下令成立专案组调查，松哥便是其中一员。

　　松哥跟同僚以排除法，将嫌疑人逐一排除，最终调查范围收窄为死者身边的亲友。据调查所知，死者父亲为离异后再婚，与前妻生有一子，名为周俊杰，比死者大三岁。

　　从亲友口中得知，死者并不知道周俊杰是自己哥哥，虽然两人就读于同一中学，且住所相隔不过百米，却几乎没有来往。

　　幼年发生的家庭变故使周俊杰对父亲心生怨恨，曾说"弟弟家的生活条件相对好一些"之类的话，他的父母还为抚养费等问题，数度对簿公堂。

　　综合这些因素，不禁让人对周俊杰产生怀疑，虽然他只有十六岁，但童年的经历显然使他对周小龙心怀怨恨，有充足的杀人动机，因而将他锁定为嫌疑人。

　　6月24日凌晨，松哥跟其他专案组的同僚正式将周俊杰逮捕。经盘问后，周俊杰承认将弟弟杀死，并坦白行凶过程。

　　周俊杰一直忌妒弟弟得到父亲善待，因而心生怨恨，早于半年前萌生杀机。案发当日，他在路上碰见周小龙，便以武力胁迫，将对方带到一处偏僻山坡扼颈致昏，再用石块砸击致使其颅脑破裂死亡，随后仓皇逃离现场。

　　案子是侦破了，但此案有一疑团却至今仍未解开。

　　失踪九天的周小龙，被发现时尸体已高度腐烂，全身皮肉、内脏全都没了，仅剩下一副完整的骨架以及一点儿残留下来的头发。更离奇的是，他的校服竟然仍完好地穿在身上。

　　人从死亡到尸体腐化为白骨，所需的时间因环境条件而各有不同。笼统而言，在空气中需时一年、水中两年、埋在地下三年。周小龙暴尸荒野，尸体要腐化到变成白骨这个程度，理论上至少要一年时间。虽然温湿度等环境因素，对此会有某种程度上的影响，但也不可能将时间缩短到9天之内。

　　"九天前还是个大活人，九天后却变成一副白骨。也用不着请教什么专家，仅以常识就能判断这是不可能的事，法医也说从没遇到过这种情况。"松哥说。

我问他会不会是附近的动物将死者的尸体吃掉了？

他摇头道："我们首先考虑的就是这个可能，但死者的校服完好，流浪狗肯定没这么斯文。"

我又问是否存在人为的可能性，他笑道："人是他哥杀的，这个十六岁的小伙子杀人后就慌张地逃走，根本没考虑处理尸体的问题。他要是有心思把尸体弄成骨头，就不会任由其暴尸荒野。随便挖个坑埋掉，也不会这么容易被人发现。至于尸体是否被其他人动过手脚，我认为可能性几乎是零。在附近活动的都是当地人，之前也没出过什么变态狂，正常人谁会吃饱饭没事干，去捣弄一具尸体？而且案发地点偏僻，要不然也不会在案发九天后才有人发现尸体。"

我又问会不会是老鼠之类的小型动物，他还是摇头："再小的肉食动物也有牙齿，撕咬尸体必然会在骨头上留下牙齿印痕。可是，我们在尸骨上却没发现类似的痕迹，怎么看也跟自然腐化一样，就是腐化时间短得匪夷所思。"

我苦思半天，终于想出一个比较靠谱儿的假设——行军蚁。

行军蚁是昆虫中的战斗机，一窝至少有上百万只，半天就能把一只生猛的野猪啃得只剩骨头。周小龙从遭到杀害到尸体被发现，有整整九天的时间，足够让行军蚁把骨头也舔干净十几回。

后来，我以此为假设撰写了《诡案组》里的"化尸童姥"。不过松哥却认为不可能，因为别说广州，整个广东也未曾发现行军蚁活动的痕迹。

他说："前不久才发现了几窝红火蚁就已经备受媒体关注，甚至一度引起市民恐慌。要是来一窝能让非洲土著放弃村庄的行军蚁，不把整个广州闹翻天才怪。"

直到饭局结束，我们仍没弄明白尸体为何会在九天之内化成白骨。警方对外的说法是暴尸荒野时间过长所致，向来以厚脸皮著称的松哥，对此亦觉得羞愧。

即使不是专业人士也知道这个说法不靠谱儿，随便扔条小鱼到阳台上，别说九天，恐怕一两个月也不会腐化到只剩下骨头的程度。不过，凶手已经服法，没人再深究此案，警方才能以此蒙混过关。

死者已矣，我们只能祝愿小龙得到安息。

Chapter ③ 恐怖自驾游之尸变

1. 黑猫之过

　　黄昏，在宁静的乡村小路旁，停着一辆红色的小轿车。梓枫正蹲在爱车旁边，挥汗如雨地更换轮胎，车上的两名美女不但没送来半句慰问，反而抱怨连连，尤其是此次自驾游的提议者婉儿。

　　婉儿是梓枫的表妹，两人的感情很好，比亲兄妹还要好。所以当她提出趁着"十一"黄金周驾车逃离繁华的都市，投入大自然的怀抱时，梓枫没怎么考虑就答应了。其实，就算他俩的感情一般，梓枫也难以拒绝这次出游，因为同行的另一名美女是他心仪已久的娅岚。

　　娅岚是婉儿的闺中密友，虽然人长得漂亮，但脾气却有点儿古怪。不论何时何地，她都会抱着一只叫小黑咪的孟买猫，幸好她是个自由职业者，否则恐怕很难找到一份能带猫上班的工作。

　　婉儿不断大叫肚子饿，催促梓枫快点儿更换轮胎，不然就要把表妹给饿死了。梓枫擦去额上的汗水，抬头看天，天色已开始阴暗，而且远处正有大片乌云飘过来，不快点儿离开这前不着村后不靠店的地方，今晚恐怕要待在车子里度过一个"饥寒交迫"的雷雨之夜了。

因为这次旅游纯粹是一时兴起，事前并没有详细的计划，带上衣服和钱包就钻进车子里出发了，所以虽然带上了地图，但现在身处何方，他们也不是很清楚，在过去的两小时内，他们也没看见指示牌之类能确定位置的东西。虽说路在口边，只要能碰见路人就能知道路在何方，但是自午饭之后，他们就再也没看见半个人影，今晚是否要饿肚子也是个未知数。

"终于弄好了。"梓枫擦去汗水，把不知道被什么东西戳破的轮胎和千斤顶等工具扔进车里。说来也奇怪，虽然这段路崎岖不平，但荒郊野外也不见得有铁钉或玻璃碎片等物，轮胎为何会无缘无故地被戳破？真让人摸不着头脑。

在两名美女的欢呼声中，梓枫准备发动汽车。此时，前方的拐弯处出现几个人影，正向这边走过来。因为天色已暗，而且距离有点儿远，所以看得不是太清楚，只看见他们有七八个人，其中四个一起抬着一块木板，木板上好像躺着一个人。

梓枫把头探出车窗外，想等对方走近的时候向他们问路。来人缓缓走近，抽泣之声渐渐回荡于耳际。"他们在哭吗？"婉儿的脸突然沉下来，显然对方的心情并不好，在这时候向他们问路，也许不太合适，但不问的话，今晚该怎么过呢？

"我们下车吧！"梓枫的提议，立刻得到婉儿和娅岚默许，三人一同钻出车厢。虽然在这种荒郊野岭，离开车厢会让人失去安全感，但对方心情不佳，躲在车厢里问路，似乎太不尊重对方了。

来人越走越近，梓枫扶了扶鼻梁上的眼镜，看清楚对方一共有八个人，不，是九个。带头的是一个古稀之年的驼背老妇，她拄着拐杖，一言不发地默默前行，行走速度不见得比她身后的健壮青年慢。老婆婆身后是四个合力抬着一块木板的青年，其中两个裸露上身，裤子都湿透了，头发还有水珠滴落。一个全身毛发衣物都湿透的青年在他们右侧低头不语，默默同行。左侧是一对中年男女，女人在男人的扶持下蹒跚而行，抽泣的声音就是女人发出的，她之所以哭泣，大概是因为那个躺在木板上、和右侧那个青年一样全身湿透的少女，也许确切地说，是女尸。

当老婆婆快走到身前时，梓枫连忙上前作揖行礼，以最礼貌的语气说："很抱歉，我们初到贵境不慎迷路，婆婆能告诉我们哪条路可以通往邻近的城镇吗？"

老婆婆那张布满皱纹的脸，看不出任何表情，就连是喜是怒也难以分辨，她嘴唇微微颤动，用略为沙哑的苍老声音说出两个字："让开！"

婉儿和娅岚见状也上前向老婆婆问好，请求对方指点去路。老婆婆没说话，只是用她那双空洞无神的眼睛盯着娅岚怀中的小黑咪。小黑咪是只孟买猫，看上去就像一只缩小了的印度黑豹，全身皮毛乌黑发亮，就像穿着一身酷毙了的皮衣的飙车族。然而，它的胆量似乎没有外表那么酷，被老婆婆盯了两眼，竟然害怕了，惊恐地跳出娅岚的怀抱。

如果小黑咪只是胡乱地跳到地上，也许就不会发生之后的事情，可它千不该万不该，竟然跳到四名青年抬着的木板上，还跨过躺在上面的那具尸体。时间的流逝仿佛在瞬间停止，空气也仿佛瞬间凝固，所有人都看着木板上的尸体和小黑咪，谁也没有说话，甚至连呼吸也不敢发一点儿声音。

就在大家把所有注意力都集中在木板之上时，尸体左手的小指突然微微抖动了一下……

2. 天降横祸

"诈尸了！"不知道是谁惊叫了一声，除老婆婆之外，其他人都条件反射般往外跳。失去支撑的木板立刻跌落地上，发出沉闷的响声，小黑咪受惊逃回娅岚怀中，尸体则因反弹力而翻过身来，背面朝上。

"抓住他们，把村里的人都叫过来。"老婆婆苍老的声音犹如君皇的命令一般，无比威严，震慑人心。

　　四名健壮青年和中年男人一同扑向梓枫三人，三两下就把他们按倒在地上，小黑咪也被抓住了。那名全身湿透的青年则迅速离开，似乎是要跑到村里叫人。

　　从远方飘来的乌云占据了天空，阻隔了落日最后一缕余晖。天色全黑，黑得让人心中发毛。在幽静阴暗的野外，一具随时可能尸变的尸体旁，就算在场的有近十人，也不禁心惊胆战，不管是梓枫等三人、中年男人和四名青年，还是那个仍在低声抽泣的中年妇女，都这样。但有一个人是例外的，就是老婆婆，她守候在尸体旁，一言不发，默默地注视着任何细微的变化。然而，尸体落地之后，再没有出现动静。没有人提议把尸体翻过来，虽然让尸体趴在地上，是对死者的大不敬，但暂时没人愿意，或者说是没人有胆量把尸体翻过来。因为谁也不知道，把尸体翻过来后，是否会看见一张狰狞的面孔。

　　大概半小时后，远处传来嘈杂的人声，诡异的气氛立刻消散，二十多名手持手电筒及铁棒木棍的壮丁，来势汹汹地出现于众人眼前，他们在刚才离开的青年的带领下快步靠近。虽然来者不善，但对梓枫他们来说，面对一群凶恶的活人，比面对一具冰冷的尸体要好得多。

　　老婆婆喝令来人把尸体翻过来，抹掉脸上污泥，再次抬起，并押着梓枫他们一同返回村庄。

　　一路上众村民交头接耳，并对梓枫他们指指点点。被村民称作三婆的老婆婆已经把事情的经过告诉众人，梓枫从其口中得知死者是其孙女，名叫秀英，不久前在附近的河边洗衣服时不幸溺亡。那对中年男女是秀英的父母，村民都叫他们川叔川婶。全身湿透的青年是她的哥哥，名叫伟强，另外四名青年则是闻讯赶来帮忙的村民。

　　三婆说此事绝非等闲，让黑猫跨过死者的尸体，是否会诈尸先不说，单是亵渎死者就是大罪，所以要押梓枫等到村里的祠堂，让村长定夺。这真是天降横祸，原本应该很愉快的旅游，却突然发生这种始料不及的变化，不知到达村庄之后，还将面临怎样的可怕审判。

　　婉儿因为害怕而抽泣，娅岚想安慰她，却不知道该如何开口，毕竟祸是由她的小黑咪闯出来的，而且现在她还担忧着被川叔掐着脖子的小黑咪，正心乱如麻的她又如何安慰别人呢？怎么说他们也是人，就算亵渎了死者，也就是赔礼道歉一番，最严重的就是被毒打一顿。可是，小黑咪只是一只猫，哪怕娅岚待它比自己还好，它也只不过是一只猫，村民们就算把它宰了，也不犯法。

梓枫一路上沉思不语，他在思考该如何脱身，村民对待身旁的两位女士尚不算粗鲁，但对他却不太客气，走慢一点儿，屁股就会挨上一脚。还好，对方没有夺走他们的随身物品，手机和车钥匙还在身上。可是，这里地处偏僻，手机接收不到半点儿信号，只能当作手表，用来看时间。车钥匙虽然是根救命草，但在入夜时分，被村民押着走了一段羊肠小道之后，他已没信心凭着记忆找回自己的爱车了。就算瞎猫碰上死老鼠般找到车子，没有村民的指导，要找到离开的路也不是容易的事情。

前方出现了点点灯光，一座小小的村庄显现于眼前，决定命运的时刻马上降临，问题总是要解决的。"如果赔点儿钱能把问题解决就好了。"梓枫在心中安慰自己。

3. 审判大会

在并不宽阔的祠堂里，人头攒动。在几盏电灯发出的昏暗光线下，"审判大会"马上就要开始。梓枫他们被迫跪在"阎家祠"的牌匾下、秀英的尸体前，村民把他们团团围住，每个人的脸上皆是怒容，使他们觉得正在阎王殿接受审判。

突然，村民让出一条道，一个头发花白的花甲老人走进来，众人皆称他为村长。

村长在了解情况后，没有立刻做出定夺，而是先询问三婆的意见，他说：

"三姐，你认为这事该怎么办才好呢？这三个外地人也是无心之失，要不就让他们赔些钱，再宰了那只黑猫拜祭秀英……"

原来村长是三婆的弟弟，怪不得村民都听从她的吩咐，看来这回肯定没好果子吃了。就在梓枫担心三婆不知道会怎样为难他们的时候，娅岚突然打断村长的话，大叫道："你们不能伤害小黑咪，它是我的朋友。"

众村民怒目瞪着娅岚，她先是一惊，但马上就挺起胸膛，毫不示弱。三婆一言不发，扶着拐杖走到她身前，突然抬起拐杖重重打在她的肩膀上。

虽然三婆已是七十来岁的老人，但这一杖并不轻，不过娅岚没有因为痛楚而发出任何声音，反而以倔强的眼神与三婆空洞的双眼对视。三婆冷哼一声，说："这里还轮不到你说话。"说罢，往外走出两步又道："赔礼道歉是一定要的，但也不能赔点儿钱就了事，我要你们先给秀英叩三个响头。"

三婆的话就像命令一样，带着让人感到畏惧的威严，而众村民随即不断叫嚷着："叩头，叩头，叩头……"仿佛不立即叩头就要大开杀戒一般。

梓枫与二女对视，毕竟相处多年，单凭一个眼神，他就知道婉儿的心意和他一样。人为刀俎，我为鱼肉，对方人多势众，而且我方理亏，此刻就算对方提出无理的要求，也只能无奈接受。但娅岚似乎有点儿忿，她的不忿也许不是因为她不愿意叩头，而是因为担心小黑咪的处境。到达村庄后，小黑咪就被村民带走，此刻是死是活也不知道。

在婉儿的劝说下，娅岚最终还是和他们一起叩头。三人同叩，一叩三响。九响过后，三婆又说："按祖先定下的规矩，葬礼必须在白天举行，虽然秀英被黑猫跨过，但也不能坏了规矩。所以，今晚得有人为她守灵。祸是你们闯出来的，要你们给她守灵也不算过分。"

三婆的话像惊雷般在梓枫三人的脑海中炸开。

4. 诡异的娅岚

　　夜深，村民都离开了祠堂，原本不见得多宽阔的地方，一下子变得无比空旷。秀英的尸体安静地躺在祠堂中央，承载她的木板由两条板凳支撑着，旁边的两支蜡烛发出微弱的光芒，照亮有限的地方。偶有阴风掠过，烛光忽明忽暗，仿佛随时都会熄灭。伟强在离开的时候故意关上电灯，此刻烛光是祠堂内的唯一光源。

　　梓枫他们分别被绑在三根柱子上，铅笔粗的绳子把他们的双手牢固地反绑在柱子后面。他们都面向着秀英的尸体，烛光勉强能照亮他们惶恐的脸庞。虽然现在看起来，秀英和一般的尸体没两样，似乎没有诈尸的迹象，但就算是平常的尸体也足以让人感到恐惧，更何况谁敢保证一定不会诈尸呢？如果真的诈尸了，他们是必死无疑的，因为他们不但被绑得紧紧的，连祠堂的大门也被锁上了。在无法逃脱的情况下，就算不被尸变的秀英杀死，也会被她吓死。

　　要怎么办？先让心情平复下来再说吧，慌乱的心情使人难以思考。婉儿叫梓枫说些笑话，让气氛轻松一点儿，时间过得也容易一点儿，说不定能在笑声中平安度过这个可怕的夜晚。梓枫平时并不见得有多风趣幽默，但为了在娅岚面前表现自己，他努力地搜索记忆，希望找出一个能让人发笑的故事。良久，他终于想到了，便说："从前，有两个人想去瓜田里偷西瓜，其中一个怕被人发现，另一个就对他说，你只不过是一条蛆，不爬出粪堆没人会看见你，就算爬也不过是千百万条蛆中的一条。"

　　梓枫说完自以为很好笑的笑话后，并没有听到期待中的笑声，事实上他的笑话一点儿也不好笑，不但不好笑，而且还挺恶心的，尤其是在一具尸体面前说。

　　婉儿看着秀英的尸体，摇曳的烛光映照在尸体苍白的脸上，很容易使人产生错觉，觉得尸体的眼皮和嘴唇在微微颤动。在听梓枫的笑话之前，这种错觉也许会让婉儿以为是尸变的先兆，但现在她的脑海中出现的画面却是一条接一条的大白蛆从尸体的眼睛和嘴巴里爬出来，恶心得想吐。

　　梓枫接着又说了几个不好笑的笑话，婉儿还应付式地露出不自然的笑容，但娅岚却一脸不悦，并不停蠕动身体，仿佛有无数条蛆虫爬上她的身体。终于，在梓枫说完第五个笑话后，娅岚不耐烦地说："不要再说这种无聊的笑话了好不好？"

　　场面一下子变得非常尴尬。

　　婉儿以责怪的语气对娅岚说："你怎么了？表哥的笑话虽然说得不怎么样，但也是为了让我们好过一点儿，你怎么能冲他发脾气呢？"

　　娅岚不语，梓枫打圆场道："婉儿，算了，都是我不好，不会说笑话……"

　　梓枫把话说到一半的时候，突然有一阵阴风从窗外吹进来，把秀英身前的一支蜡烛吹灭。原本就非常昏暗的祠堂，现在变得更加昏暗，仅存的一点儿烛光甚至照不到娅岚的脸，她的脖子处于光影交接的地方，在另外两人眼中，她就像一具被绑在柱子上的无头尸体。

　　诡异的气氛笼罩在梓枫和婉儿的心头，莫名的恐惧使他们不敢说话。然而，越安静就越让人感到恐惧。因为看不见娅岚的脸，所以梓枫没来由地担心起她的安危，正想开口询问她的情况，'嘭'一声细微的闷响，诡异地回荡于祠堂之中。

　　梓枫吞了口唾沫，把已到嘴边的话吞回肚子。刚才的声音是谁发出的呢？他不敢问，因为他心中已经有答案了，那是轻敲木板的声音，他们三人都被绑在柱子上，能敲击木板的，就只有躺在木板上的秀英。

　　"啊——"婉儿因害怕而尖叫，但尖叫过后，心中的恐惧并没有减少，反而大大增加，因为她只听见自己的尖叫。梓枫是个男人，就算心里有多害怕也不会以尖叫的形式宣泄，但娅岚为什么一声不吭呢？

　　婉儿想到的，梓枫也想到了，他以颤抖的声线问道："娅岚，你还好吧？"

　　娅岚没有回答，但她暴露在烛光下的身体却仍然不停地蠕动。她在做什么？为什么不说话？梓枫和婉儿突然觉得这个朋友变得很陌生，很可怕，比冰冷的尸体更可怕。

　　一个恐怖的念头在梓枫脑海中浮现："娅岚该不会是被秀英的鬼魂附身了吧？"

　　一阵恶寒从后背升起，瞬时扩散到全身，使梓枫打了个寒战。他向婉儿投去询问的目光，从对方的眼神中，他知道两人有相同的想法。

　　静，死一般地寂静，梓枫和婉儿都不敢发出任何声音。然而，在死寂之中却隐约听见细微的摩擦声，是从娅岚那边传出来的，她到底在做什么呢？婉儿不敢问，梓枫也不敢，他们只是目不转睛地盯着她，盯着她那不停蠕动的身体，看不见脑袋的身体。

　　娅岚的身体蠕动了很久，终于停了下来，原来应该被绑在柱子后面的双手突然垂下来，鲜血从左手背流出，顺着指尖悄然滴落在地面。

　　婉儿再次惊恐地尖叫，与冰冷的尸体相比，"陌生"的娅岚更让她感到害怕。

　　"你在乱叫什么，把人都叫来，可就麻烦了。"娅岚走向婉儿，烛光落在她毫无表情的脸庞上。此刻的她，是娅岚还是秀英？

　　娅岚走到婉儿身前，婉儿叫得更大声了，说："不要杀我，不关我的事，不关我的事。"

　　娅岚突然抬手打了婉儿一个耳光，说："你发什么神经啊，立刻给我闭嘴，再叫就把你舌头拔出来。"

　　婉儿被吓得说不出话，身体不停地颤抖，眼泪如洪水般涌出。娅岚轻轻摇头，绕到她身后，没入烛光照不到的黑暗之中。她随即就感到娅岚在解她手上的绳子，鲜血不时滴到她的手上。

　　"她想做什么？想解开绳子，把我押到尸体身前，让尸体吸干我的阳气吗？"恐惧使婉儿害怕得想尖叫，但脑海中立刻浮现出娅岚毫无表情的脸和那要把她的舌头拔出来的狠话，只好咬紧牙关，让泪水宣泄心中的情感。

　　片刻之后，婉儿突然觉得双手一松，背后响起娅岚的声音："好了，终于解开了。那群乡下人还真会打绳结，费这么大劲才能解开。"

　　身体不再受到束缚，婉儿第一时间就扑向梓枫，像受惊的小猫般躲在他身后，以畏惧的眼神看着娅岚所在的方向。娅岚从黑暗中步出，左手仍滴着鲜血，犹如一名冷酷的刽子手。

"你干吗那么怕我，我又不会把你吃掉。"娅岚向婉儿他们走近，一脸不悦地说。

"不要过来，不要过来……"婉儿害怕得蹲下来抱头哭泣。梓枫则颤抖着说："你是娅岚？还是……"

"你们都发神经了，我不是娅岚是谁啊！"娅岚说着绕到梓枫身后为他松绑。

婉儿惊恐地退到墙边，但当她发现娅岚在为梓枫松绑时，则投以疑惑的目光。

5.尸变惊云

"你们才是鬼上身呢，我刚才不说话是因为我正在割绳子，所以才没心情搭腔。"知道梓枫和婉儿误以为自己被秀英的鬼魂附身后，娅岚不禁骂道。

娅岚的右手中指上带着一枚钻石戒指，是前男友送她的生日礼物，虽然已经分手多时，但她一直都没摘下来。刚才她一直试图用戒指上的钻石把绳子割断，但因为双手是被反绑的，动作非常笨拙，而且要用钻石戒指来割断绳子也不是一件容易的事情，所以割了很久也没有割断，还把左手手背弄得伤痕累累。正因为绳子久割不断，所以她的心情很烦躁，而此刻梓枫又在说无聊的笑话，更让她烦上加烦，便出言不逊。而正专心割绳子的她，并没有留意到那莫名其妙的敲击木板声，随后婉儿的尖叫，让她心烦生怒，便不再理睬他们。

在割断绳子后，娅岚本以为能听到几句赞扬的话，谁知道得到的只是婉儿莫名其妙的尖叫。为了防止村民闻声过来查看，她才打了婉儿一个耳光，并抛出狠话吓唬她。

知道原来是一场误会之后，梓枫才意识到娅岚手背上的伤口还在流血，立刻把衣服撕破，撕出一块布条替她包扎伤口。

梓枫刚替娅岚包扎完伤口，嘭，诡异的敲击声再次响起，这次的声音比刚才要响亮得多，三个人都听得很清楚。婉儿害怕得抱住娅岚，梓枫则表现出男人应有的勇敢，挡在她们身前。

秀英依旧躺在木板上，苍白的脸庞在烛光映照下，仿佛比刚才增添了一丝血色。梓枫的目光落在她的手指上，突然，她的手指又动了一下，嘭，又是一下让人心寒的异响。梓枫顿时感到头皮发麻，心脏疯狂跳动，仿佛随时都会爆炸，但双脚却像生了根似的，一步也动不了。

娅岚抱着婉儿往后退，直退到墙边，靠着一扇敞开的窗户。虽然窗户有栏杆阻挡，不能从中翻出去，但被困的人总是渴望自由，靠近敞开的窗户，至少能让她们觉得自由并不遥远。

凉风从窗外吹入，使烛光不断摇曳，同时也让他们发现，唯一能给他们提供光源的蜡烛，马上就烧到尽头了。该怎么办？其实，只要把刚才熄灭的那根蜡烛点上就可以暂时解决问题，但这一刻谁也不敢靠近秀英，当然也没有人敢去点燃蜡烛，甚至没有人敢提出这个建议。当然也可以在烛光照不到的黑暗之中摸索，寻找电灯的开关，但此刻也没有人愿意投入黑暗的怀抱。

窗外风声飕飕，雨唰唰而下，终于下雨了。而窗内噤若寒蝉，除了如擂鼓般的心跳声外，再没有别的声音。

梓枫看着蜡烛上微弱的火苗，不知如何是好，直至蜡烛熄灭，他终于想到了办法——闭上双眼，想象自己身处家中，不会有任何危险逼迫。

双眼可以闭上，耳朵却不能闭上，黑暗在剥夺视觉的同时，也赋予人更敏锐的听觉，使梓枫能听清楚祠堂内任何细微的动静。但此刻，他心中最期盼的是，什么也听不见。

突然，窗外一亮，轰隆之声随即震撼天地。梓枫被这突如其来的惊雷吓得跳起，立即往后飞退，没退几步就踩上婉儿的小腿，在她的尖叫声中绊倒。三人害怕得抱作一团。

雷声过后是死寂，窗外的雨声是那么小，仿佛完全被墙壁阻隔，梓枫依然能听清祠堂内的任何异响。

"咳咳咳……"急促的咳嗽声突然回荡于祠堂之中，声音不是梓枫他们发出的，他们根本不敢发出任何声音。那是谁在咳嗽呢？

婉儿突然推开另外两人，尖叫着往外跑，但恐惧和黑暗使她迷失了方向，她正朝着秀英躺着的地方跑。

雷电再现，通过窗户照亮了祠堂内的一切，使婉儿看见正坐在木板上，一脸茫然地看着她的秀英。婉儿仿佛被闪电击中一般，心脏几乎停止了跳动。奔跑的惯性使她继续往前，地面上莫名其妙地出现了一摊水，使她滑倒，整个人扑在秀英身上，她俩一同翻倒在地上……

6. 天亮之后

天亮后，三婆带领着家族里的所有成员来到祠堂，准备为秀英举行葬礼。然而，当他们把门打开后，看见的并非意料中的一具尸体和三个活人，而是四个活人——秀英复活了，或者应该说，她根本没有死。

人们常说的死亡，其实并非发生在一瞬之间，而是必须经历濒死期、临床死亡、生物学死亡这三个过程。濒死期很容易理解，就是马上就要死，但若能得到正确、及时的救治，是可以活过来的。临床死亡是指在呼吸、脉搏、体温、血压等临床参数上已探查不到生命迹象，但在极偶然的情况下，也可因为受到外界因素刺激而"复活"。生物学死亡是死亡的终点，由于体内器官已出现了不可逆转的衰竭，就算神仙下凡也无法挽回。

秀英的情况是因为溺水而进入了临床死亡的状态，也就是俗称的"假死"，虽然表面上和死人没任何分别，但她还有连最先进的医疗设备也探查不到的微弱呼吸和心跳。虽然大脑处于缺氧状态，但还没有"死亡"，部分神经依然活跃，因此才会出现手指抖动的情况。

　　昨晚的电闪雷鸣，"惊醒"了处于假死状态的秀英，使她吐出塞住气管的水，因而活了过来，也因此把梓枫他们吓了个半死。

　　虽然村民们对这些医学知识并不了解，但秀英能活过来，大家还是很高兴的。川叔为昨晚的无礼向梓枫他们道歉，并设宴款待，还请他们留下来多住几天，但他们不想在这里再待上一夜，午饭过后，问清楚通往邻近城镇的路线就立刻离开。

　　在离开的路上，坐在副驾驶位置上的娅岚抚摸着似乎并没有受到什么伤害的小黑咪，呆呆地看着左手上渗血的布条，突然打开车窗，把右手中指上的钻石戒指摘下，扔到路边的草丛中。

　　梓枫惊奇地问："你怎么把戒指扔掉了？"

　　娅岚微微一笑，说："你能送我一枚吗？"

　　红色的轿车在婉儿的欢呼声中，向珠宝店进发。

Chapter ④ 买梦杀人

　　大清早，张局就收到陈老板的死讯，对他来说，这本来应该是个好消息，但此刻却令他觉得毛骨悚然。

　　张局是市环保局的"一哥"，所有与环保相关的项目都是他说了算。陈老板是开化工厂的，是个典型的排污大户。陈老板为了工厂排污的事情，平时没少给张局"烧香"，几年下来送钱送礼少说也有四五百万元。以往两人一直称兄道弟，可是近年市政府越来越重视环境保护，前段时间更下达命令，限期整治所有排污企业，废水废气废料全都要经过无害处理才能排放。"兄弟"两人就是因为此事而出现了摩擦。

　　整治污染物其实并非什么技术难题，只要肯花钱，墨汁也能变成纯净水。真正的问题在一个"钱"字上。购置净化设备要钱，使用过程更加费钱，要是完全依照环保局的要求来办，陈老板的工厂根本干不下去，赚到的钱还不够用来处理污染物的。他当然不愿意做这种亏本生意，于是就找张局"研究研究"。政府压下的事情，张局可不敢硬撑，什么兄弟情义有多远滚多远，对昔日的哥们儿打官腔摆官威了事。

　　然而陈老板也不是善茬儿，既然是张局先翻脸，他也来狠的，翻出对方的受贿证明，录音录像什么都有。要是事情闹大了，张局起码得在牢房待上十来个寒暑。

如今陈老板死了，张局理应高兴得要放鞭炮，但他却感到一股寒意从心底升起，不由得浑身颤抖。这全因为他昨晚做了一个怪梦。

张局在梦中看见一个模糊的人影，对方拿着一支折断的牙刷，说能帮他杀人，但事成后必须把报酬汇到其提供的银行账户中。对方要求的报酬是十万元，对普通人来说是个不小的数目，但对张局来说，区区十万元就能解决一个心头大患，值得！

一觉醒来，张局对这个怪梦只是一笑了之，但随即便收到陈老板的死讯。听说陈老板死得很诡异，是被人用折断的牙刷插破喉咙而死的。回想梦中的内容，竟然出奇清晰，尤其是那个银行账号，仿佛是刻在脑海深处一样。要知道，他连自家的电话号码都记不住。

张局打电话给在银行当经理的侄儿，让他帮忙查询梦中出现的账户，侄儿给予的回复再一次让他感到毛骨悚然——账号与户名对上了。

张局已能肯定自己昨晚所做的不是一个普通的梦，而是一个买凶杀人的梦。梦中那个人影既然能杀死陈老板，当然也能杀死不守信用的自己。十万元而已，算是给自己买个心安好了，他让侄儿从他的秘密账户中汇了十万元到梦中出现的神秘账户。

没过几天，张局又有新烦恼了，这次来找麻烦的是一位黑道头子，名叫丧坤。

张局当权多年，平日总有些不识时务的人给他添麻烦，要让这些人闭嘴，最好的方法就是让他们受些皮肉之苦。林秘书就是这种不识时务的笨蛋。

林秘书在张局身边待了些日子，知道他干了很多违法的事情。知道就知道呗，给他点儿好处就是了。可是这笨蛋竟然自命清高，不但有钱不收，还想举报自己。对付这种蠢人，不给他点儿颜色看看，他是不会长记性的，于是张局就让丧坤派几个小喽啰去教训他。

也许张局跟丧坤交代这事时语气重了一点儿，也许丧坤跟手下交代时语气更重，反正太保们下手时非常狠，把林秘书打得头破血流，差点儿就把他送上黄泉路。后来虽然救活了，却成了植物人，而且情况也不太乐观，能熬上半年就算很不错了。

林秘书咋说也是个公务员，被几个小混混儿揍得半死不活，公安局可不能不管。刑警们查得紧，肇事的太保们当然得避避风头，丧坤因此代手下向张局要点儿"安家费"。

人家是为自己办事而惹到麻烦，照顾一下也很应该，但是丧坤的胃口太大了，他狮子大开口要价一百万元。钱，张局不是没有，但像丧坤这样的无赖，拿了一次就难保不会有第二次。有把柄给别人握着，心里总是不踏实，要是能把他干掉就高枕无忧了。

半夜里，张局的救星又在梦里出现。虽然他还是只看见一个拿着牙刷的人影，但不像上次那么模糊，而且声音还有点儿耳熟，可是怎么也想不起在哪里听过。张局在梦中说想把丧坤干掉，对方说没问题，但报酬是上次的三倍，要价三十万元。虽然对方开价不低，但总比把钱给丧坤划算，最重要的是在梦中买凶杀人谁也不知道，不会留下后患。

翌日一早，张局如愿以偿，收到丧坤的死讯，同样是被人用牙刷插破喉咙的离奇死法。他才不在乎丧坤是怎样死的，乐呵呵地打电话给侄儿，让其把三十万元汇到梦中人提供的账户上。这次对方提供的账户和上次不同，就连户名也不一样，但是张局没有在意，他自己的几个账户也不全是姓张的。

之后一个月内，张局又在梦中买凶除掉三个眼中钉，每次当他有杀人的念头时，那个拿着牙刷的神秘人影就会适时地出现在他的梦境中，而且一次比一次清晰，声音也越发觉得耳熟，可就是想不起在哪儿听过。对方每次提出的报酬都比之前要高，而且每次提供的账户也不一样。张局并不心疼这点儿钱，只要能保住头顶乌纱，就用不着为钱而烦恼。

就在张局琢磨着是否要把那个经常与他暗中较劲的副局做掉时，几名刑警闯进他的办公室。他以为对方是为林秘书的事情而来，所以十分镇定，毕竟丧坤已经死了，那些小喽啰谁也没见过他，就算闹上法院，他也有信心脱罪。

　　然而，刑警拘捕张局的理由不但与林秘书一事无关，而且还让他大感莫名其妙——涉嫌杀害陈老板等五人，为多个恐怖主义组织筹集资金。

　　如果刑警是为自己买凶杀人而来，张局能说出一万个理由为自己申辩，但对方竟然说自己就是凶手，他真怀疑他们是否在开玩笑。刑警当然不会拿这种事开玩笑，他们在第五宗凶案的现场找到一张他的名片，名片上沾有死者的血。五名死者皆是被人用折断的牙刷插破喉咙而死，五支牙刷上的指纹属于同一人。在张局提供指纹对照后，与他的指纹一致。

　　张局这回可比窦娥还冤了，不过人老精鬼老灵，他活了五十有几，又能爬到局长的位置上，脑袋里装的可不是泡菜，他马上大叫遭人陷害，并一一指出案中疑点。例如：案发时他正在家里睡觉，其妻儿可以作证；案发现场大多与其家相距甚远，最远达一个小时的车程，他是上了年纪的人，身体并不见得有多好，爬两层楼也会喘气，哪儿有用牙刷就能杀人的能耐，而且当地人大多知道其中一名死者丧坤是靠一双拳头起家的。最可疑的还是案发现场那张名片，如果他真的是凶手，怎么会带上自己的名片去行凶呢？肯定是凶手故意栽赃嫁祸！

　　为恐怖组织筹集资金的罪名更是莫须有，张局更理直气壮了，大呼一派胡言，肯定是有人想冤枉他。然而当警方拿出证据时，他一时又说不出话来。警方查出他其中一个秘密银行账户分别汇款给几个恐怖组织，金额合计过百万元。

　　警方所说的恐怖组织，张局听也没听过，更别说给他们筹集资金了。可是为何要汇款给这些账户？他总不能说是买凶杀人的酬金吧。更要命的是，他无法解释资金的来源，一百万元相当于他近十年的"合法收入"。

　　说不清就干脆不说，张局让妻子找来律师，把此事交给律师处理。他心想只要能够保释，大不了就逃到国外去，反正这些年已经捞了不少油水，足够下半辈子吃香喝辣。

　　然而，警方表示张局所涉及的皆是严重罪行，绝对不能保释。打电话给过往与他关系很"铁"的市委书记、公安局局长等铁哥们儿，要么不接电话，要么说自己身处外地爱莫能助。而由他亲自提拔的亲信更是第一时间与他划清界限……

张局忽然有种众叛亲离的感觉，除了妻儿、侄儿等至亲外，其他人恐怕全都躲在暗中偷笑。

走进看守所的时候，张局脑海里全都是梦中出现的模糊人影，和那个似曾相识的声音。他发誓，只要能逃过此劫，不管花多少钱也要把对方揪出来千刀万剐。也许是他想得太入神，以至被看守所内的几个小混混儿围住也不知道。

一个光头混混儿冷不防地揪住张局的衣领，把他摔倒在地，其余几个小喽啰立刻上前拳打脚踢。他还没弄明白是怎么一回事，就已经被打得鼻青脸肿了。

混混儿们把张局打了个半死后，光头上前补上一脚，撂下一句狠话："敢动我们坤哥，以后的日子有你受的！"原来他们是丧坤生前的手下。

接下来的日子，张局几乎天天挨揍，他暗中发誓，出去后不但要把害他的人宰了，这几个混混儿也绝对不能放过。也许是他妻子天天烧香拜佛起了作用，警方认为对他的杀人指控证据并不充分，死者皆是被凶手以牙刷插死，而对于年过半百的张局来说，这一点确实难以做到。

辩护律师以此为据，为张局除去杀人的罪名，而另一罪名在侄儿的暗中帮助下，似乎也脱罪在望。

就在张局计划着离开看守所后怎样报仇时，他又梦见那个神秘的人影了。这次他在梦中扑向人影，死死地掐着对方的脖子。人影突然变得清晰，竟然是已变成植物人的林秘书！

张局在梦中愣住了，林秘书则放声大笑："哈哈哈……你一定觉得很奇怪，我为什么能出现在你的梦中。其实我也觉得很奇怪，被那些太保暴打之后，我虽然变成了连眼皮也动不了的植物人，但是思绪却非常清晰，而且还得到了一种神奇的能力。"

"我想你现在应该知道我得到了什么能力，就是能闯入你的梦境之中。但是有一点你是怎样也想不到的，我不但能闯入你的梦境，而且当你梦到我的时候，你的身体便会被我控制，丧坤他们都是我用你的身体去杀的。嘻嘻嘻……你知道我现在用你的身体在做什么吧？"林秘书手中突然出现一把匕首，他把匕首架在自己的脖子上准备割破喉咙。

张局这回可被气疯了，他一把夺过匕首，狠狠地插入林秘书的喉咙中，高声叫骂："我要杀了你这王八蛋！"

林秘书被插破喉咙后反而露出诡异的笑容："你等着被枪毙吧，哈哈哈……"疯狂的笑声突然变成撕心裂肺的惨叫，眼前的景象随即变换，诡异的笑脸竟然变成垂死的光头混混儿，其喉咙上插着一支牙刷。张局还没回过神来，光头的那几名手下已经扑过来把他按倒在地上，看守人员随即赶到……

张局于众目睽睽之下用看守所提供的牙刷杀死同仓的光头，辩护律师之前所做的努力瞬间化为乌有。正所谓一沉百踩，眼见张局法网难逃，落井下石之人纷纷跳出来，贪污受贿、玩忽职守、以权谋私等罪名接踵而至，就连林秘书一案最终也落到他这个幕后黑手的头上。他的妻儿和亲信也没能逃脱厄运，被查出了各种各样的罪名。

在张局被枪决的同时，躺在医院病床多时的林秘书带着心满意足的笑容离开了人世。

［完］

Chapter ⑤ 忧伤的小提琴

1. 月半小夜曲

> 仍然倚在失眠夜望天边星宿
> 仍然听见小提琴如泣似诉再挑逗
> 为何只剩一弯月留在我的天空
> 这晚以后音讯隔绝
> …………

　　诗琦失眠了，这是她第三晚失眠。自从两天前，楼上新搬来的住户在凌晨时分拉响忧伤的小提琴，她就开始失眠了。她之所以失眠，并不是因为对方拉得很难听，相反是因为对方拉得过于凄婉动人，犹如一滴滴泪珠，洒落于她心中平静的湖泊，泛起一波又一波涟漪，久久不能平复。

　　"是谁在这时候拉小提琴呢？"诗琦突然有种冲动，想到楼上敲开对方房门，但最终还是放弃了，因为在深夜拜访陌生的邻居似乎过于失礼。

　　听着凄美的琴声，诗琦的目光不由得落在墙角那个铺满灰尘的小提琴盒上，大学毕业后，她就很少打开这个盒子，虽然盒子里的小提琴曾经为她夺取了不少奖项。现在的人已很难在兴趣和工作之间找到平衡，要么为兴趣而饿着肚子，要么为工作而放弃兴趣，能做到两者兼顾的人凤毛麟角。

诗琦每天都觉得工作压力非常大，压得她喘不过气来，一回到家就有种身心疲倦的感觉。然而，当她听见楼上传来的忧伤的小提琴声时，疲惫的心灵犹如受到春露滋润的枯树，再次长出了嫩绿的枝叶。

对方拉的是《月半小夜曲》，一首诗琦很喜欢的流行曲——20世纪的流行曲。她坐在窗前，呆望着深秋的夜空，脑海中浮现李克勤动情的演唱，回想起大学时甜蜜的记忆。

"丞轩现在不知道过得怎么样？已经很久没联络了，他还拉小提琴吗？也许已经有了新女朋友吧……"诗琦想起大学时的男朋友，两行眼泪悄然滑过白皙的脸庞。

丞轩是个优秀的男生，不论外表还是内在都非常优秀，但优秀的他却喜欢上了平凡的诗琦，原因是他们都热爱音乐，热爱小提琴。

大学里，喜欢弹吉他装酷的男生不计其数，但像丞轩这样喜欢拉小提琴的优雅男生却屈指可数，而会拉小提琴的女生，更是万中无一，除了诗琦，似乎就没有别人了。

还记得那是一个周末的晚上，也是一个寂寞的夜晚，室友都回家了，只剩诗琦一个人在宿舍里自己陶醉地演奏。她拉的是法国著名作曲家圣桑的传世经典《引子与回旋随想曲》，热情奔放的阳刚之气与历尽沧桑的悲凉交织在一起，情绪大起大落，又不失优美华丽，没有娴熟的小提琴技巧，是无法驾驭的。事实上，不少小提琴教师也不见得能完整地演奏出这首经典名曲。

一曲过后，诗琦的小提琴技巧可说是发挥到了极致，就在她露出满意的笑容时，敲门的声音响起了。

"是谁呢？也许是隔壁的舍友吧！"诗琦边想着边把门打开，然而站在门外的却是一名眉清目秀的陌生男生。他的身躯并不雄壮，很阴柔也很儒雅，给人一种中性美的感觉。

男生露出优雅的笑容，温文尔雅地说："不好意思，打扰您了，我叫丞轩……"

优美的乐章引来风度翩翩的少年，成就了这段长达四年之久的恋情。毕业那天，谁也没提及"分手"两字，但两人心中都明白，曲终人散的时候到了。

诗琦伏在窗前，深秋的月色让人感到格外忧愁，哀伤的旋律在心中引起共鸣，泪水犹如从心中流出的鲜血，诉说着内心深处久未痊愈的伤痕。

秋心便是愁。

2. 拉小提琴的是谁

当第一缕晨光落在诗琦的脸上时，照到的是干涸的泪痕。她昨晚不知道何时睡着了，醒来时并不是躺在床上，而是伏在窗前。

虽然一连三晚都睡得不好，但诗琦并没有感到困倦，相反还挺精神的。也许，是因为疲惫的心灵得到了抚慰吧！她平时虽然经常感到很累，但那并不是肉体上的累，而是心灵上的累。

今天星期六，诗琦不用上班。醒来后，她就觉得心情特别好，琢磨着是不是该拜访楼上的新住户了。

小提琴声就像人的声音一样能借以分辨出其主人的性别，甚至能分辨出年龄和气质。而楼上传来的琴声，让诗琦能肯定这位新住户是个年轻的男人，一个儒雅的青年，就像丞轩那样。丞轩是被她的琴声引来的，而此刻对方的琴声是否又是一段浪漫爱情的开端呢？

想着想着，诗琦不禁脸色潮红，有种春心荡漾的感觉。

花了两个小时梳洗打扮，换上一条崭新的淡蓝色连衣裙，诗琦满意地在半身镜前转了个圈。别的都已经准备好了，但她的心还没准备好，要一个女孩子主动去敲陌生男生的门，的确需要点儿勇气，还需要一个借口。

"要用什么借口呢？"诗琦为了这个问题，又浪费了不少时间。直到她开始觉得肚子有点儿饿，发现早餐还没吃、午饭时间又快到了的时候，她干脆就不想了，厚着脸皮让对方请客就是了，这是女生的特权。

穿过大白天也很阴暗的楼梯，诗琦来到402室门前，这就是一连三晚传出忧伤乐章的房子。虽然这栋楼每一层都有四个单户，但她相信自己的听力，喜欢音乐的人大多都对自己的耳朵充满自信，当然也有某些人是例外的，例如贝多芬。

诗琦轻轻地敲响用不锈钢制造的防盗门，突然有种探访狱中犯人的感觉。牢固的防盗门使房子变成监狱，囚禁着孤独的灵魂。

也许诗琦敲得太轻，太有礼貌了，敲了好一会儿，房子里也没有半点儿动静，她只好敲得重一点儿。又过了一会儿，当她以为对方不在家里的时候，门却打开了。

正如诗琦所想，开门的是一个斯文的年轻人，他很像丞轩，但像的并非外貌，而是气质。他昨晚似乎睡得不是很好，双眼布满血丝，配合苍白的脸色，就像一个高贵的吸血鬼，给人一种既恐怖又浪漫的感觉。

虽然年轻人的面容略带憔悴之色，但亦难以掩盖其高雅的气质，使诗琦不由得春心荡漾，突然害羞起来，低下头回避对方的目光，说："不好意思，打扰你了。我叫诗琦，是楼下302的住户。"

"有事吗？"年轻人的语气并不太友善。

"我的小提琴弦断了，你可以借我一根吗？"初次见面就要对方请客，实在太失礼了，所以诗琦换了一个借口。其实，她也有备用的琴弦，任何一个喜欢拉小提琴的人都会有。

"我又不拉小提琴，哪里来的琴弦借你？"年轻人突然变得一脸怒容，说着就要把门关上。

诗琦连忙叫对方等一下，说："这几晚不是你在拉小提琴吗？"

"不是。"年轻人抛出这两个字就重重地把门关上。

"不是他，是谁呢？"诗琦呆呆地站在门前，喃喃自语。

3. 如愿以偿

诗琦整天都躲在家里发呆，她一直在想，这几晚到底是谁在拉小提琴？肯定是 402 室的住户，她能肯定，因为她相信自己的耳朵。但那个年轻人为何说自己不拉小提琴呢？难道 402 室里不止一个人？就算是，他也不可能不知道自己的室友在深夜拉小提琴啊。

唯一的解释是，他懒得答复自己。对一个正值花样年华的女性来说，这个解释简直就是一种侮辱，但除此之外，她又想不到别的解释。

夜幕徐徐降临，深秋干燥而寒冷的夜从窗外溜进房子，使呆坐的女生打了个寒战。

发呆了一整天，诗琦的肚子已经饿得咕咕响。厨房里有面条，花十来分钟就能为自己弄一份简单的晚餐，但她却不愿动手。她宁愿花更多的时间在街上徘徊，寻找一间值得她花上几十元甚至上百元的餐厅，吃一顿丰盛的晚餐。

街上更冷，但诗琦没有回家添衣的打算，要在漂亮的连衣裙上添一件不搭配的外套，还不如小跑几步暖暖身子。女生都是爱美的，并愿意为此付出代价。

在街上转了两圈，诗琦终于走进了一间叫莎莎的西餐厅。一进门，她就看见了住在402室的年轻人。两人都有点儿愕然，对视片刻后，年轻人先开口："中午的时候，真是不好意思，请多多包涵！"

"该我说不好意思才对，打扰你了，给你添麻烦了。"

"不是，不是，是我对你乱发脾气了……"

"你们认识吗？现在只剩下一张桌子哦。"服务生打断了两人的客套。

"赏脸一起吃顿饭好吗？"年轻人大方地说。

我就在等你说这句话啊，诗琦心里已经笑出来了。

周末外出用餐的人特别多，两人在服务生的带领下来到一张小小的餐桌前。这张餐桌实在小得不能再小了，对坐的二人，只要往前一伸手就能轻易地触摸到对方的身体。虽然餐桌太小，用餐有点儿不方便，但对陌生的男女来说，餐桌越小，距离就更近。这何尝不是一件好事呢，诗琦心想。

年轻人姓刘，名叫乐轩，是个普通的上班族，因为和之前的房东闹得不愉快，所以才搬到现在的住处。当诗琦听见对方的名字时，不由得心中一动，对方不但气质与丞轩相似，就连名字也同样带个"轩"字。

乐轩说自己经常会做噩梦，所以总是睡得不好，昨晚也一样，十点多上床，可是凌晨两点左右就醒了。因为次日是周末，不用上班，所以他就起床上网，直至日上三竿才上床睡觉。谁知道刚睡着不久，就被敲门声吵醒了。刚睡着就被吵醒的人，心情当然不会好到哪里去，对吵醒他的人发脾气也是情理之中的事情。

"原来他是因为被我吵醒，态度才这么恶劣。"诗琦心中沾沾自喜，之前一直为自己没吸引力而烦恼，现在不但得知事情因由，而且还如愿以偿得到对方的邀请，当然是心花怒放。但是，她随即就意识到另一个问题，他是一个人独居的，昨晚十点至深夜两点又在睡觉，那是谁在拉小提琴呢？难道他梦游了？

4. 噩 梦

"你经常做噩梦吗？通常会梦见些什么呢？"诗琦虽然很想知道到底是谁在拉小提琴，但她记得中午时，她一说起小提琴，对方立刻露出一脸怒容，所以她不敢直奔重点，而是想用旁敲侧击的方式试图探出端倪。

乐轩的身体微微颤抖，露出一个勉强的笑容，说："我经常会做类似的噩梦，在梦中我会站在一个像古代行刑台一样的台阶上，周围有很多穿戴整齐但样子非常丑陋的男女看着我。他们实在太丑陋了，眼睛、鼻子、嘴巴都扭在一起，就像怪物一样。这些怪物热情地向我鼓掌，但我却总觉得它们是在等着看我出丑。"

乐轩顿了顿又说："掌声过后，是让人畏惧的死寂，静得非常可怕，周围的怪物在沉寂中渐渐变成一具具骷髅，穿戴整齐的骷髅，他们的眼睛都闪烁着幽幽的绿光，贪婪的绿光……"他的声音渐渐变小，当发现诗琦凝神静听时，他又突然提高声调说，"突然，有一具穿西装打领带的骷髅对着我吼叫'还不开始'，接着所有骷髅都起哄了，一起高声叫嚷，有的叫'快开始'，有的叫'滚下来'。"

"我突然发现手里拿着一把刀，一把细长的刀……"乐轩说着拿起放在餐桌上用来割牛排的餐刀。诗琦的心脏猛然跳了几下，两人之间只隔着一张小小的餐桌，如果对方突然发难，一刀刺过来，她根本来不及躲避。

然而，乐轩并没有把刀口指向诗琦，他提起左手，把餐刀压在臂弯上，隔着衣服缓缓拉动。他眯着双眼，样子似乎很陶醉，像梦呓般说："我就这样在一群骷髅面前，用刀割自己的手臂。我不停地割，那些骷髅则在胡乱地鼓掌，用它们白森森的手骨鼓掌。手骨互击的声音很难听，听得我心烦意乱，于是我停下来，不再割自己的手臂，对着这些骷髅吼叫，叫它们全部滚出去。"

乐轩把手中那把让诗琦心惊胆战的餐刀放回桌面，继续说："吼叫过后，所有骷髅都安静下来，他们没有再用白森森的手骨鼓掌，也没从失去声带的喉咙中发出任何声音。死寂再次降临，当我想继续用刀子割自己的手臂时，却发现我的手臂已经断了，已经被我割断了。手臂就落在我脚边，慢慢地变成白森森的骨头……"

5. 又闻小夜曲

…………

　　人如天上的明月是不可拥有

　　情如曲过只遗留无可挽救再分别

　　为何只是失望填密我的空虚

　　这晚夜没有吻别

…………

夜深，楼上再度传来忧伤的旋律，仿佛在延续昨夜的忧愁。

诗琦再次失眠了，但这次使她失眠的是疑惑——到底是谁在拉小提琴呢？

是乐轩吗？似乎不是，但除了他，还有谁能在他的房间里拉小提琴呢？难道，他真的梦游了？

诗琦越想越糊涂，一点儿睡意也没有了，想着想着就想起几小时前那顿愉快的晚餐。乐轩很有风度，也很幽默，是个很不错的男生，和他共进晚餐是一件快乐的事情。但他在诉说梦中所见的可怕情景时，那仿佛着了魔的模样，又让她有点儿害怕。

乐轩的噩梦与此刻的琴声是否有关联呢？他拿餐刀隔着衣服割自己手臂时的姿势，不正是拉小提琴的姿势吗？也许，他现在正在梦游中拉着小提琴。要证实这个猜测，最好的方法就是到楼上敲门。

诗琦不是大胆的人，但好奇心是最好的壮胆药，她很想知道真相，而真相就在楼上。她花了些时间换衣服，又花了些时间化妆，她不怕会因此而耽误时间，因为根据之前的经验，琴声在深夜两点之前是不会停止的。

凌晨一点十八分，诗琦走出家门，没入黑暗的楼梯中。楼梯没有窗户，而且电灯早就坏了，就算在白天也很阴暗，晚上就更别说了，伸手不见五指。

在这凌晨时分，漆黑的楼梯之中，也许隐藏着无数未知的危险——人狼、吸血鬼、幽灵、僵尸，也许这些幻想产物过于虚无缥缈，但劫匪、强奸犯、变态狂魔，甚至喝醉酒的流浪汉却非常实在。以现在的治安环境，也许下一刻就会有一个浑身酒气的健硕汉子从后扑出，把诗琦紧紧抱住，强行亲吻她嫩滑的脸蛋、白皙的脖子，撕破她单薄的衣裳，粗暴地搓揉她身体最私秘的部位。她会放声大叫，但惊恐的叫声只会使她的邻居紧窗闭户，也许会有人拨打110，但以警察的效率，在他们到达的时候，她已经衣不蔽体，缩在墙角流下屈辱的泪水。而警察此刻的作用，只是以冰冷的语气询问刚才发生的可怕事情，让她脆弱的心灵再一次受到伤害……

幸好，这种不幸并没有发生在诗琦身上，但是在黑暗而寂静的楼梯之中也许隐藏着更多可怕的不幸。短短的楼梯，她仿佛花了很长时间才走完。她上到四楼，来到 402 室门前，凄婉动人的乐章就从门后传出，她能肯定。

诗琦伸出白嫩纤手，轻轻敲响坚固的钢门。敲门声打断了忧伤的旋律，她仿佛看见门里的人停止了原来的动作，停止了用刀子割自己手臂的动作，右手依然拿着刀，尚有一点儿皮肉连接的左手摇摇欲坠，随时都会掉到地上，慢慢化成白骨。

门后传来由远而近的脚步声，有人正朝门口走来，但"他"会是谁呢？是梦游中的乐轩，还是一个陌生的男人？答案马上揭晓，但诗琦此刻却有点儿胆怯，下意识地往后退了一步。

防盗门后的木门无声开启，通过防盗门镂空的地方可以看见里面同样是漆黑一片，但黑暗中有一双血红的眼睛，犹如野兽一般的眼睛。

"是乐轩吗？"诗琦很想尖叫，但她忍住了，以蚊子般的声音问道，同时又不自觉地退了一步。

"不是。"对方的语气很冷漠，但明显是乐轩的声音。

"那你是谁？我、我找乐轩。"诗琦的身体微微颤抖，说话有点儿结巴。

"乐轩已经睡了，我是他弟弟。"对方的语气依旧冷漠。

乐轩不是说一个人住吗？难道他弟弟，就是防盗门后这个人，是晚饭后才过来的？但之前几晚的琴声……空想不如发问，于是诗琦壮着胆子说："刚才是你在拉小提琴吗？"

"是。"

"之前几晚也是你在拉吗？"

"是。"

对方的回答，让诗琦更感疑惑，她突然想起白天那个借口，便说："我的小提琴弦断了，你能借我一根吗？"

"可以。"对方说着转身走进房子深处。其实诗琦到现在也没看见对方的脸，甚至没看见对方的身体，只看见一双血红的眼睛悬在黑暗之中。

"眼睛"很快就回来了，他没说话，只是把防盗门打开，伸出一只惨白的左手，手中拿着一根琴弦。虽然看见对方的手，但诗琦还是看不见对方的身体，也看不见他的脸。然而，诡异的气氛已使她的好奇心飞到九霄云外，此刻的她只想尽快离开，安全地离开。她突然后悔问对方借琴弦，她怕在接过琴弦那一刻，会被对方拉进房子里，而房子里面只有一双血红的眼睛和一只滴着鲜血的左手。

良久，诗琦也没敢接过琴弦，对方也没收回伸出的左手，这只手仿佛悬浮在空中，过多久也不会觉得累。长痛不如短痛，与其待在黑暗之中受恐惧的煎熬，不如来个痛快的解决。她猛然伸手，几乎是以抢夺的方式取得对方手中的琴弦，扔下一句"谢谢"，就往楼下狂奔。身后传来一句冷漠的"别客气"，接着是关门的声音。

6. 另一个他

琴弦是普通的琴弦，不是一根长长的头发或者蜘蛛丝，也没有血迹，跟诗琦之前见过用过的琴弦没什么区别。唯一让人感到不安的是，它来自一只左手，一只看不见主人身体的左手。

诗琦呆呆地看着这根琴弦，彻夜未眠。

充足的睡眠是最有效的美容方法，那么失眠当然是美容的大敌。近几天都睡得不怎么样，诗琦早上梳洗的时候几乎被镜子里的自己吓到，于是连忙翻出面膜往脸上贴。至于那些让她烦恼了一整晚的疑问，全都暂时放下，没什么比自己的脸更重要。

贴面膜、搽护肤品忙了一个上午，直至中午才勉强完成整个护肤工程，此时肚子又开始发出抗议的声音了。恰逢此刻，敲门声响起。

门外的是乐轩，他想请诗琦共进午餐。

还是那家餐厅，还是那张小餐桌，是巧合，是缘分，还是命运的安排？天晓得。

诗琦心中有无数疑问，但她却不知道该如何开口，或者说她害怕说错任何一句话，甚至用错任何一个词语。在好奇心的驱使下，她终于还是发问了，她还是以旁敲侧击的方式发问："你昨晚睡得好吗？"

"不太好啊，又做噩梦了。好像搬过来后，就一直做噩梦。"

"还是之前那个噩梦吗？"

"昨晚的噩梦有点儿不一样。"

"怎么个不一样呢？"

乐轩喝了口水，思索了片刻后，说："开始时，还是和之前一样，站在台阶上用刀子割自己的手臂，但在快要割断的时候，突然听见打雷的声音，接着就有一道闪电从黑暗的天空中落下，把所有骷髅都打散了。"他顿了顿，露出一个不太自然的笑容，又说："很奇怪哦，先听见雷声，之后才看见闪电，和现实正好相反。更奇怪的是，在梦中看见的闪电是鲜红色的，像血一样鲜红。"

"所有骷髅都被闪电轰散，遍地都是骨头，白森森一片，很吓人。前方突然出现一面巨大的镜子，黑色的镜子。我不由自主地往前走，走到镜子前面，看见镜子里有个模糊的影像。影像渐渐变得清晰，是一具骷髅，白森森的骷髅，在漆黑的镜子里，它白得很吓人。"乐轩的身体微微颤抖了一下，继续说，"骷髅突然开口，说我的手快断了。我低头看自己的左手时，正好看见左手从身体上掉落，落到地上慢慢化成骨头，与遍地的白骨混在一起，让我分不清哪一条才是我的。骷髅又开口了，说它的手骨断了，问我能不能借它一条。我答应了，就在遍地的白骨中寻找自己的手骨。我找了很久也没找到，突然听见骷髅说谢谢，抬头一看，看见镜子里的骷髅正拿着我的手骨，一下子就不见了，而在镜子前，站着另一具骷髅对着镜子说，别客气。那具骷髅突然转过身来对着我笑，笑得很阴森，我发现它并没有左手。"

虽然乐轩所说的梦境，与自己昨晚的经历有很大出入，但还是有迹可循的，因此诗琦几乎能肯定对方患有梦游症。为证实自己的猜测，她必须再问一个问题，她说："你有弟弟吗？我昨晚看见一个人挺像你的。"

乐轩微微一笑，说："我们这代人都是独生子女，哪儿会有兄弟姐妹呢！"

"那表兄弟或者堂兄弟呢？"

"有是有，但他们都不在这个城市，所以不可能让你碰见。"

所有疑问似乎都已经得到了答案，昨晚那个自称是乐轩弟弟的人，那双血红的眼睛，那只苍白的左手，其实都是乐轩，是梦游中的乐轩。

"你知道吗？你患上了梦游症。"诗琦严肃地说。

乐轩脸上的笑容突然僵化，良久之后才说："你见过'他'？"

"谁？"

"另一个我。"

7. 尘封的记忆

乐轩在小提琴方面很有天赋，小小年纪就拉得一手出色的小提琴，但他并不喜欢演奏那些所谓的经典名曲，只喜欢一些流行曲。如果是自娱自乐的话，拉什么曲子也无所谓，但当众表演，尤其是那些正规的比赛，就一定得演奏那些他所厌恶的"老掉牙"的曲目。

因此，乐轩非常讨厌参加比赛，但他又必须参加，为的只是满足他母亲的虚荣心。他的父母在他很小的时候就离婚了，母亲为了向别人证明自己的能力，一再强迫他参加小提琴比赛。出众的小提琴技巧使他屡获殊荣，但也使他更厌恶当众表演，确切来说是厌恶当众表演他讨厌的"老掉牙"的曲目。

终于，在一次盛大的表演赛中，年少的乐轩尽情地释放出心中的情感，他没按照大会的安排演奏克莱斯勒的《爱之喜悦》，而是浑然忘我地演奏出一曲《月半小夜曲》。以演奏技巧来说，他这次演奏绝对能得满分，但演奏过后，他所得到的并非热情的掌声，而是全场的鸦雀无声。静，死一般地沉静。他站在表演台上，犹如等待行刑的犯人，他很害怕，很想离开，但双脚却不受大脑支配，像生了根一样。

良久，刑罚终于要执行了，喝倒彩的嘘声排山倒海而来，当中还夹杂着不少难听的谩骂，犹如一颗颗子弹穿透乐轩的胸膛，把他击倒。

这次经历给乐轩的打击很大，自此之后他就不再愿意拉小提琴。但数月后，母亲在某天半夜竟然再次听见熟悉的琴声，开始时她还以为儿子对小提琴重拾信心，但很快她就发现事情并非那么简单。

乐轩只会在半夜拉小提琴，而他那时正值发育时期，睡眠不足对身体成长很不利。当母亲劝说他早点儿休息的时候，却发现他像完全变了个人似的，变得异常冷漠，而且自称是乐轩的弟弟。

母亲被吓坏了，带乐轩去找心理医生。经诊断后证实，他患上了双重人格。白天的他跟往常一样，没任何异常之处，但晚上，当他睡着之后，另一个他就会苏醒，爬起床默默地演奏凄婉动人的旋律。而对白天的他来说，另一个他所做的一切只是一场噩梦。

经过长时间的治疗，乐轩的病情已经有很大的好转，另一个他出现的次数越来越少，近两年更几乎没有出现过。但是可怕的梦境依旧困扰着他，他还是经常做噩梦，以致他根本不知道自己是纯粹在做噩梦，还是"弟弟"苏醒了。

8. 诗琦的小夜曲

············

仍在说永久想不到是借口

从未意会要分手

但我的心每分每刻仍然被她占有

她似这月儿仍然是不开口

提琴独奏独奏着明月半倚深秋

我的牵挂我的渴望直至以后

乐轩决定搬走了，他认为是环境转变致使旧病复发，所以要搬回原来的住处，虽然他与原来的房东关系并不好。

乐轩搬走后，诗琦的生活又恢复平静，平静得像一潭死水。无聊中，她从尘封的琴盒取出仍保存完好的小提琴，演奏出忧伤的旋律。就在眼泪洒落琴面的时候，手机响起了，屏幕上显示出一个熟悉的头像，是丞轩。

[完]

Chapter ⑥ 不听话的手

　　某一日，自己的双手突然变得不受控制，甚至在自己毫无防范的时候加害自己，那是多么可怕的事情啊！

1. 鬼压床

　　我叫倩宜，是一个平凡的女人。然而，我的家庭决定我的生活会在平凡中有那么一点儿不平凡。

　　母亲于三年前病逝，她是个温柔善良的慈母，总是无微不至地照顾着我的衣食住行，不管遇到什么事情，我都会第一时间跟她说。其实，就算我不说，她也很快就能发现，比如我和梓宇谈恋爱就没能瞒过她。

　　有时候，我觉得母亲就像个姐姐一样，她知道我谈恋爱后，不但没有责怪我，反而替我保密。要知道，当时我还在念书，要是让父亲知道此事，也许我和梓宇早就分开了。

　　也许，母亲在我心中的形象太完美了，以至我久久不能接受媚姨，虽然她对我也很好。媚姨是我的后母，她和父亲走在一起已经有两个年头，要不是我一再反对，他们早就结婚了。虽然我的态度很强硬，但父亲始终都是一家之主，而我也总有一天会离开这个家，和梓宇或者别的男人组织新的家庭。所以，父亲最终还是和媚姨结婚了，就在一个月前。

"听你爸说，你最近睡得不太好。我买了些薰衣草香薰，睡觉前点上能睡得香一点儿。"媚姨拿着香薰炉和香薰油走进我的房间，亲手点上，放在书桌上。

"哦。"我淡漠地回应一声，媚姨知趣地离开。

已经一起生活了一个月，但我从没叫过媚姨一声妈，甚至连"媚姨"二字也没说出口。对她的称呼，通常只是极不礼貌的"喂"。

父亲对我对待媚姨的态度很不满意，为此骂了我好几次，然而媚姨却不以为意，总是说没关系。有时候我会觉得有一点儿内疚，媚姨对我这么好，可是我却始终对她没有任何好感。也许是受到白雪公主、灰姑娘等童话故事影响吧，我总觉得后母一定是坏人。

每一晚我都会因为这些家庭琐事而难以入眠，但今晚不知道为何，竟然一下子就睡着了。半夜里，我迷迷糊糊地醒过来，好像听见有人在说话，但又听不清楚，想起床开灯，可连一根指头也动弹不了。一个念头突然在脑海中闪现——鬼压床。

我之前虽然从来没有鬼压床的经验，但在网上看过一些别人关于它的讨论，对此多少有些了解。在网上，有个叫求无欲的悬疑小说作者曾经说过，鬼压床并非什么鬼怪作祟，科学的说法是大脑醒来了，但身体（中枢神经）还处于睡眠状态，无法执行大脑发出的指令，所以身体才会动弹不了，这情况跟全身瘫痪的病人有些相似。他还说，如果二十岁之前没经历过鬼压床，通常一辈子也不会出现鬼压床，因为这跟体质有关。

我今年已经二十四岁了，从来没有鬼压床的经验，为何今晚会莫名其妙地鬼压床呢？难道……

心中的恐惧使我全身颤抖了一下，经这一抖，身体就"醒"过来了。我挣扎着爬起来，在黑暗中摸索床头的电灯开关。灯亮了，我的心情稍微平复了一些。环视四周，房间内的一切依旧那么熟悉，除了书桌上多了个已熄灭的香薰炉外，一切都和昨天一样，没什么差别。也许，最大的区别在于空气中仍飘荡着让人浑身放松的薰衣草香味。

2. 键盘手

昨晚被鬼压床，害得我今天整天都有些心神恍惚，做错了不少事情，因此被经理骂了好几遍。

一份简单的文件竟然打错了三次，自己都觉得太离奇了。在打第四次之前，我拨了个电话给梓宇，本来想约他今晚一起吃饭，好让我拿他当"出气筒"，撒一下娇。可是，他忙得要命，没说两句就说要工作了，还说今晚可能要加班。

撒娇的计划落空了，这也不能怪梓宇，谁叫他在市化验所里工作呢。以前，他是挺清闲的，但近来政府狠抓食品安全，所以天天都有一堆食品等着他化验，加班已是家常便饭。

没人能让我撒娇，就只好认真把工作做好，要不然我也得加班了。

当秘书已有两个年头了，整天与键盘打交道，所以我对自己的打字速度还蛮自信的，不一会儿就把文件完成得差不多了。可是，就在这时候，奇怪的事情发生了。

我本来想按空白键，可是我的手指却停留在空白键的上方，久久也没有按下去。我还没弄明白是怎么一回事，其他手指就不受控制地乱动，仿佛有另一个我在支配它们一样，吓得我高声尖叫。

经理第一时间走过来看我发生了什么事，当他看见我的手指像在弹着看不见的钢琴般乱动时，就问我发生了什么事。我不知道怎么回答他，因为我也不知道自己到底怎么了，而且我心里很害怕，脑子一片空白，根本想不到双手失控的原因。

经理平时虽然凶了一点儿，但也是个好人，他见我害怕得连话也说不出来，就立刻叫上一个女同事，亲自驾车送我到医院。

在医院做了一大堆似乎跟双手没什么关系的检查后，医生看我还在胡乱舞动手指，憋了半天才憋出一句话："键盘手，你一定是患上了键盘手！"随即在处方单上龙飞凤舞，写了一大堆我看不懂的符号。

护士给我的双手各打了一针，手指就不动了。不但不动，连感觉也没有了，仿佛双手被砍掉了似的。我想，她给我注射的大概是麻醉剂之类的东西吧？

没感觉就没感觉吧，只要它们不乱动就好了。经理把我送到家门口，叮嘱我多休息几天，因为键盘手是职业病，他说会帮我申报工伤，叫我安心在家休养。

老实说，经理其实也挺好的，如果我不是有了梓宇，他也许会是不错的选择。

3. 魔鬼之手

家里只有媚姨一个人在，父亲因公出差，这几天也不在家。

我本来没有打算把患上键盘手的事情告诉媚姨，平时有什么事，我也不会主动告诉她。可是，当她看见我带回了一大袋药，就关切地问我是不是病了。

我虽然不喜欢媚姨，但她毕竟是我爸的妻子，总不能对她不理不睬，于是就把键盘手的事情告诉了她。

媚姨对此大为紧张，连忙靠过来问这问那，还迫不及待地往门外走，说要买些鸡脚熬汤给我喝。看见她急成这样子，我心里又一次觉得内疚。

因为手指都动不了，我花了不少时间才拨通了梓宇的电话，他知道我的情况后很焦急，恨不得立刻就飞到我身旁。可是，他的主任不放人，他想飞也飞不了。我说没关系，一点儿小病而已，而且明天就是星期六，也不差这一晚。

吃晚饭的时候，我就犯愁了，那个医生也太狠了，给我下了重药，双手还是没有一点儿感觉，别说拿筷子，就连汤匙也拿不了。

媚姨似乎知道我的窘境，就坐在我身边想喂我。我的天啊，多大的人了，竟然还要像个小孩儿似的让别人喂汤喂饭，真是丢脸死了。如果是以前，我一定会拒绝，可是一想起媚姨为我着急的样子，我又说不出口。丢脸就丢脸吧，反正又没别人知道。

睡觉前，媚姨又为我点上香薰，但这次她没有立刻离开，站在床前欲言又止。我便问她是不是有话要跟我说，她犹豫了片刻才说："我刚才打电话给一个当医生的朋友，谈你双手的事情。她说你的情况不像是键盘手，因为患上键盘手只能出现手指麻木、疼痛等症状，绝对不会出现手指乱动的情况。她担心你患上的是……"

"是什么？"

"我怕说出来会吓到你。"

如果媚姨什么也没说，肯定不会吓到我，全说了也不一定会吓到我，但是她只说一半却会把我吓个半死。于是，我连忙催促她说下去。

媚姨又犹豫了片刻才说："我朋友担心你患上的是魔鬼之手。"

"魔鬼之手？有这种病的吗？"请恕我孤陋寡闻，这种病我在魔幻小说中也没看过。

媚姨连忙解释道："我朋友说，这是一种新发现的疾病，医学界对此还没正式定名，但因为患病者的双手都像着魔似的不受自身控制，所以就被称作魔鬼之手。"

媚姨沉默片刻又说："我朋友还说，患上魔鬼之手的人不能睡得太沉，不然会在熟睡的时候被自己的双手掐死的。要不，今晚我陪你睡，我怕你半夜会……"

自己掐死自己？听起来虽然很无稽，但也够让人毛骨悚然的。试想一下，要是别人想害自己，哪怕那人是自己最亲密的人，也有方法能防范。可是，要害自己的人就是自己，能有方法防范吗？

　　媚姨的话的确把我吓到了，但我还是拒绝了她的好意。让她喂饭已经够丢脸了，还要她陪我睡，要是让别人知道，我真是不想活了。而且，我也不一定就是患上魔鬼之手，应该不是吧！老实说，我自己心里也没底。

4. 掐死自己

　　虽然我心里很乱，但不知道是不是因为香薰的关系，合上眼没多久就睡着了。

　　半夜里，我迷迷糊糊地醒过来，和昨夜一样，身体又动不了，我想应该又是鬼压床吧。然而，这次似乎有点儿不一样，我好像看见，或者说感觉到有一个黑影站在床边，对着我阴险地笑着。我很想睁开眼睛，可是眼皮却像灌了铅一样非常沉重。

　　突然，我觉得脖子一紧，黑影用双手掐住我的脖子，死死地掐着。我立刻感到一阵眩晕，想叫救命，却叫不出来。

　　当我觉得自己快要死去的时候，掐着我脖子的双手突然变得没有力气了。一个激灵，我就惊醒了，还好，我还活着。虽然我还没死，但我发现了一件比死亡更可怕的事情——我的双手正软弱无力地掐着自己的脖子。

　　我被吓得魂飞魄散，连忙把双手甩开。可是，双手与身体连接，我能把它们甩掉吗？除非，把它们剁下来。

　　手指又开始不受控制地乱动，我好不容易才用脚指头按下了电话的重拨键，给梓宇拨了电话。这一刻，除了他，我谁也不相信，包括我自己。

　　不到二十分钟，梓宇就风风火火地冲进我的房间，紧紧地把我拥在怀里。

　　"什么魔鬼之手，真是胡扯，我看你双手的情况应该是服用过量迷幻药后出现的副作用，就像那些经常嗑药的太保太妹那样。"梓宇仔细地观察过我的双手后说。

梓宇虽然是化验师，但也是终日与药物打交道的人，所以我十分相信他的话。可是，媚姨那个医生朋友所说的又是怎么一回事呢？

轻轻的敲门声打断了我和梓宇的交谈，媚姨给我们送来茶点，与梓宇寒暄几句，又关切地询问了我的情况后，就退出房间了。

看着已经关上的房门，梓宇突然小声地说："媚姨这几天有没有对你做过什么特别的事情？"

"没什么特别的，就是给我买了些香薰和香薰炉。"

梓宇走到香薰炉前，炉上有一些还没用完的香薰油，他用手在炉上轻扇，把气味扇到鼻子里。过了一会儿，他的身体突然晃了一下，差点儿就跌倒了。

"问题就出在这香薰上。"梓宇以肯定的语气说。

5. 后母一定是坏人吗

媚姨被警察带走了，梓宇报警说她意图谋杀我。那些香薰经化验证实含有迷幻药成分，而且药性非常霸道，吸入后会使人昏昏欲睡，并出现梦魇症状，即俗称的鬼压床，我的双手失控也是因为受其影响。

不过，我一直想不明白，这种药为什么这么神奇，能使我睡着的时候掐自己的脖子。梓宇给我解释说，我之所以会掐自己脖子，是因为媚姨给了我心理暗示。

媚姨故意编造出魔鬼之手这个谎言，是为了让我在潜意识中有这样一个念头——熟睡时，我会掐死自己。有了这样的潜意识，我就会本能地抗拒睡眠，但是受到迷幻药的影响，我又会很快就睡着。一睡着，潜意识就活跃起来了，在迷幻药的催化下，便做出掐自己脖子这种可怕的事情。

梓宇还说，他之所以怀疑媚姨，是因为人是不可能掐死自己的。当脖子被掐住时，大脑就会缺氧，随即浑身无力，没有力气了，还怎么继续掐脖子呢？这是稍微懂一点儿医学知识的人都知道的事情，媚姨那个所谓的医生朋友会不知道吗？

父亲得知此事后，立刻就赶回来了。他与媚姨谈了很久，回来后就让我去销案。我当然不肯答应了，可是父亲却红着眼跟我说："只要你肯去销案，我马上就和她离婚。"

正所谓一夜夫妻百夜恩，我也不想让父亲太难过，只好无奈地答应了。

媚姨搬走的那一天，我气冲冲地问她为什么要害我，她只是不停地流泪，一句话也没说。

梓宇跟我说，也许媚姨不是真的想害我，她只是想利用这件事来改善我和她的关系。毕竟，那种迷幻药虽然在表面上看来很可怕，但只要不是长期使用，就不会对身体构成实质的伤害。在这件事上，我也要负很大责任，如果我不是一直都不肯接受她，她或许就不会这么做。

也许梓宇所说的都是事实，也许并非所有后母都是坏人，但我还是难以改变自己的看法，至少，这个后母是坏人。

［完］

图书在版编目（CIP）数据

诡案组外传 / 求无欲著 .-- 长沙：湖南文艺出版社 , 2014.9
ISBN 978-7-5404-6838-5

Ⅰ . ①诡… Ⅱ . ①求… Ⅲ . ①短篇小说—小说集—中国—当代 Ⅳ . ① I247.7

中国版本图书馆 CIP 数据核字（2014）第 170471 号

上架建议：小说·悬疑推理

诡案组外传

作　　者：求无欲
出 版 人：刘清华
责任编辑：薛　健　刘诗哲
监　　制：蔡明菲　潘　良
特约策划：潘　良
特约编辑：刘　筝
营销支持：尤艺潼
封面设计：荆棘设计
版式设计：李　洁
内文排版：百朗文化
出版发行：湖南文艺出版社
　　　　　（长沙市雨花区东二环一段 508 号　邮编：410014）
网　　址：www.hnwy.net
印　　刷：三河市鑫金马印装有限公司
经　　销：新华书店
开　　本：787mm×1092mm　1/16
字　　数：252 千字
印　　张：17.5
版　　次：2014 年 9 月第 1 版
印　　次：2014 年 9 月第 1 次印刷
书　　号：ISBN 978-7-5404-6838-5
定　　价：32.00 元

（若有质量问题，请致电质量监督电话：010-84409925）